【手順3】座標軸 $x-y$ を決めよ（図3）

【手順4】力の矢印を $x$ 軸方向，$y$ 軸方向に分解する（図4）

【手順5】$x$ 軸方向，$y$ 軸方向別々に式を立てる
　静止しつづけているとき→力のつりあい
　加速度運動しているとき→運動方程式 $m$

【手順6】連立方程式を解く

【手順7】等加速度運動の公式を用いて解く

図4

## 第4講　摩擦力

◎「橋元流・摩擦力の向きの決めかた」【⇒P.75】

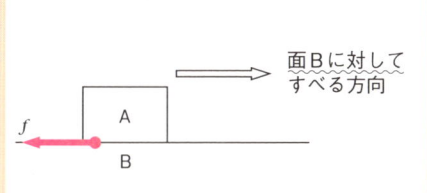

AがBに対して右にすべるとき
→AはBから左へ摩擦力を受ける

## 第5講　放物運動

◎放物運動は等速度運動と等加速度運動の組みあわせ【⇒P.94】

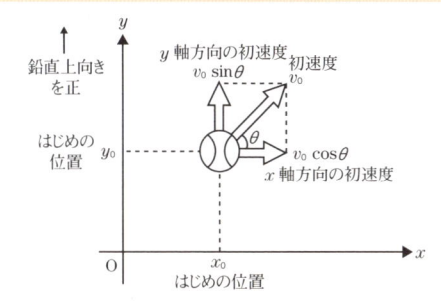

①位置の公式
$$\begin{cases} x = v_0 \cos\theta \cdot t + x_0 \\ y = -\dfrac{1}{2}gt^2 + v_0 \sin\theta \cdot t + y_0 \end{cases}$$

②速度の公式
$$\begin{cases} v_x = v_0 \cos\theta \quad （一定） \\ v_y = -gt + v_0 \sin\theta \end{cases}$$

※くわしい内容，意味については本文を参照しよう！

大学受験

# 橋元の物理基礎を
# はじめからていねいに

東進ハイスクール
講師　橋元淳一郎

# 授業のはじめに

## 物理はイメージだ！

　物理の勉強をはじめようとするみなさんに，ボクはいつも「**物理はイメージだ！**」とアドバイスします。すると多くの人たちは，けげんな顔をして，物理というのは，公式を使って式を立てて，複雑な計算をする科目じゃないの？と反論します。その顔には，だから物理はムツカシイ，オモシロクナイ科目に違いないと書いてあります。

　しかし，そうではないのです。**物理の本質は，公式や計算とは無関係**です。イメージが全てなのです。

　本書は，「物理はイメージだ！」という信念のもとに，はじめて物理を学ぼうとする人のために企画しました。**東進ハイスクール・東進衛星予備校での実際の授業をもとに，ライブの雰囲気を生かしてまとめたもの**です。中学校の理科や数学はある程度わかったのだけれど，高校の物理はゼンゼン理解できないと思っている人が，主な対象です。それだけでなく，文系の人でもわかるように，また大学入試を「物理基礎」で受験しようと思っている人に役立つように工夫しました。

## なぜ？　どうして？

　何かを学ぶには好奇心が必要です。好奇心とは，「**なぜ？　どうして？　どういう意味？**」といつも自分や先生に問いかける姿勢です。**物理がおもしろくなる最大のコツは，このような好奇心を持つこと**です。「理屈はどうでもいい，ともかく公式を覚えなさい！」という教えかた，学びかたが一番よくありません。多くの人が物理ギライにな

る理由は，わけもわからないまま公式を覚えさせられるからです。本書では，随所に「なぜ？　どうして？　どういう意味？」という問いかけが出てきます。みなさんも，ハッシー君と同じ好奇心を持って物理にアタックしてみてください。そうしたら，きっと思ってもみなかった物理のおもしろさが体験できるでしょう。

## 物理の魅力を知るために

　高校の物理は，大きく「**力学**」「**熱**」「**波動**」「**電磁気**」「**原子**」の5つの分野に分けられます。本書は「物理基礎」の範囲で扱うもののうち，大学入試での出題比率が高い分野をターゲットとして，物理の考えかた，問題の解きかたを伝授してみることにしました。より理解を深めるため，「発展」の範囲に踏み込んでいるものもありますので，最初は全部が理解できなくてもかまいません。1つでも2つでも，あっ，なるほど，そういうことなのか，という感動を味わってください。そうすれば，いつのまにかキミは物理の魅力にとりつかれていることでしょう。一人でも多くの人が物理好きになってくれる。それがハッシー君の願いです。

2014年3月　　　　　　　　　橋元淳一郎

# 1 授業

**橋元先生がていねいにわかりやすく授業を展開します。Theme，Stepに区切って進みますので，1つ1つ確実におさえていきましょう！**

30

**Theme 2**

## 作用・反作用の法則

こんな経験はありませんか？ キミが壁に体当たりするとしましょう。キミは壁から強くはねかえされますね。物理の世界ではこれを「**作用・反作用の法則**」というんです。

**Step 1　AがBから…，主語がポイント**

物体に働く力を見つけるのには，重力とタッチの定理で充分ですが，補助的に「**作用・反作用の法則**」を知っておくと，よりはっきりと物体に働く力がわかります。

ある参考書は次のように「作用・反作用の法則」を説明しています。

> 作用があれば必ず反作用がある。その大きさは等しく一直線上にあって，向きは逆向きである。

この説明は間違いではありませんが，なんだかわからないと思いませんか？ この表現では一番肝心な点が，はっきりしないんですね。こんなふうに暗記するのはやめましょう。これを暗記するぐらいなら，英単語の1つでも覚えた方がマシってもんです。

LIVE

「作用・反作用の法則」を経験上でお話ししましょう。たとえばボクが黒板を押しますね。ぐっと強い力で押してやると，はねかえってきますね。ボクがはねかえって動くということは，ボクはタッチしている黒板から力を受

第2講　物体に働く力の求めかた　31

けているということになりますね。次に，黒板に触れているだけのボクをイメージしてください。何も起こりませんね。ボクが黒板を軽く押すと，軽くはねかえされますし，強く押すと，強くはねかえされます。これが「作用・反作用の法則」なんです。

「作用・反作用の法則」はぜひ，次のように覚えてください（図2-5）。

**橋元流●作用・反作用の法則の覚えかた**

図2-5

**AがBから**
力 $F$ を受けるとき，
**BはAから**
逆向きに力 $F$ を受ける



この「作用・反作用の法則」の橋元流の覚えかたで大事なことは「**〜が(は)…から**」というところなんです。「〜が（は）」の主語がポイントですよ。先ほど紹介した参考書の説明では，この肝心なポイントがはっきりしません。ぜひ，橋元流で覚えてくださいね。

それでは，次に行きましょう。次は力学のシンズイともいうべきものです。

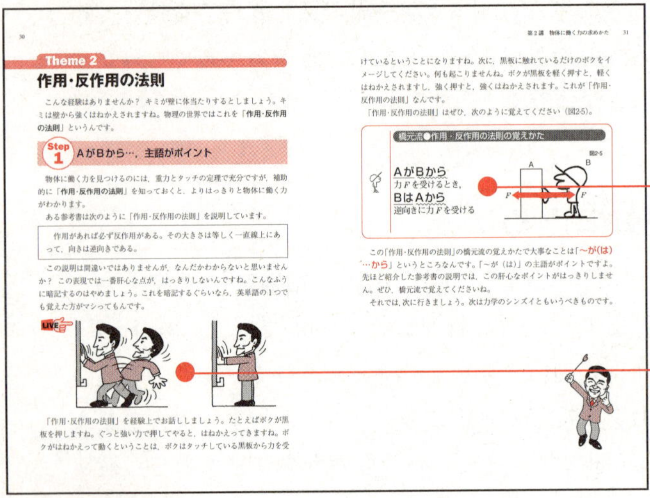

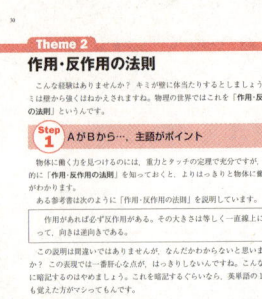

**橋元流●**

**これぞイメージ物理の核となる考えかたです。橋元先生の秘伝をキミに教えます。**

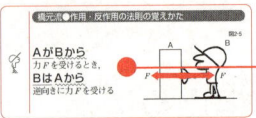

**LIVE**

**実際の授業の動きを紙面で展開します。イメージの助けにしてください。**

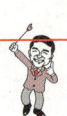

**まとめ—**

**授業で説明してきた大切なポイントをまとめます。しっかり確認しましょう。**

**連続図**

**物理現象などを一度分解し，わかりやすく再構築した連続図です。ひとつひとつていねいに理解し，全体のイメージをつかみましょう。**

72

**まとめ—5**

**静止摩擦力はここがポイント！**

1. 静止摩擦力は常に物体を動かそうとする力とつりあう。
   →静止摩擦力は状況（物体に働く力の大小）に応じて変化する。
2. **最大静止摩擦力のみが $\mu_0 N$。**
   →物体がまさに動き出そうとする直前に働く一番大きな静止摩擦力。

次は動摩擦力について説明をしましょう。

**Step 6　動摩擦力は常に $\mu N$**

「動摩擦力」について考えてみましょう。静止摩擦力に比べれば，間違いようがありません。簡単です。動摩擦力の公式は，

$$f = \mu N$$

動摩擦力は常に「$\mu N$」と覚えていただいて結構です。図を見てください（図4-7）。物体が面に対して右向きへすべっているとします（必ずしも右向きに力が働いていなくてもよい）。そうすると，物体がすべるのを阻止する向きに動摩擦力が働きます。

図4-7



公式に注目してください。$\mu$ は面の粗さです。「動摩擦係数」とよんでいます。動摩擦力の場合も静止摩擦力と同じように，面の粗さ $\mu$ が大きければ，また物体と面が強く押しあえば（垂直抗力 $N$ が大きければ），大きくなるでしょう。しかし，「なぜ？ どうして？」と考えるみなさんはここでちょっと疑問に思いますね。

静止摩擦係数 $\mu_0$，動摩擦係数 $\mu$，この2つは区別されていますね。「面の粗さは同じなのに，それはちょっとおかしいんじゃないの？」という疑問が

第4講　摩擦力　73

浮かびます。静止摩擦係数と動摩擦係数は違います。どうしてでしょう？ 実は，厳密にはよくわからない問題なんです。「そんなことでいいの？」と思うでしょうが，物理では最先端のことがわかっていても，こんな摩擦力のような基本的なところほど，わからないことばかりなんですよ。私たちの日常生活の物理現象で不思議なことは多いのです。

でも，経験上の例をあげて説明してみましょう。

たとえば，図のように大きな荷物があるときのことをイメージしてみてください（図4-8(a)）。これを引っぱってみます。なかなか動きませんね…。ぐーっと，ぐーっと力を大きくして…引いてみますと，いつかは荷物が動きます（図4-8(b)）。この動く直前の力が最大静止摩擦力ですね。

ちょっと，イメージを働かせてください。動くまで荷物をぐーっと引いているときは大変ですが，いったん動き出すとズルズルと楽に引けます（図4-8(c)）。経験的に，物体が動く直前の最大静止摩擦力は大きいけれど，物体が動き出して摩擦力が動摩擦力に変わると，そのときの動摩擦力は小さく感じられますね。ですから，2つの摩擦力の摩擦係数は区別されているんです。経験的に動摩擦力は最大静止摩擦力より小さくなります。つまり，

**こんな経験から摩擦力を探る！**



$$\mu < \mu_0$$

このように動摩擦係数と静止摩擦係数は区別されています。「じゃあ，それはなんで？」と思うでしょうが，それは「物理のナゾ」ということにしてください。物理でもわからないことがいっぱいあるんですよ。

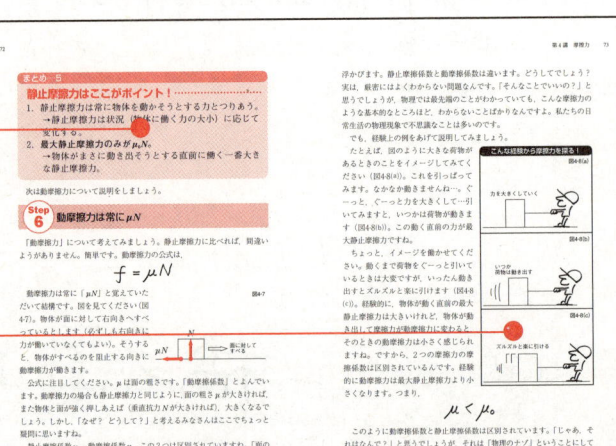

# 本書の構成

「物理基礎」の学習単元を本書は16講立てで展開します。それぞれ，前半は導入の授業部分で，後半は定着を図る問題演習部分となっています。

授業は，はじめからていねいに進めていきますので，物理が苦手だという人もムリなくムダなく力がついていくでしょう。

## ② 問題演習

授業部分で学習したことを生かし，確認しながら問題を解いていきます。学習事項の定着を図り，応用力・実戦力を養います。

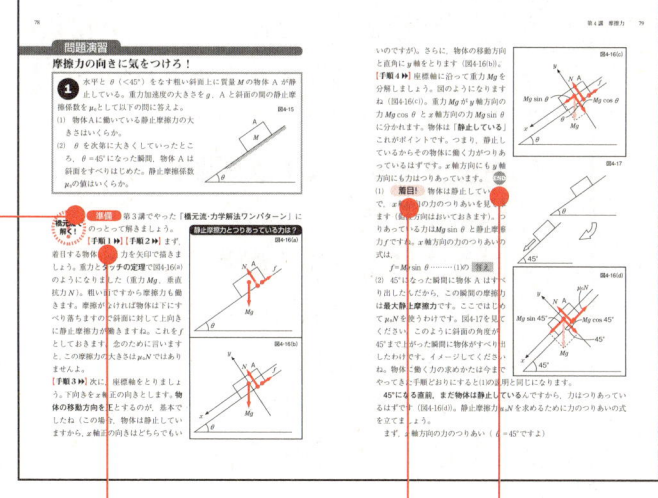

**準備**
問題を解くに際して，まえもって準備をしておきます。

**【手順1▶▶】**
第3講で学ぶ「橋元流・力学解法ワンパターン」の手順を示します。

**着目!**
文字どおり，着目すべき内容の解説です。

 **END**
「準備」や「着目!」の説明が終わったことを示します。

# CONTENTS

授業のはじめに………2
本書の構成………4

**第1講** 位置，速度，加速度………7
**第2講** 物体に働く力の求めかた………25
**第3講** 等加速度運動………47
**第4講** 摩擦力………65
**第5講** 放物運動………87
**第6講** 圧力と浮力………111
**第7講** 仕事とエネルギー………121
**第8講** 力学的エネルギー保存則………145
**第9講** 熱と温度………167
**第10講** 理想気体の状態変化………183
**第11講** 正弦波………217
**第12講** 弦と気柱の振動………233
**第13講** 電界と電位………257
**第14講** 直流回路………269
**第15講** 磁界と電磁誘導………293
**第16講** 交流と電磁波………311

「橋元流」，「まとめ」CHECK & INDEX………321

# 第1講

# 位置, 速度, 加速度

力学

**Theme1**
物体が「いつ」,「どこに」あるか

**Theme2**
$v$-$t$ グラフを描く

**Theme3**
公式をまとめる

**問題演習**
$v$-$t$ グラフを使うと楽チン！

## 講義のねらい

等加速度運動の公式をイメージで理解する。

# Theme 1
# 物体が「いつ」,「どこに」あるか

さて,きょうは第1講です。力学からスタートです。そこで,何はともあれ,「力学とは何か?」ということについてちょっと考えてみましょう。

## Step 1 力学の目的について考えてみよう

力学の目的は2つあると思います。1つは,まさに**力とは何か**を知るということです。しかし,これについては第2講で考えることにして,ここではもう1つの力学の目的を紹介します。すなわち,

**力学の目的:「物体」が「いつ」「どこに」あるかを予測する.**

この意味は,たとえば次のようなことです。ハレー彗星が76年に1回地球に接近するというように,天体の現象や未来のことを予測することができますね。なぜ,そういうことができるのでしょうか? あるいは,ロケットを打ち上げて月の軌道を回らせたり,軟着陸させたりすることもできますね。そういうふうに物体がどのような運動をして,いつ,どこにいるのか,あらかじめ計算して知ることもできます。それが力学のすごいところなんです!

つまり,ものが,刻々と時間がたつにつれて動いていく…それをまえもって知ることができるのは力学のおかげなんですよ。

## Step 2 式を物理的にイメージしてみる

ついでに言いますと,ここで出てきた「**物体**」「**いつ**」「**どこ**」,この3つの要素が物理の基礎になります(物理量の基礎)。

力学の世界では,

- 物体 = $m$ (mass)  〔kg〕 **質量**
- いつ = $t$ (time)  〔s〕 **時間**
- どこ = $x$     〔m〕 **位置**

この3つの量だけで,あらゆる現象を扱うことができるんです。ま,それはともかく,本題に戻ります。たとえば…

$$x = t^2 + 2t + 3$$

という式を考えてみましょう。

あくまでも,これは例です。適当に今,ボクが考えついた式です。この式が,「物体の時間や位置を表す」って言われても,みなさんは「ええっ?」と思ってしまいますよね。

しかし,ちょっとだけガマンして式をにらんでください。

(例) $x = t^2 + 2t + 3$

$t$ に 0 を代入してみると,
$x = 0 + 2 \times 0 + 3 = 3$
ですね。以下同様に,
$t = 1$ のとき,$x = 6$
$t = 2$ のとき,$x = 11$
$t = 3$ のとき,$x = 18$
　　　　⋮
と求まります (図1-1)。

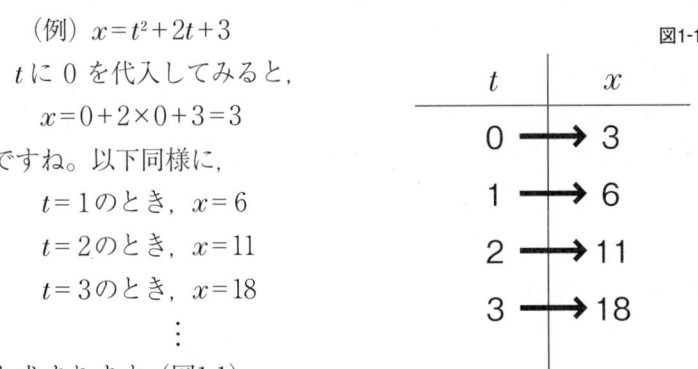

図1-1

ここまでは数学のお話。ここからが物理なんです。

$t$ は時間,$x$ は位置を表していると考えてみましょう。

いつ,どこに物体があるのか予測するのが物理だということを思い出してください。つまり,$t = 0 \rightarrow x = 3$ とは,時刻が 0 (秒) のとき物体は $x = 3$ (m) の位置にいるということです。また,1 秒後には 6m の位置にいます。2 秒後には 11m。3 秒後は 18m。ここで図1-2 を見ると,車がはじめ 3m のところにいて,そこから動き出してどんどんアクセルを踏んでスピードを出していることがわかりますね。

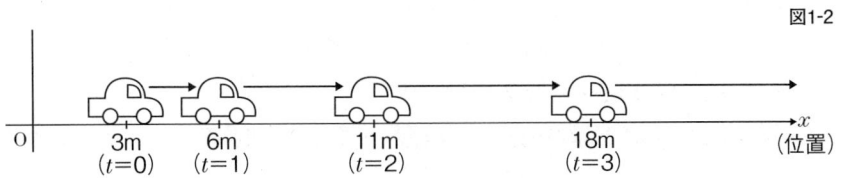

図1-2

すなわち，$x=t^2+2t+3$ は，物体がいつ，どこにあるのかを予測した式になっているわけです。このことがイメージできれば，物理に出てくる式なんて，少しもこわくなくなるでしょう。数式だと思わないで，ものが時間とともに動いていく，その様子なんだとイメージすることです。

では次に行きましょう。

## Step 3 速度や加速度も大事

物体がいつ，どこにあるのかを予測できれば，ものの運動の全てがわかります。しかし，コンピュータだとこれで充分なのですが，われわれ人間にとっては時間と位置だけじゃ，ちょっと不便じゃないでしょうか。

キミが横断歩道を渡るとき，車が横断歩道から100mのところまで向かってきました（図1-3）。キミは，何を考えますか？ 車がどこにいるのか，まず，考えますよね。でもそれだけじゃ心もとない。車のスピード（**速度**）も考えますね。スピードを出しているかどうかはキミにとって大問題です。

車が100m離れていても時速100kmも出していれば，大変危険ですし，わずか10m手前であっても亀が歩くようにノロノロと動いていれば安全でしょう。さらに考えることはそれだけじゃないですね。車がアクセルをふかして加速しているのか，ブレーキをかけて減速しているのかも考えます

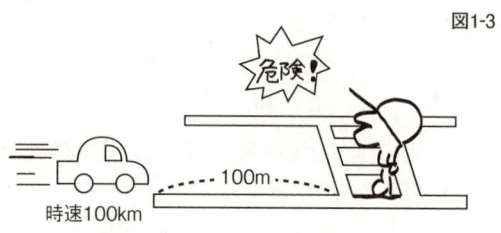

図1-3

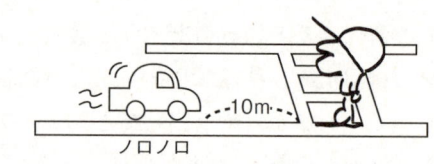

よね。つまり，車の「位置」を確認すると同時に，車の「**速度**」や，「加速しているか，減速しているか」（物理では「**加速度**」とよぶ）という3つのことを頭の中で考えているはずなのです。

ということで，第1講のテーマ「**位置**」「**速度**」「**加速度**」が出てきましたね。

# $v$-$t$ グラフを描く

Theme 2

位置，速度，加速度の問題を解くときに非常に便利なグラフがあります。「$v$-$t$ グラフ」というものです。これを描くことによって，問題がスラスラ解けるようになりますよ。

### 傾きは加速度

グラフを描くというのは大事な作業なんです。例を示しましょう。

**$v$（速度）が $t$（時間）とともにどのように変わっていくのか**を表しているのが $v$-$t$ グラフです。

縦軸に速度 $v$，横軸に時間 $t$ をとります。時間がたつと物体がどのくらいのスピードになるのかを表しているわけです。この場合（図1-4(a)），時間がたつとどんどん速度が上がっていますね。つまり，物体が**加速**しているのを表しています。車がアクセルを踏んで，どんどん加速している状況をイメージしましょう。

最初にあるスピードを持っていて，時間がたってもずーっと変わらない場合もあります。つまり一定の速度で動いているんです。これを「**等速度運動**」といいます（図1-4(b)）。

そしてあるスピードを持っていたが，時間がたつにつれだんだん遅くなる場合（図1-4(c)）。最後には止まります。つまり，物体が**減速**しているのがわかります。

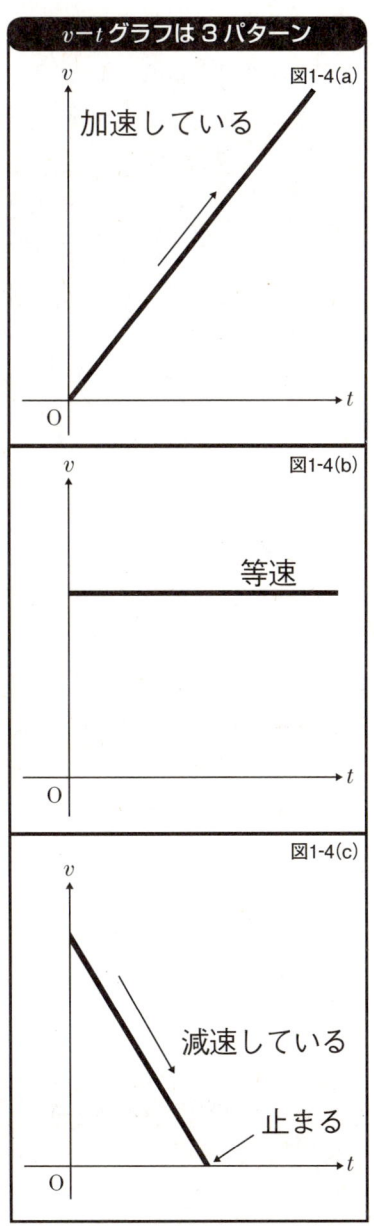

では，もっと慣れましょう。

これは電車がA駅からB駅まで走った$v$-$t$グラフです（図1-5）。電車がA駅からB駅に移動していく様子をイメージしてください。

はじめ，電車はA駅を出発し，ぐんぐん加速していきます。そしてある一定の速度でしばらく走って，B駅に近づいてきたので，スピードを緩めていきます。そして，B駅に停車しました。

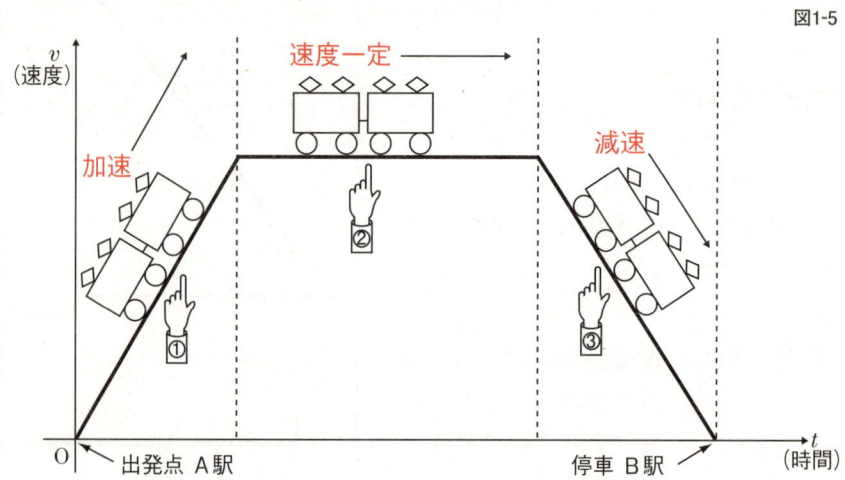

図1-5

①の状態…時間がたつにつれ，どんどんスピードを出し加速している。
　　　　　グラフの傾きは電車が**加速**しているのを表す。
②の状態…最初からあるスピードを持っていて，ずっと速度が変わらず一定。
　　　　　グラフの傾き（ここでは0）は電車が**等速度運動**しているのを表す。
③の状態…スピードを持っているが，時間がたつにつれ，だんだん遅くなっていく。
　　　　　グラフの傾きは，電車が**減速**しているのを表す。

では，もっともっと慣れましょう。

##  グラフの傾きが加速度を表す

$v$-$t$グラフの傾きに注目してください（図1-6）。

AとBの2つのグラフを比べてみます。Aの物体は時間がたってもなかなか速くなりません。ゆっくり加速しているということです。

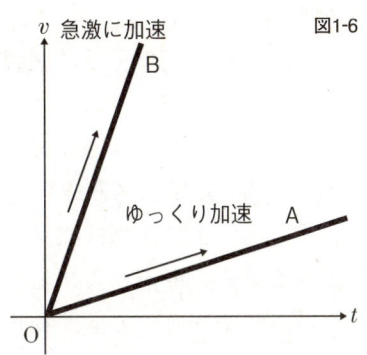
図1-6

　Bの物体は時間がたつと、ぐんぐん急激に速くなります。要するにAはゆっくり加速、Bは急激に加速してますね。

　つまり、加速度が大きいか小さいかはグラフの傾きで決まるのです。

・**傾きが急＝加速度は大きい。**
・**傾きが緩やか＝加速度は小さい。**

まさに、グラフの傾きは加速度の大きさを表しています。

　また念のために言いますと、傾きの求めかたは中学校の数学で勉強しましたね（図1-7）。高さ/底辺、$v/t$。「物理基礎」に出てくる $v$–$t$ グラフの傾き（加速度）は常に一定です。入試では直線的なグラフしか出題されないということです。

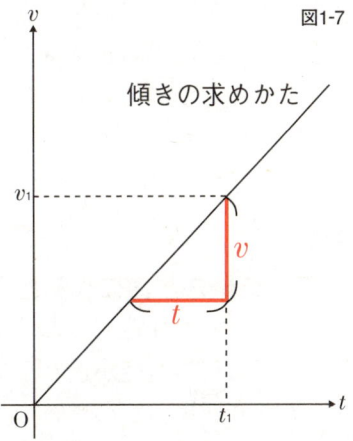
図1-7

　念のため確認しておきますが、傾きが一定ということは加速度が一定、つまり、等加速度運動をしているということです。

## Step 2 $v$-$t$ グラフこんな場合にご注意！

#### 注意1
**物体に初速度があるとき**（図1-8）

必ずしも $v$-$t$ グラフは原点出発とは限りません。原点から出るということは，時刻が0のとき，物体のスピードも0ということですが，弾丸のように，最初からあるスピードを持ってポーンっと出発する場合もありますよね。この場合グラフは原点からはじまらないでしょう。物体がある速度で動き出す場合，その速度を「**初速度**」（$v_0$ とおく）といいます。図1-8のグラフは初速度 $v_0$ からどんどん加速する場合のグラフです。

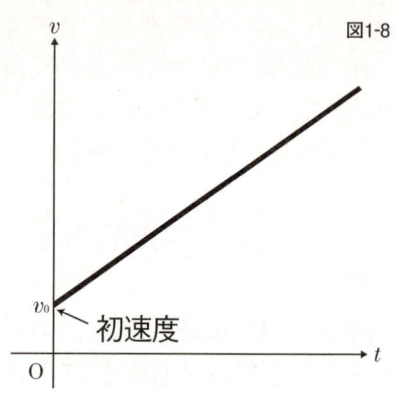
図1-8

#### 注意2
**グラフの傾きが負になるとき**（図1-9）

物体はいつも加速するとは限りません。だんだん速度が遅くなるパターンもあります。この場合，傾きは負（マイナス）→傾きは加速度を表すわけですから→加速度が負ということになります。「加速度が負？」まあ，要するに減速するということですね。このような場合を物理では，実感がわきにくいですが，「**加速度が負**」というのです。

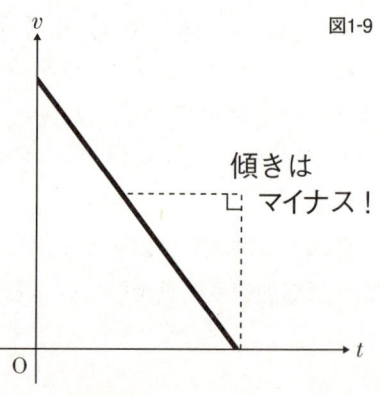
図1-9

## Step 3 面積が移動距離を表す

$v$-$t$ グラフで読みとれるもう1つの重要なポイントがあります。
小学校の算数でこんな公式を習いましたね。

## 速度×時間＝移動距離

時速100kmの車が3時間走りました。全部で何km走ったでしょう？式は，

100km/h×3h＝300km

となりますね。ここで，車の速度100km/hがずっと変わらないと考えると，$v\text{-}t$グラフはこのような形になります（図1-10(a)）。

時速100kmのかわりに$v_0$，時間3時間のかわりに$t$と，数値を記号でおきかえてみましょう。すると，

　　　動いた距離は　→　$v_0 \times t$

この$v_0 \times t$は何を表すのかというと，$v\text{-}t$グラフの長方形の面積ですね。つまり，**面積が物体の移動した距離を表す**ことがわかります。さらに…もし，物体が加速していたらどうですか？　物体の移動距離を求めるには斜線のかかった三角形の部分も足さないといけないでしょう。こういう場合，物体が動いた距離は台形の面積になります（図1-10(b)）。

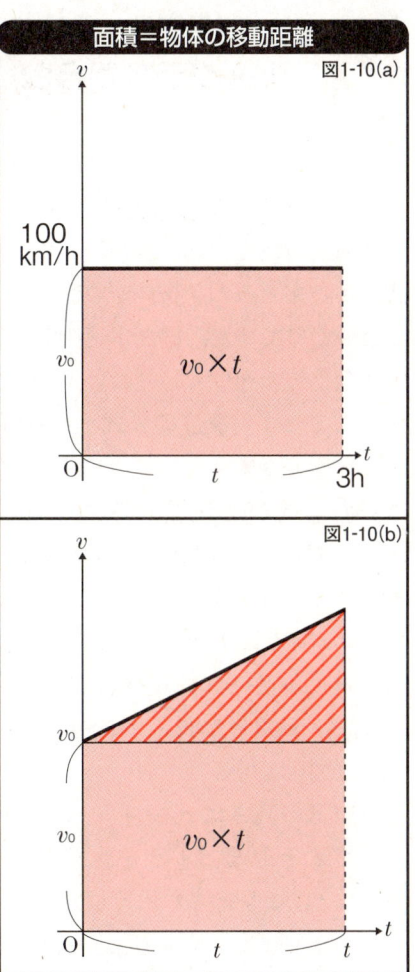

面積＝物体の移動距離

図1-10(a)

図1-10(b)

---

### まとめ―1

### $v\text{-}t$ グラフから読みとれること

1. グラフの**傾き**が**加速度**を表す。
2. グラフが囲む**面積**が**移動距離**を表す。

# Step 4　$v$-$t$ グラフから公式を導く

では，$v$-$t$ グラフの特徴を使って，入試問題を解くのに一番よく使われる公式を導いてみましょう。

物体が斜面をすべる場合や，ボールが落ちる場合などの**等加速度運動の公式**です。もちろん，物体がいつ，どこにあるのかを予測するための公式も知りたいわけですが，横断歩道の話（Theme1–Step3）で言ったように，その瞬間の物体の速度も知りたいものです。

そこでまず，**速度の公式**（ある時刻 $t$ における物体の速度 $v$ を表す公式）から求めてみます。

### 時刻 $t$ における速度 $v$ の公式

赤の直線グラフの傾きは加速度を表しますね。加速度の値を $a$ としましょう（図1-11(a)）。

初速度 $v_0$ から $t$ 軸に平行な垂線を引いて，三角形と長方形に分けましょう（図1-11(b)）。

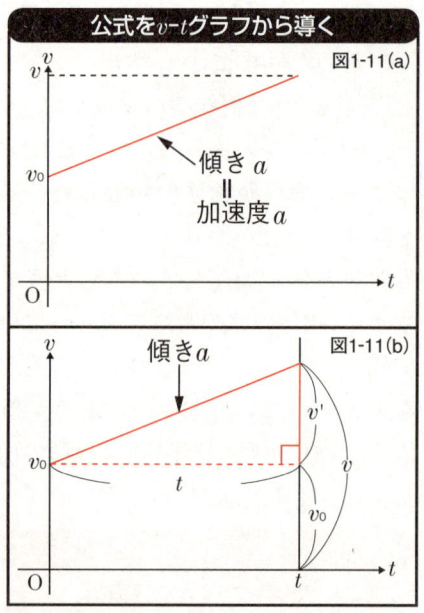

長方形の高さは $v_0$ です。三角形の高さを $v'$ としましょうか。三角形の底辺は $t$ になりますね。では，傾き $a$ を求めましょう。高さ/底辺で計算してみると，

　傾き $a = \dfrac{v'}{t}$

　∴　$v' = at$

すると速度 $v$ は図1-11(b)から，

　$v = v' + v_0$　………①

さらに $v' = at$ なので①式に代入して，

　速度 $v = at + v_0$　………②

ここでおさえてほしいのは，②式は **$v$ と $t$ の関係を表す式**であるということです。なぜなら，等加速度運動ですから $a$ は一定（定数）ですし，$v_0$

も初速度ですからある決まった値です。そこで，②式は $v = 2t + 10$ というような式と同じです。

つまり，時刻 $t$ が変われば，それに応じて速度 $v$ が変わっていくのを表した式です。よろしいでしょうか？ 速度の公式がわかったので，次は物体がどこにあるのかですね。それでは移動距離を表す公式を出しましょう。さあ，図に戻ってください（図1-11(c)）。

### 時刻 $t$ における移動距離 $L$ の公式

移動距離はグラフの面積でしたね。図1-11(c)から台形の面積を求めてみましょう。まず長方形の面積は $v_0 t$ ですね。そして，さっき言ったように物体がどんどん加速するならば，三角形の面積も足す必要がありますね。長方形の面積に三角形の面積を加えれば，全体の移動距離になります。

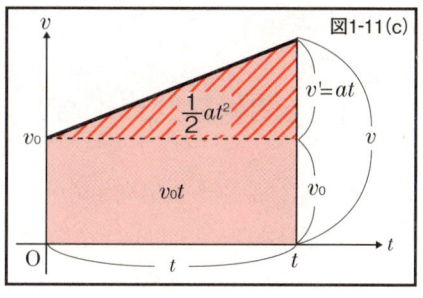

図1-11(c)

三角形の面積 → $\dfrac{1}{2} \times$ 底辺 $\times$ 高さ

$\qquad = \dfrac{1}{2} \times t \times v'$

$\qquad = \dfrac{1}{2} \times t \times at = \dfrac{1}{2} at^2$ （三角形部分）

すなわち，移動距離を $L$ とすると，
三角形の面積に長方形の面積 $v_0 t$ を足して，

**距離** $L = \dfrac{1}{2} at^2 + v_0 t$ ……… ③

すなわち，③式は時刻 $t$ のときの移動距離 $L$ を表す公式となっているわけです。

これまでの説明からもわかるように $v$-$t$ グラフの傾きとグラフの面積が重要ポイントなんですね。もう一度書いておきます。

- **・グラフの傾きが物体の加速度を表す。**
- **・グラフが囲む面積が物体の移動距離を表す。**

もし，みなさんが物体の速度を表す公式や移動距離を表す公式を忘れてしまっても，$v$-$t$ グラフから導けることを知っておいてください。

# Theme 3
# 公式をまとめる

みなさんは等加速度運動（加速度 $a$ が一定）の場合の速度を求める公式と移動距離を求める公式をマスターしました。しかし，その2つの公式だけでは問題を解くときにちょっと不便なのです。どうせなら，どんな問題にも対応できるようになりたいでしょう？ ではここで「便利な公式」も覚えておきましょう！

 便利な公式

物体は常に原点から出発するとは限りませんね。たとえば，こういうケースです（図1-12）。

図1-12

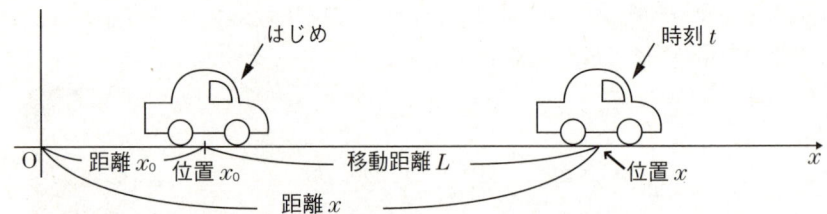

### 物体がはじめ原点にいない場合の位置を求める

物体のはじめの位置を $x_0$ とします。それから位置 $x$ まで移動しました。移動距離を $L$ とします。時刻 $t$ における物体の位置は座標から考えると，移動距離 $L$ にはじめの位置までの距離 $x_0$ を足しておかなければなりません。

$x = L + x_0$

そうすると，はじめ物体が原点にいない場合の位置 $x$ を表す式は，$L = \frac{1}{2}at^2 + v_0 t$ に $x_0$ を足すので，

$$x = \frac{1}{2}at^2 + v_0 t + x_0 \quad (x_0 \text{ははじめの位置})$$

のようになります。
この公式は使えますよ。

しかし，入試問題はこれだけにとどまりません。次のケースもよく出るんです。次の便利な公式もおさえておきましょう。

### 位置と速度の関係式もおさえよう！

車がある初速度 $v_0$ を持って，はじめの位置から $L$ だけ進んだとします。問題文が「（加速度 $a$ が与えられているとき）$L$ だけ移動したときの速度 $v$ を求めよ」と言ってたらどうしましょうか（図1-13）。この出題は大変多いんですよ。

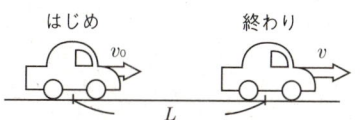

図1-13

### $L$ だけ移動したときの速度を求める公式

2つの公式　　$x = \dfrac{1}{2}at^2 + v_0 t + x_0$ ……… ①

　　　　　　$v = at + v_0$ ……… ②

はどちらも，「時刻 $t$ における」という公式です。しかし，「$L$ がわかっているとき $v$ を求めよ」という問題では，時刻 $t$ が表に現れてきません。これを解こうと思えば，公式①から $t$ を求め，それを公式②に代入するというめんどうな計算をしなければならなくなります。そこで，この種の出題が多いのなら，公式①と②から $t$ を消去した公式を最初から作っておこうということになるのです。計算の過程は省略しますが，その結果は，

→ $v^2 - v_0^2 = 2a(x - x_0)$

となります。

$x - x_0$ は $L$（移動距離）にあたります。

加速度 $a$ が与えられていて，移動距離 $L$，初速度 $v_0$ がわかっていると，この式一発で，簡単に速度を求められます。

これが便利な公式です。覚えるのが大変な人は，絶対に暗記するという必要はありませんが，計算がめんどうなので試験場でやるのは大変です！ 使いたい人はそのまま覚えておくといいでしょう。

---

**まとめ—2**

## 等加速度運動3つの公式

- 位置の公式：$x = \dfrac{1}{2}at^2 + v_0 t + x_0$
- 速度の公式：$v = at + v_0$
- 便利な公式：$v^2 - v_0^2 = 2a(x - x_0)$

---

では，問題演習で公式を使えるようになりましょう！

## 問題演習

### $v$-$t$ グラフを使うと楽チン！

**①** 時刻 $t = 0$ 〔s〕に初速度10m/s，加速度2m/s² で $x$ 軸上を正の向きに動き出した物体について，以下の問に答えよ。

(1) $t = 4$〔s〕での速度は何m/sか求めよ。
(2) $t = 0$〔s〕から $t = 4$〔s〕までに何m変位したか求めよ。

その後，物体の加速度は $-3$m/s² になった。

(3) $t = 6$〔s〕での速度は何m/sか求めよ。
(4) 物体が動き出してから静止するまでに何m変位したか求めよ。

**橋元流で解く！**

$v$-$t$ グラフを使わずに，公式だけ使って解いてみましょうか（本当は，この問題も $v$-$t$ グラフを描いた方が，イメージがわいていいのです。ここでは，わざと公式だけで解いてみます）。

(1) $v_0$（初速度）$= 10$，$a$（加速度）$= 2$，$x_0 = 0$（はじめの位置は原点とします）

速度の公式 $v = at + v_0$ より，

数値をそれぞれ代入してみます。

$$v = 2 \times 4 + 10 = 18 \text{〔m/s〕} \quad \cdots\cdots (1)の\boxed{答え}$$

(2) 位置の公式 $x = \dfrac{1}{2}at^2 + v_0 t + x_0$ より（はじめのうちはめんどうですが，公式を書いてくださいね），

数値を代入してみます。

$$x = \dfrac{1}{2} \times 2 \times 16 + 10 \times 4 + 0 = 56 \text{〔m〕} \quad \cdots\cdots (2)の\boxed{答え}$$

**着目！** (3) 物体の運動が変わったことに気をつけてください。その後の加速度は $-3$ になったので，物体は減速します。

加速度が負になったので傾きは $-3$ になります。まえに使った条件は使えなくなりますので $t = 4$ 秒の瞬間を新たに時刻 $t' = 0$ 秒とみなして，記号を改めましょう。すなわち，時刻 $t'$，速度 $v'$，初速度 $v_0'$，加速度 $a'$，出発点 $x_0'$ とします。

$t = 4$ を改め $t' = 0$ とすると，$t = 6$ のとき $t' = 2$（4秒たった時点を出発点0にします）。

すると初速度は(1)より，
$v_0' = 18$
$a' = -3$，(2)より $x_0' = 56$ だから，
公式 $v = at + v_0$ より，
$v' = a't' + v_0'$
数値を代入すると（条件が変わったところを間違えないように），
$v' = a't' + v_0' = (-3) \times 2 + 18 = 12$〔m/s〕 ………(3)の 答え

(4) 物体が動き出して止まるまで何秒かを調べる→ここで，「**便利な公式**」を使って物体が減速したとき（加速度 $-3$m/s²）の移動距離を求めましょう。
公式 $v^2 - v_0^2 = 2a(x - x_0)$ 記号を変えれば，
$v'^2 - v_0'^2 = 2a'(x' - x_0')$
$(x' - x_0')$ を $L$ とします。$v'^2 = 0^2$（$L$ だけ移動したあと物体は止まりますから，$v' = 0$ です），$v_0'^2 = 18^2$，$a' = -3$。数値を代入すると，
$0^2 - 18^2 = 2 \times (-3) \times L$
$L = 54$

この距離は物体が減速したときの移動距離なので物体が動き出してから止まるまでの距離を求めるには4秒たったときの物体の移動距離（(2)の答え）を足す必要があります。
$x + L = 56 + 54 = 110$〔m〕 ………(4)の 答え

最初に言ったように，公式だけで解くとイメージがわかないですね。**復習としてぜひ $v$-$t$ グラフを使って**解いてください。
では，次の問題に行きましょう。

**2** 1階に静止していたエレベーターAが一定の加速度で上昇しはじめ，5秒後には地上25mに達した。そのあとAは3秒間等速度運動をしてから一定の加速度で4秒間減速して最上階に達した。上向きを正として以下の問に答えよ。

(1) Aが動きはじめてから5秒間の加速度を求めよ。
(2) 等速度運動をしているときの速度を求めよ。
(3) 減速しているときの加速度を求めよ。
(4) 地上から最上階までの高さを求めよ。
　ただし，Aの大きさは無視するものとする。

**着目!** いろいろと運動が変わっていますね，公式だけだとミスをよびます。$v$-$t$グラフで解きましょう。まずはエレベーターAの運動を$v$-$t$グラフにしてみました（図1-14）。

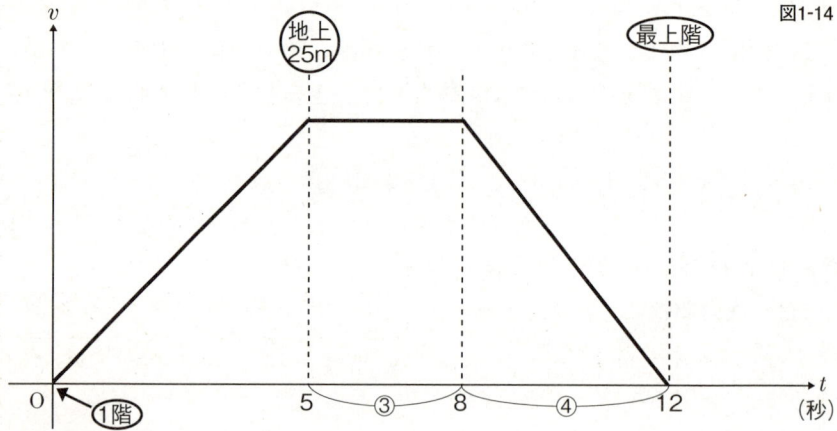

図1-14

**準備** 図1-14は先ほどの電車のグラフに似ていますね。縦軸はエレベーターの速度$v$，横軸は時間$t$です。はじめ（0秒），エレベーターは1階に止まっており，加速しながら（グラフの傾きは右上がり）5秒後に25mの高さまで達しました。さらにエレベーターは3秒間同じスピードで動き（傾きは$t$軸に平行），その後4秒間かけて減速しながら（傾きは右下がり）最上階へ向かって動きました。動きはじめてから12秒後に最上階に到着したこ

とになりますね。$8 \leqq t \leqq 12$ 秒の減速（加速度負）中も，エレベーターは上昇していることに注意してください。上昇の速度がだんだん遅くなるだけで，下へ下がるわけではありません。

(1)(2) (1)と(2)を一緒に解きます。エレベーターが加速しているときの傾きを $a_1$ としましょう。5秒後の速度を $v$ とします（図1-15(a)）。(2)の等速度運動しているときの速度とは，5秒後の速度 $v$ のことですね。5秒間で移動した距離25mは面積 $S_1$ に相当しますから，三角形の面積から，

$$\frac{1}{2} \times 5 \times v = 25$$
$$v = 10 \text{[m/s]} \ \cdots\cdots (2) の \boxed{答え}$$

加速度は傾き $a_1$ ですから図1-15(a)より，

$$a_1 = \frac{v}{5} = \frac{10}{5} = 2 \text{[m/s}^2\text{]}$$
$$\cdots\cdots (1) の \boxed{答え}$$

(3) 減速している傾き（$a_2$ とする）を出せばいいのですから（図1-15(b)），

$$a_2 = -\frac{10}{4} = -2.5 \text{[m/s}^2\text{]}$$
$$\cdots\cdots (3) の \boxed{答え}$$

答えは負の値で書いておきます。

(4) 1階から最上階までエレベーターが移動した距離は，台形の面積です（図1-15(c)）。3つの図形をそれぞれ，$S_1$，$S_2$，$S_3$ とします（最初から，台形の面積を求めてもいいですよ）。

$$S_1 + S_2 + S_3$$
$$= 25 + 3 \times 10 + \frac{1}{2} \times 4 \times 10$$
$$= 75 \text{[m]} \ \cdots\cdots (4) の \boxed{答え}$$

$v$-$t$ グラフを描くとわかりやすいで

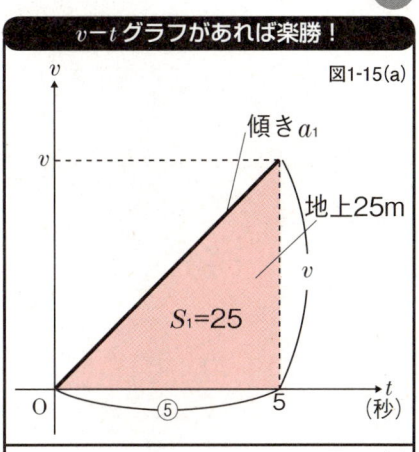

図1-15(a)

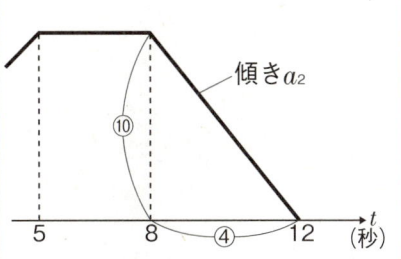

図1-15(b)

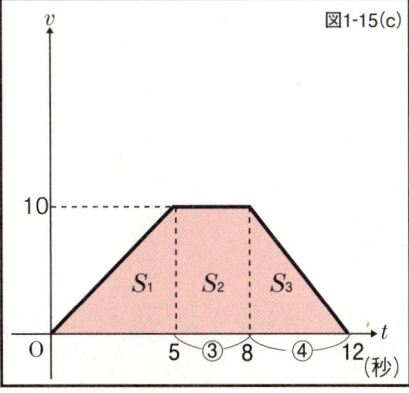

図1-15(c)

すね。問題1のように，等加速度運動の公式だけだと，新たに時間を計算し直して，そのときの初速度，加速度を調べ直さなくてはなりません。しかし**グラフを使うと簡単に速く解けます。**

　$v$-$t$ グラフの問題はよく出題されますし，等加速度運動の基本になりますので，ぜひ使えるようになりましょう。

　今回は公式が多かったのですが，これだけ覚えればあとは楽です。こんなに一度に公式を覚えることはもうありませんから，安心してください。

# 第2講

## 物体に働く力の求めかた

力学

**Theme1**
物体に働く力の見つけかた

**Theme2**
作用・反作用の法則

**Theme3**
運動方程式

**Theme4**
重力って何だ？

**問題演習**
基本はみんな，タッチの定理

## 講義のねらい

物体に働く力の求めかたは次の2つしかない！
　①重力　②タッチの定理
これさえマスターすれば，コワイものなし！

# Theme 1
# 物体に働く力の見つけかた

　前回はたくさん公式が出てきましたね。「大変だ！」って思った人もいるでしょうけど，だんだん簡単になってきますよ。がんばっていきましょう。

　力学の問題を考えるときに，その物体にどんな力が働いているのか，力の矢印を入れますね。その力の矢印の入れかたというのが，はじめて物理をやる人にとってはとまどうところなんです。どうやって矢印を入れていいのか，わからない人もいるでしょう。そこで，今回は物体に働く力を確実に見つける方法を勉強しましょう。

　実は物体に働く力は（力学の範囲では）たった，**2種類しかない**んです。そんなこと，教科書や参考書には書いてないんですよね。ここで，その2種類をきっちり理解していきましょう。

##  重力

　まず，1番目の力は**重力**です。

　重力は地球上にある全ての物体に働きます。ものは手から離すとパッと落ちますね。それは地球が物体を引っぱっているからなんです。

　重力は $mg$ という記号で書きます。「なんで $mg$ なの？」と疑問を持つことが大事ですよね。でも，そのことはTheme 4で触れますので，待っててください。とりあえず重力は $mg$ です。$m$ は物体の重さ，すなわち「**質量**」とよばれています。そして $g$ を「**重力加速度**」とよんでいます。これは決まった値で $9.8\text{m/s}^2$ です。

図2-1

　重力は全ての物体に働きます。たとえば，何か1kgのものを手で支えていると少し重く感じますね（図2-1）。また，10kgの重さになると，1kgの10倍の重さがかかります。

　重力 $mg$ はいつでも鉛直下向き（真

下のこと）です（図2-2）。

物体に働く力を矢印で描くとき，まず，重力 $mg$ の矢印を下に描き込むことをやってくださいね。

とは言っても，重力 $mg$ の矢印は，物理を少しかじった人なら誰でも描けます。問題は次の2番目の力です。これを知らないから，とまどってしまうんです。

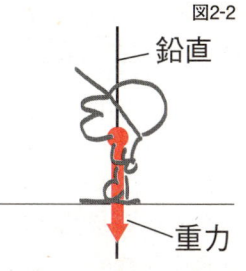
図2-2

### Step 2　タッチの定理

さて，ここに黒板消しを置きました。この黒板消しに力を加えたいと思います。まあ，要するに動かしてみたいと思います。さあ，どうやったら動くのでしょうか？

いろんな方法があるでしょうけど，まず，念力で動かしてみましょうか？　うーん……ボクには念力がないらしいですね……。どなたか，念力で動かしてくれるならボクがごちそういたします。……動きませんね。

もともと，念力なんてあるわけないんです。じゃあ，どうしましょうか？　それは黒板消しに手を触れて（**タッチ**して）やれば，ほら，動きますね。棒でつついてみてもいいですね。簡単なことですね。

ものに力を加えるには，直接タッチしてやればいいんです。これが最大にして唯一のポイントです。**物体に力が働くということは，その物体に何かがタッチしているから働くんです。**

すなわち，2番目の力とは，

> **橋元流●タッチの定理**
> 物体はその物体に直接触れているもの（**タッチ**しているもの）だけから力を受ける

　これを，「**橋元流・タッチの定理**」といいます。

　と言っても，答案には「タッチの定理」と書かないでくださいね。バツをもらうかもしれません。これは，勝手にボクが命名したものなんですから。

　もう一度，重力について考えてみましょう。たとえば，空中にあるボールは，地球に直接タッチしていないのに，地球から重力を受けます。このように，地球は物体に接触していないのに，物体を引っぱることができるんです。こちらの方が，念力みたいな奇妙な力ですね。でも，こういう話は入試物理には出てきませんので，とりあえず，「物理の不思議」だと考えてくださいね。では，タッチの定理を使って練習をしましょう。

## Step 3　タッチの定理を使って練習してみよう！

　空中を質量 $m$ のボールが飛んでいます（図2-3(a)）。「このボールに働く力を全部矢印で描きなさい」という問題が出たとします。どうでしょうか。

　初心者は，よくこういうことをやります。ボールが上に飛んでいくから，「飛んでいく力」があるはずだ（図2-3(b)）。でも，これは大きなマチガイなんですよ！　実はボールには飛んでいく力なんて働いていないんです。

　ボールに働く力はまず，重力です。真下に矢印を描きます。それから，何がボールにはタッチしていますか？

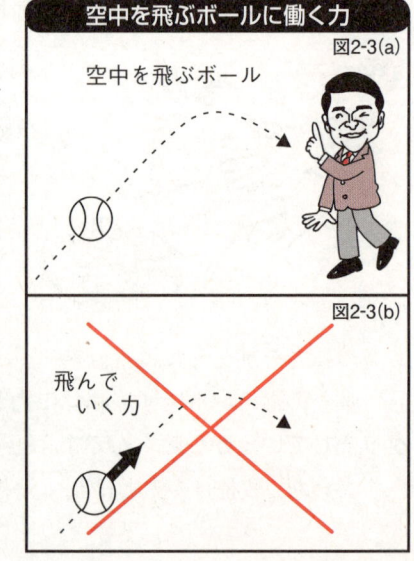

「空気?」そうですね。でも,空気の抵抗力は「物理基礎」の世界ではほとんど出ないので今は考えなくていいです。つまり,ボールには何もタッチしていないんですね。すなわち,ボールに働く力は重力 $mg$ だけになりました(図2-3(c))。

「じゃあ,ボールはなぜ,上に飛んでいくの?」と言う人もいるでしょう。実は最初,ボールはバットに打たれた(タッチした)瞬間に衝撃力を受けます(図2-3(d))。あとはその勢いで飛んでいるだけです。

次の図を見てください(図2-4(a))。問題は「物体 B (質量 $m$ ) に働く力は?」というものです。初心者はばねに惑わされるかもしれません。まずは,重力 $mg$ が働きますね(図2-4(b))。それから,B にタッチしているものを考えてください。それは糸ですね。ばねはタッチしていません。これが大事なんですよ。ばねは B に力を及ぼさないんですよ。糸が B に力を及ぼすんです。糸はぶら下がっている B を支えているんですから,上向きに力が働きますね。これを,糸の張力 $T$ (tension) としましょうね。1つ1つ物体を見て,何がタッチしているか考えていくのがポイントです。

もう一度言います。物体に働く力の見つけかたは,重力とその物体に何がタッチしているか考えること,それだけです。

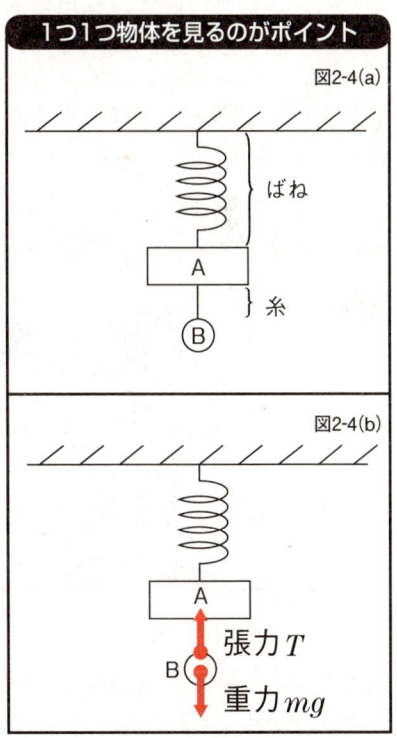

# Theme 2
# 作用・反作用の法則

こんな経験はありませんか？ キミが壁に体当たりするとしましょう。キミは壁から強くはねかえされますね。物理の世界ではこれを「作用・反作用の法則」というんです。

 **Step 1** AがBから…，主語がポイント

物体に働く力を見つけるのには，重力とタッチの定理で充分ですが，補助的に「作用・反作用の法則」を知っておくと，よりはっきりと物体に働く力がわかります。

ある参考書は次のように「作用・反作用の法則」を説明しています。

> 作用があれば必ず反作用がある。その大きさは等しく一直線上にあって，向きは逆向きである。

この説明は間違いではありませんが，なんだかわからないと思いませんか？ この表現では一番肝心な点が，はっきりしないんですね。こんなふうに暗記するのはやめましょう。これを暗記するぐらいなら，英単語の1つでも覚えた方がマシってもんです。

「作用・反作用の法則」を経験上でお話ししましょう。たとえばボクが黒板を押しますね。ぐっと強い力で押してやると，はねかえってきますね。ボクがはねかえって動くということは，ボクはタッチしている黒板から力を受

けているということになりますね。次に，黒板に触れているだけのボクをイメージしてください。何も起こりませんね。ボクが黒板を軽く押すと，軽くはねかえされますし，強く押すと，強くはねかえされます。これが「作用・反作用の法則」なんです。

「作用・反作用の法則」はぜひ，次のように覚えてください（図2-5）。

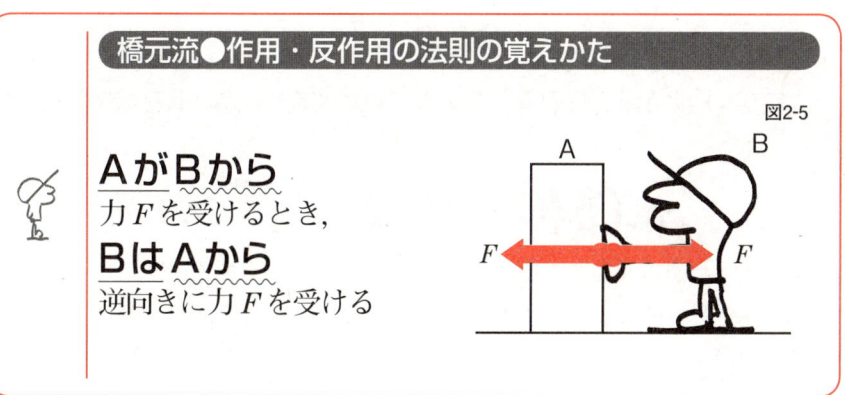

この「作用・反作用の法則」の橋元流の覚えかたで大事なことは「**〜が(は)…から**」というところなんです。「〜が（は）」の主語がポイントですよ。先ほど紹介した参考書の説明では，この肝心なポイントがはっきりしません。ぜひ，橋元流で覚えてくださいね。

それでは，次に行きましょう。次は力学のシンズイともいうべきものです。

# Theme 3
# 運動方程式

力学の中心をなしている法則が「**運動方程式**」です。まず公式を見てみましょう。

$$ma = F$$

はじめて見た人は，何のことだかよくわかりませんね。日本語で補足してみましょう。

$$m(質量) \times a(加速度) = F(力)$$

ますますわからない？　そうですね。わからないものを暗記しても百害あって一利なし。時間をかけて物理がキライになっていくだけです。この運動方程式の意味を考えることが大事なんです。最初に言いましたね。物理は「なぜ？　どうして？　どういう意味？」と疑問を持つことが大切です。さあ考えてみますよ！

運動方程式は実際，われわれの経験の中からその意味を考えることができるんです。大事な意味は3つあります（Step1〜Step3）。

 **物体は力を加えた方向に加速する**

物体 $m$ があります（図2-6）。もし右向きに力を加えると，この物体はずーっと右に動くでしょう。すなわち，物体は力を加えた方向に動きます。あたりまえでしょう？　簡単なことなんですが，これが運動方程式の1つ目の意味です。式の見かたを言っておきます。$a$ と $F$ の上に矢印が描いてありますが（数学的にはベクトルといいます），これは「加速度 $a$ の向きと力 $F$ の向きが同じ」という意味です。

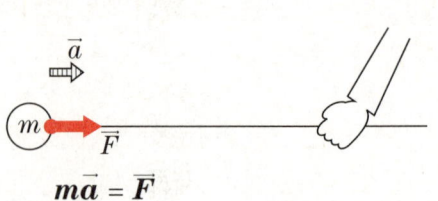

図2-6

## Step 2 力が大きければ加速度も大きい

　物体を弱く小さい力で引っぱるとします（図2-7）。あまり物体は動きませんよね。力が小さいと加速度も小さい。また，強い力で引っぱってやると物体は速く大きく動くでしょう。力が強ければ加速度も大きい。すなわち，「力 $F$ と加速度 $a$ は比例している」と考えていいでしょう。さて，ここで運動方程式に着目してください。$a$ と $F$ の関係

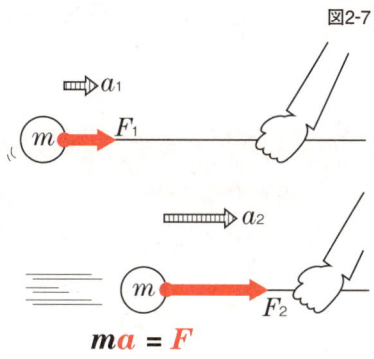

図2-7

$$ma = F$$

に注目します（$a$ と $F$ を赤く書いておきました）。この式は右辺が大きくなれば左辺も大きくなります。力が大きくなれば加速度も大きくなるということですね。運動方程式の2つ目の意味は力 $F$ が大きければ，加速度 $a$ も大きいということです。

## Step 3 質量が大きいと加速しにくい

　ある同じ力で物体を引っぱるとします（図2-8）。小さな米粒のような軽い物体は少しの力でも簡単に引っぱることができますね。ところが，岩のような大きな重い物体だと，同じ少しの力じゃ動かせません。加速しにくいですね。すなわち，質量が小さいと加速しやすいけれど，質量が大きいと加速しにくい。ここで運動方程式を見てください（質量の $m$ と加速度の $a$ を赤く書

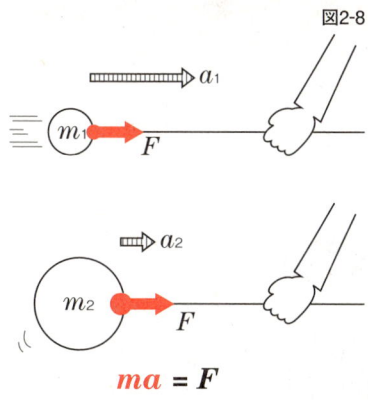

図2-8

$$ma = F$$

いておきました）。$m$ と $a$ の関係に注目してみましょう。$F$ が一定の力のとき，$m$ が小さければ $a$ は大きくなり，$m$ が大きければ $a$ は小さくなくては

いけませんね。「質量 $m$ と加速度 $a$ は反比例する」と言ってもいいでしょう。これが運動方程式の3つ目の意味です。

 **運動方程式の3つの意味**

運動方程式の3つの意味をまとめます。

**まとめ—3**

### 運動方程式 $ma=F$ の3つの意味
1. 物体は力を加えた方向に加速する。
2. 力が大きければ加速度も大きい。
3. 質量が大きいと加速しにくい。

　運動方程式を「質量 $m$ ×加速度 $a$ ＝力 $F$」などと公式を丸暗記してもムダです。イメージして覚えてください。「物体は力を加えた方向に加速をする」、「物体に加えた力が大きいほど加速度が大きい」、「質量が小さい物体は加速しやすい」、「質量が大きい物体は加速しにくい」とあたりまえのことを運動方程式は意味しているんです。

第2講 物体に働く力の求めかた 35

# Theme 4

# 重力って何だ？

　重力は全ての物体に働きます。地球は物体に直接タッチしていないのに物体を引っぱれます。この重力のナゾに少しだけ迫ってみましょうか。

## Step 1　なぜ，重力は $mg$ と書くのか？

　重力はなぜ $mg$ なのかここで説明しましょう。

図2-9

　ここにボールがあります（図2-9）。パッと落としてみましょう。この状態を「自由落下」といいます。そこで物体がどのように落ちていくのかを調べてみると，どんな重さの物体も同じ速さで落ちるんですよね（ただし，完全に真空の状態で）。これは400年以上まえに，ガリレオが発見したんですよ。どんな物体も同じスピードで落ちるということは，物体の加速度は同じということです。その加速度の大きさを測定すると，全ての物体は9.8m/s²の加速度で落下するということがわかったのです。常に加速度は9.8m/s²なのでこれを $g$ と書いて，「**重力加速度**」とよぶことになったのです。

　ここで，落下するボールの運動方程式を書いてみましょう。重力を $F$ としておきます。

　　　$ma = F$（重力）

　この $F$ が具体的にどんなものかを知りたいわけですが，「物理基礎」の範囲外なのです（「物理」で学ぶ万有引力の法則がその答えです）。

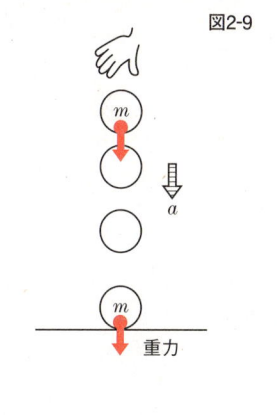

　しかし，式の左辺の加速度 $a$ は経験的に9.8m/s²であることがわかっています。つまり $g$ ですね。そこで左辺を $mg$ と書けば，

　　　$mg = F$（重力）

つまり，万有引力の法則を知らなくても，ともかく重力は $mg$ となるリクツです。重力を $mg$ と書くのは，運動方程式を使った結果なのです。

　重力を $mg$ と書く理由はわかったと思いますが，「そもそもこの重力（万有引力）とはいったい何なのか？」という疑問はまだ残ります。それは現代の物理ではまだまだ解明されない，奥の深い問題なんですが，高校物理の範囲では，これくらいにしておきましょう。

## 基本はみんな，タッチの定理

**1** 水平な床の上に質量 $M$ の物体 A が置かれ，さらにその上に質量 $m$ の物体 B が置かれて静止している。重力加速度の大きさを $g$ としたとき，
(1) 物体 A が物体 B から受ける垂直抗力の大きさはいくらか。
(2) 物体 A が床から受ける垂直抗力の大きさはいくらか。

図2-10

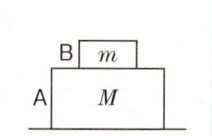

---

**橋元流で解く！** 問題文の「**静止している**」に下線を引いてください。あとでその意味は言います。力学では基礎的な問題ですが，こういう問題をキチンと考えることで，物理の力がメキメキついていきます。

**着目！** 第1のポイントは自分が今，**どの物体に着目するのか**をはっきりさせることです。

まず，A に着目してみましょうか（図2-11(a)）。そこで，A に働く力を矢印で入れていきましょう。

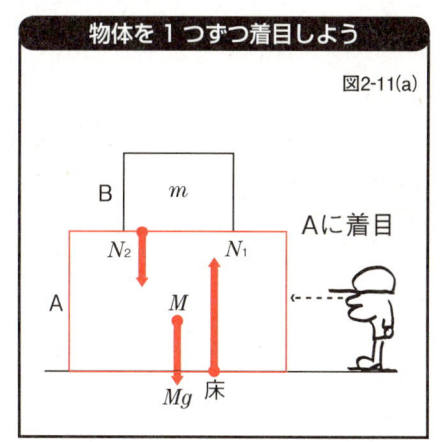

**重力**と**タッチの定理**から，まず重力 $Mg$，次に，A にタッチしているものは床と B だけですね。床は物体を上向きに支えています。だから，A の面に対して直角上向きに力を及ぼしています。この力を「垂直抗力」といいます（$N_1$ とします）。同様にして，A は（タッチしている）B から押さえつけられる力を受けているので，A は下向きにも垂直抗力を受けています（$N_2$ とします）。あと，大事なことは物体 A と B は「静止している」ということです。

止まっている物体に働く力はつりあっているのです。「**静止→力がつりあっている**」と考えていいでしょう（「力のつりあい」については第3講

図2-11(a) 物体を1つずつ着目しよう
Aに着目

で詳しく説明します)。Aに働く力のつりあいの式を立てましょう。

再び図2-11(a)を見てください。上向きの$N_1$と，下向きの$N_2$と$Mg$がつりあっているのですから，

$$N_1 = N_2 + Mg \cdots\cdots ①$$

(1) $N_2$を求めたいのですが，①式だけでは求められません（1つの式の中に未知数$N_1$と$N_2$が2つもあるから）。

そこで，Bに着目していきます（図2-11(b)）。問題文に登場する全ての物体を，順番に着目していくのが物理を解くコツですよ。さっきと同じ要領で（まずは重力，そしてタッチの定理）重力と垂直抗力の矢印を引いてみます。重力を$mg$，この垂直抗力を$N_3$としましょう。この$N_3$はBがAから上向きに受けている垂直抗力なんですね。Bに働く力のつりあいの式は，

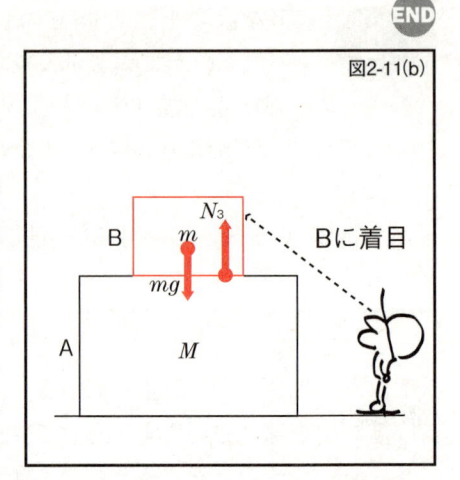

$$N_3 = mg \cdots\cdots ②$$

さらに，①式と②式をむすびつけるために先ほど言いました「**作用・反作用の法則**」を使います（図2-12）。

図2-12

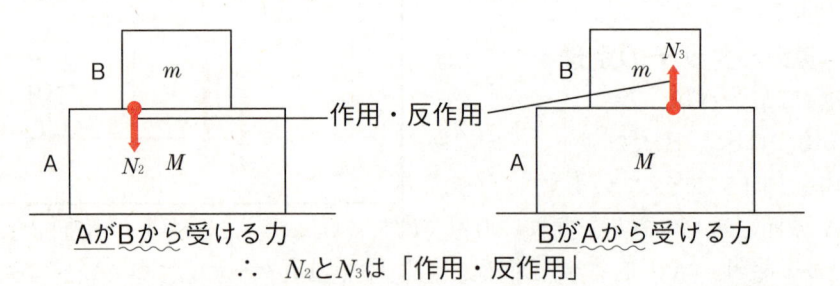

AがBから受ける力　　　　　BがAから受ける力
∴　$N_2$と$N_3$は「作用・反作用」

「橋元流・作用・反作用の覚えかた」を思い出してください。　【⇒P.31】

　　AがBから（$N_2$という）力を受けるとき，
　　BはAから（$N_3$という）力を受ける。
つまり，$N_2$と$N_3$が作用と反作用であることがわかります。

$N_2 = N_3$ ……… ③

よって，②，③式から，

$N_2 = N_3 = mg$ ……… (1)の 答え

(2) $N_1$を求めます。

$N_1 = N_2 + Mg$ ですから（①式より），

$N_1 = mg + Mg = (m+M)g$ ……… (2)の 答え

　このようにきっちりと着目する物体を決めて，「物体が静止しているから力のつりあい」と考えていけば非常に見通しがよくなりますね。それでは次の問題に行きましょう。

**2** ともに質量 $m$ の物体 A,B が水平でなめらかな面の上に糸でつながれて置かれている。物体 A に一定の大きさの力 $F$ を加えて引っぱるとき,

図2-13

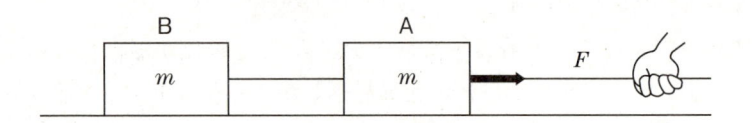

(1) 物体 A(および B)の加速度の大きさはいくらか。
(2) 物体 A と B をつないでいる糸の張力の大きさはいくらか。

**橋元流で解く!**

問題1と基本的には同じですが,1つだけ決定的に違うところがあります。

**準備** まず,A に着目し,物体に働く力を矢印で描きます。まずは重力 $mg$, さらに**タッチの定理**より A は床,右の糸,左の糸の3つの物体にタッチしていますから,それらから受ける力をそれぞれ $N$, $F$, $T$ とすれば,図2-14(a)のようになります。で,図をちょっとよ

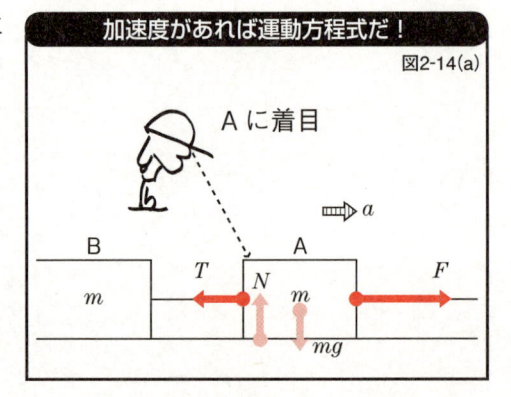

加速度があれば運動方程式だ!
図2-14(a)
A に着目

く見てください。重力 $mg$ と垂直抗力 $N$ は薄い矢印ですね。重力と垂直抗力は鉛直方向に働いています。ということは,面の上を水平に動く物体 A,B には影響を与えません。この問題を解くうえでは関係ないということです。だから,薄い矢印で描いてみました(みなさんが答案を書くときは,もちろんそんなめんどうなことはしなくてかまいません)。逆に関係があるのは A を引っぱっている力 $F$ と A にタッチしている糸の張力 $T$ ですね。

それと,物体を水平な面の上にすべらせていくとふつうは摩擦力が働くん

ですが、この問題では「なめらかな面」と書かれていますので、摩擦力も考えません。そしてこの物体は右向きに動きはじめます。だから右向きに加速度 $a$ を持っていることは言うまでもありません。

**着目!** 物体が動いている場合，運動方程式を立てるんでしたね。ここが問題1と決定的に違うところです！

(1) とりあえず物体 A の運動方程式を立てましょう。物体は右向きに動いていくので，右向きを正とします（図2-14(b)）。すると，張力 $T$ はマイナスの力になります。

$\quad$ A : $ma = F - T$ ……… ①

同じように物体 B の運動方程式です。A と B は1本の糸で引っぱられているんですから，B の糸の張力は A と同じ $T$ とします（本当は，なぜそうなるのか理由があるのですが，とりあえずは「1本のつながった糸の張力は，どこも同じ」と覚えておいてください）（図2-14(c)）。

$\quad$ B : $ma = T$ （$T$ は正の向き）
$\qquad\qquad\qquad$ ……… ②

①+②より（①式と②式を足すと $T$ が消去されます），

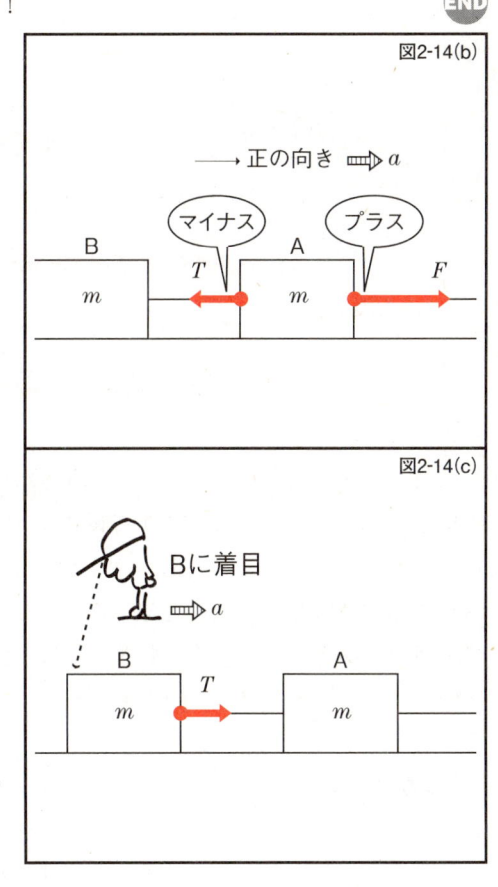

$\quad 2ma = F$

$\quad \therefore \quad a = \dfrac{F}{2m}$ ……… (1)の 答え

(2) 張力 $T$ は②式より $T = ma$ です。これに，$a = \dfrac{F}{2m}$ を代入すると，

$\quad T = \dfrac{F}{2}$ ……… (2)の 答え

答えが問題文に与えられている $m$ と $F$ を使っていることにも注意してください。問題文に与えられていない記号を使って答えを書いても，0点です

(たとえば,(1)の答えは$a$,(2)の答えは$T$などと書いても答えになっていませんね)。

問題3に入るまえにここで,ばねの特徴を説明します(図2-15)。

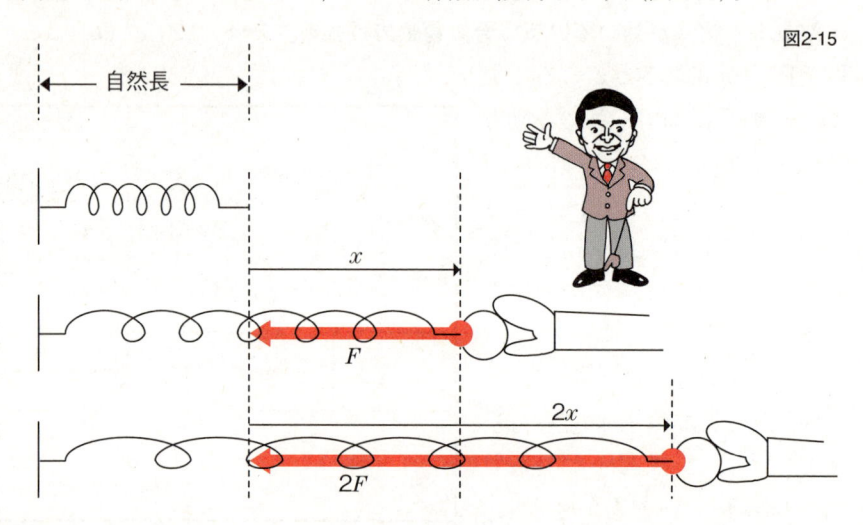

図2-15

ばねが,伸び縮みしていないふつうの状態のときの長さを「自然長」といいます。ここでばねを自然長から長さ$x$伸ばすと,$F$の力で引き戻されるとします。このとき,2倍($2x$)伸ばすとばねは$2F$の力で引き戻されます。ばねは伸ばせば伸ばすほど,強い力で戻ります。縮む場合も同じです。つまり,伸び(縮み)が大きくなればなるほど,戻る力は大きくなります。伸び(縮み)と戻る力は比例していると言えますね。そこで,1つの法則が導かれます。

**フックの法則**

$$F = kx$$

$x$は自然長からのばねの伸び(縮み)を表しています。右辺の$k$が大きければ,左辺の$F$は大きくなりますから,$k$の大きなばねは強いばねということになります。つまり,$k$はばねの「かたさ」を示していると考えていいでしょう。この$k$を「**ばね定数**」とよんでいます。

この「**フックの法則**」をふまえて,例題を解いてみましょう。

## 【例題】

質量 $M$ の物体 A が，ばね定数 $k$ のつるまきばねに結ばれて天井から下がって静止している。重力加速度の大きさを $g$ としたとき，つるまきばねの自然長からの伸びはいくらか。

図2-16

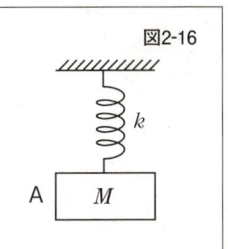

**橋元流で解く！**

**準備** 問題文の「**静止している**」に下線を引いてください。「**力のつりあい**」の問題ですね。

A に着目して働く力を矢印で描きますよ。重力 $Mg$ と，**タッチの定理**よりタッチしているばねからの力が働きますから，図2-17(a)のようになりますね。

自然長からのばねの伸びを $x$ とします。

自然長からばねは $x$ だけ伸びているとすると，フックの法則 $F = kx$ よりばねの力 $F$ は $kx$ ですね（図2-17(b)）。**END**

**着目！** そして物体 A は静止しているので，力のつりあいの式を立てます。

上向きにばねの力 $kx$，下向きに重力 $Mg$ ですから，

$$kx = Mg$$
$$\therefore \quad x = \frac{Mg}{k} \quad \cdots\cdots\cdots \text{答え}$$ **END**

簡単でしょ？ こんなばねの問題はフックの法則を使えば，一発で解決できますね。次の問題3は物体をばねと糸でつり下げたという問題です。一見ややこしそうですが，これも，例題のようにタッチの定理とフックの法則を使って簡単に解けてしまいます。では，行きますよ。

**こんなときはフックの法則**

図2-17(a)

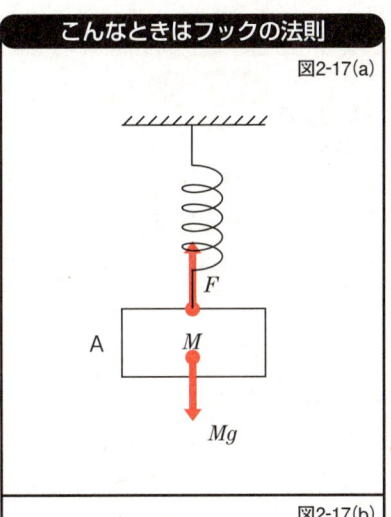

図2-17(b)

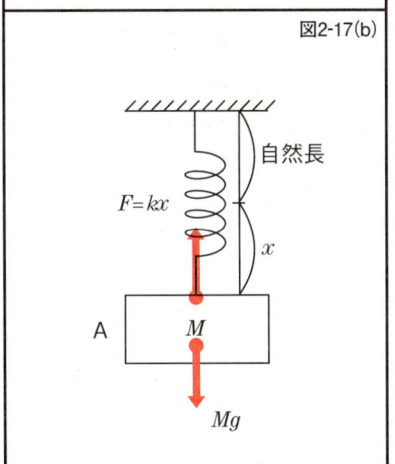

**❸** 例題の物体 A の下に質量 $m$ の物体 B を糸でつり下げた。A, B ともに静止しているとして，

(1) 糸の張力はいくらか。
(2) つるまきばねの自然長からの伸びはいくらか。

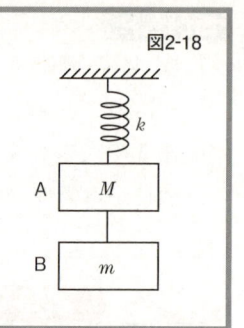

図2-18

**準備** 糸の張力を求めましょう。まず B に着目します。B に働く力は重力と**タッチの定理**から考えます。すると，図2-19(a)のようになりますね。

(1) B は静止しているから力のつりあいの式より，

$$T = mg \quad \cdots\cdots (1) の 答え$$

簡単ですね。タッチの定理を知っていれば，ばねのことなど無視できるわけです。

(2) 次は A に着目してみましょう（図2-19(b)）。重力は $Mg$ ですね。ばねの自然長からの伸びを $x'$ とします。するとばねの力 $F$ はフックの法則より $kx'$ になります。

A にタッチしているものは，ばね以外に下の糸です。糸の張力は(1)で $T$ としましたから，結局，A には上向きに $kx'$，下向きに $Mg$ と $T$ の力が働きます。

A も静止しているから，力のつりあいの式より，

$$kx' = Mg + T$$

基本に戻って！物体を1つずつ着目しよう

図2-19(a)

Bに着目

図2-19(b)

自然長
$F = kx'$
Aに着目

$T=mg$ を代入して,

$$\therefore \quad x' = \frac{(M+m)g}{k} \quad \cdots\cdots (2) の \boxed{答え}$$

　おわかりいただけたかと思います。物体に働く力の求めかたは重力とタッチの定理です。そして「作用・反作用の法則」も重要です。覚えましょうね。では，第2講はここまでとします。

# Coffee Time

## 入試問題で使われる言い回し

　入試物理に出題される問題文は，小説などとは違って無味乾燥であるばかりか，なんだか難しい感じがしますね。たしかに面白味はないのですが，慣れるとどうしてそんな独特の言い回しを使っているのかがわかって，逆にやさしく感じられるようになってきますよ。ここで，よく使われる表現を2, 3紹介しましょう。

**なめらかな〜**
「なめらかな斜面上に……」とは，「摩擦力の働かない斜面上……」という意味です。はっきり「摩擦のない」と書いてもいいんですが，なぜか「なめらか」という表現が好まれるようです。

**そっと　静かに**
「ボールから手をそっとはなす」とか「物体を斜面上に静かに置く」というような表現は，「初速度0で」という意味です。

**〜の大きさ**
「加速度の大きさを求めよ」などという問の場合は，答えはプラスの値で書きましょう。本来，速度，加速度や力などは向きのある量なので，座標軸に対してマイナスの向きを向いているときはマイナスの値をとりますね。しかし，「大きさ」と聞かれたら，向きは関係なくプラスの値という約束です。

# 第3講

# 等加速度運動

力学

**Theme1**
力学の解法への準備

**Theme2**
橋元流・力学解法ワンパターン

**問題演習**
「力学解法ワンパターン」で解け！

## 講義のねらい

力学の解法はたった3パターンしかない。
「橋元流・力学解法ワンパターン」にのっとれば，力学なんてコワくない!!

# Theme 1
# 力学の解法への準備

物理の勉強も第3講目です。どうでしょうか？ 少し慣れてきましたか？ 今回は本格的な力学の問題に対応できる解法を考えていきたいと思います。

## Step 1　力学の解法はたった3種類

実は力学の解法はたった3種類しかありません。こんなことは教科書には書いてありませんよね。みなさんは「解法って，たくさんあって，どれを使えばいいのかわからない！」と思うでしょう。そうじゃない。どんな問題でも，3つの解法のどれかを使って解けるのです。行きますよ。

---

**力学の解法はたった3種類**
**解法1　運動方程式**（特別な場合：**力のつりあい**）
**解法2　仕事とエネルギー**（特別な場合：**力学的エネルギー保存則**）
　　　　　　　　　　　　　　　　　　　　…7，8講で扱います
**解法3　力積と運動量**（特別な場合：**運動量保存則**）
　　　　　　　　　　　　　　　…「物理基礎」では範囲外

---

運動方程式の意味は，第2講で学びましたね。今回は運動方程式の使いかたを勉強します。実は，解法1の「**運動方程式**」が力学の解法の中では一番めんどうで，解くのに時間がかかります。でも，これを知っておかなければ力学の基礎はできませんから，がんばりましょう。今回がすんだら力学は半分卒業したようなものです。

ほかの2つの解法について少しお話しすると，解法2の解きかたは単純明快です。計算が大変簡単なうえに，入試に最もよく出てきます。解法3も解法2と同様，簡単な解きかたです。要するに解法1の運動方程式を正しく理解できれば，力学はだんだん簡単になるんです。

それから運動方程式の特別な場合には，「力のつりあい」の式を立てることになります（その理由は，Step2で説明します）。第2講の問題演習で**物体が静止しているときは力のつりあいの式，物体が加速度運動しているときは**

運動方程式を立てる，ということをやりましたね。忘れた人は，もう一度見直してください。

## Step 2 運動方程式？ or 力のつりあい？

それでは，力学の解法1に入るまえに準備をしておきます。まえもって知っておいていただきたい事柄が2つあります。

**準備** まず1つ目として，「**運動方程式**」と「**力のつりあいの式**」の使い分けをきっちりおさえておきたいと思います。
「物体が静止しているときは，力のつりあいの式を立てるんだ」とボクは言いましたが，厳密に言うとこの言いかたは間違いになることがあるんです！
運動方程式 $ma=F$ で力がないとき（すなわち $F$ が0のとき）について考えてみます。

$$ma = F \text{ において，} F = 0 \text{ のとき}$$

全ての物体には重力が働いているんだから，力が0なんてありえないと思う人もいるかもしれません。でも，図3-1を見てください。

上向きの力（糸の張力）$f$ と重力 $mg$ がつりあっています。第2講では，この力 $f$ と重力 $mg$ は等しいという式を立てましたよね。つりあっているってことは，この2つの力を合計すると0ということになりますね。これが運動方程式の右辺の $F$ が0というケースです。要するに $F=0$ とは，「いろんな力をあわせて0のとき」のことを言っているんです。

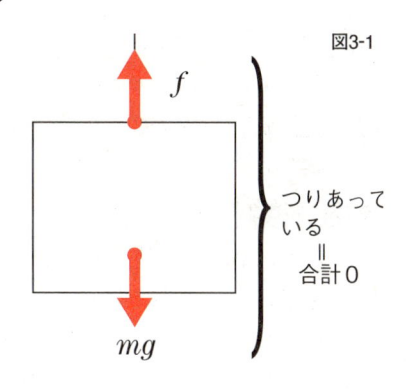

図3-1

つりあっている
＝
合計 0

**力が0のときは等速度運動**

**着目！** さて，$ma=F$ において，$F=0$ のとき，すなわち右辺が0のとき左辺も0になりますね。$m$ か $a$ のどちらかが0ということですが，物体があ

る限り $m = 0$ ということはありえませんから，$F = 0$（力が0）のときは加速度 $a$ が0ということになります。加速度 $a = 0$ とは，物体は加速しないということです。加速しないということは，速くもならなければ，遅くもならない，つまり，**一定の速度を保って運動をする**ということです。何が言いたいかというと，力がつりあっているとき，物体は必ずしも静止しているわけじゃないということです。結局，運動方程式を正しいとする限り，次のようになります。

$ma=F$ において $F=0$ のとき
（力がつりあっているとき）

$a=0$ （加速しない，つまり速度が変わらない）

⇒ 物体は「等速度運動」をする。

少し補足しておくと，等速度運動の中には，速度0の等速度運動というのも考えられます。つまり，物体が静止しつづける場合ですね。しつづけるというところがポイントで，一瞬の静止（たとえば真上に投げ上げたボールが最高点に達した瞬間など）の場合には，力はつりあっていないということです。繰りかえしますよ。物体に働く力が0（力がつりあっている）のとき，物体は止まりつづけている場合もありますが，等速度運動をする場合もあるのです。

## 慣性の法則

昔ギリシャに，アリストテレスという哲学者がいました。彼は「物体は力を加えないと，やがては止まってしまう」と言いました。そのとおりですね。ボールを転がしてみても，やがては止まりますね。われわれの常識でも，物体は力を加えないといつかは必ず止まってしまいます。ところが，ガリレオは「そうではない」と言ったんです。もし，床の面が氷のようにピカピカだとします。そこで，その上にボールでも転がした状況を考えてみてください。どこまでもスルスルーってボールは転がっていきますね。「でも，やがては止まるだろう」とおっしゃる人もいるでしょうけど，本当にピカピカな面の上で転がしたら，物体は同じ運動をしつづけるのです（図3-2）。これを**慣性の法則**といいます。じゃあ，なぜ物体は止まるのかというと，物体が触

れている面と物体の間に，すべっていく方向に対して，物体を止めようとする「摩擦力」が働いているからなんです。摩擦力については第4講で扱います。

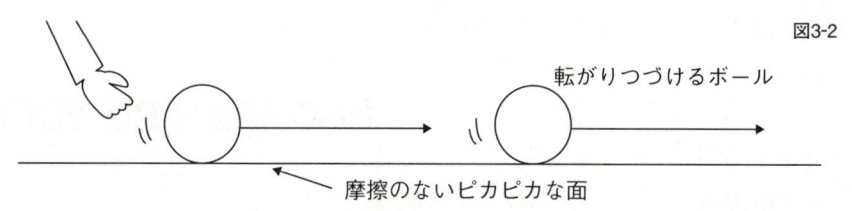

図3-2
転がりつづけるボール
摩擦のないピカピカな面

　月や火星という天体はずーっと動いていますね。あれは，真空の状態（何も天体にタッチしていない状態）に天体があるからなんですよ。摩擦力が働かないんです。摩擦力が働かないから，天体は動きつづけることができるんです。おわかりいただけましたか？
　では，問題を解くうえでのポイントをまとめます。

> **まとめ—4**
>
> ## 等速度運動のときは，力のつりあいの式……
>
> 1. 静止しつづける。
> 2. 等速度運動をする（つまり加速度0）。　→　力のつりあいの式を立てる。
>
> 3. 加速度運動をする。→運動方程式 $ma=F$ を立てる。

　2が，間違えやすいですね。「物体が動いているから，運動方程式を立てよう」とすぐに判断してはいけません。たとえ物体が動いていても「等速度運動のときは加速度が0，すなわち力が0なんだから…」というように，力のつりあいの式を立てるように考えてください。
　1，2は実は運動の形態としては，同じなんです。物体が加速度運動したときにだけ，運動方程式を立てましょう。充分気をつけてくださいね。
　それから，もう1つだけ準備しておきたいことがあります。

## Step 3 力の分解

**準備** これは大変基本的な事柄なんですが，物理をはじめてやるみなさんはご存知ないと思うので，触れておきます。

物理の基本的なテクニックとして「力を分解する」という作業です。

問題を解くとき，こんなふうに座標軸をとらなくてはならないことがしばしばあります（図3-3(a)）。この場合，ななめに力$F$が働いていることになりますね。そこで今からこの力$F$を$x$軸方向と$y$軸方向に分解するという作業をやります。行きますよ。

まず，この力$F$の矢印の頂点から$x$軸と$y$軸それぞれに垂線（図3-3(b)中の点線）をおろします。そして，垂線をおろしたあしに向かって図のように原点から矢印を引きます（図3-3(b)の$F_A$と$F_B$）。これで，力$F$は図形のうえでは分解されたことになります。

これはどういうことを表しているかというと，力$F$を$x$成分と$y$成分に分解したってことです。$F$がなくなって，かわりに$x$軸方向に力$F_A$，$y$軸方向に力$F_B$というように，この2つの力が同時に働いているということになります。

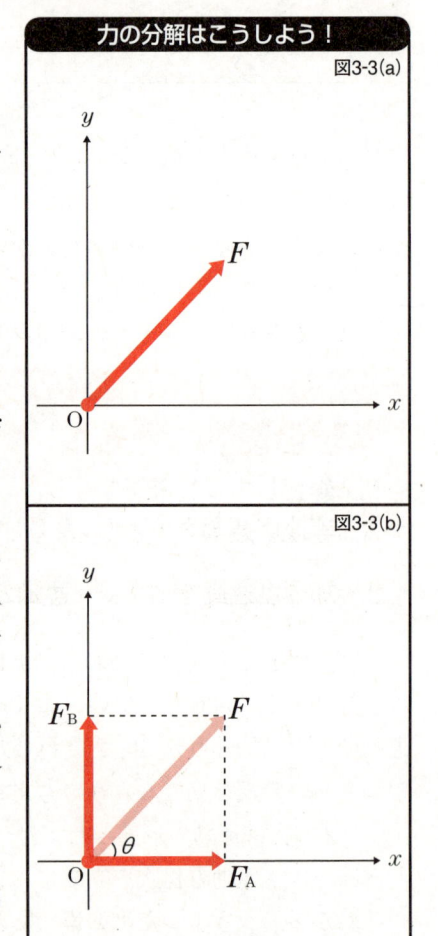

逆に言えば，この2つの力をあわせると力$F$になるんですね。

さて，ここで考えるべきことがあります。それは，この$F$を分解したときに$x$軸方向の力と$y$軸方向の力の大きさはどんなふうに書けるか？ ということです。たとえば，図3-3(b)のように，$F$と$x$軸のなす角が$\theta$（シータ

と発音する）というふうに与えられているとして，$F_A$と$F_B$の大きさを求めてみましょう。そのときは，数学で習う簡単な三角比の計算を使えばいいんです。三角比の求めかたも説明しておきましょう（図3-4）。

図3-4

$$\frac{c}{a} = \sin\theta$$
$$\therefore\ c = a\sin\theta$$

$$\frac{b}{a} = \cos\theta$$
$$\therefore\ b = a\cos\theta$$

　図3-4のように直角三角形の三辺の長さを$a$，$b$，$c$，角度を$\theta$とおきます。このとき，$\frac{c}{a}$を$\sin\theta$（サイン・シータ）と書くのですが，覚えかたとして図のようにサインのsの筆記体♪を三角形の上に描くとよいでしょう。

　同じように，$\frac{b}{a}$を$\cos\theta$（コサイン・シータ）と書きますが，これもコサインのcを三角形の上にcと描いてやれば，忘れません。そして物理では分母を右辺に移行して書かれることが多いので$\frac{c}{a} = \sin\theta$は$c = a\sin\theta$，$\frac{b}{a} = \cos\theta$は$b = a\cos\theta$となります。

　以上の三角比の知識から，$x$軸方向に働く力は$F\cos\theta$，$y$軸方向に働く力は$F\sin\theta$になりますね（図3-3(c)）。しかし，試験でこの三角比をわざわざ求めていたら，タイヘンです。試験中に頭に血がのぼって，sinとcosをひっくりかえしてしまうかもしれません。これは何度もやっているうちに慣れて覚えましょう。

　少し詳しく説明したので長くなりましたが，以上が準備でした。これからは本論に入りたいと思います。

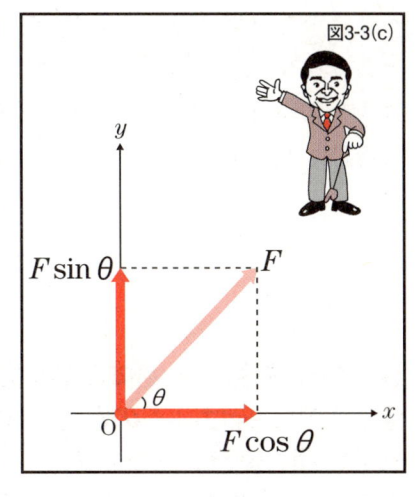

図3-3(c)

# Theme 2
# 橋元流・力学解法ワンパターン

　もう一度，今回のテーマに戻っていただくと，力学の解法はたった3種類しかないということでしたね。　　　　　　　　　　　　【⇒P.48】

　そのうちの1つ，運動方程式を立てて解く方法はめんどうくさいのですが，ワンパターンなんです。どんな問題が出ても，このパターンにのっとってやっていけばいいわけです。パターンにはいくつかの手順がありますので，さらっと説明しましょう。

　あ，それとこの解法の手順，ほかの先生は教えていません。だから，これも橋元流なんですよ。ハッシー君流ということなんです。ボクは「橋元流・力学解法ワンパターン」と勝手に言っています。

## 〔手順1〕着目する物体を決めよ
（図3-5(a)）

　「なんだ，そんなこと？ 斜面上に質量 $m$ の物体があるんなら，それに着目するに決まっているじゃないか」って思われるでしょうが，物体はいつも1つとは限らないんですよ。A，B，Cと3つある場合もあるんです。そして，Aだけに着目するのか，またはB＋Cに着目するのか…って場合もあるんですね。何に着目するのかによって問題が難しくなったり，簡単になったりするわけです。

## 〔手順2〕着目する物体に働く力を全て矢印で描け（このとき，タッチの定理を使う）（図3-5(b)）

　これは前講でやりましたね。着目する物体に働く力の求めかたは**重力**とタ

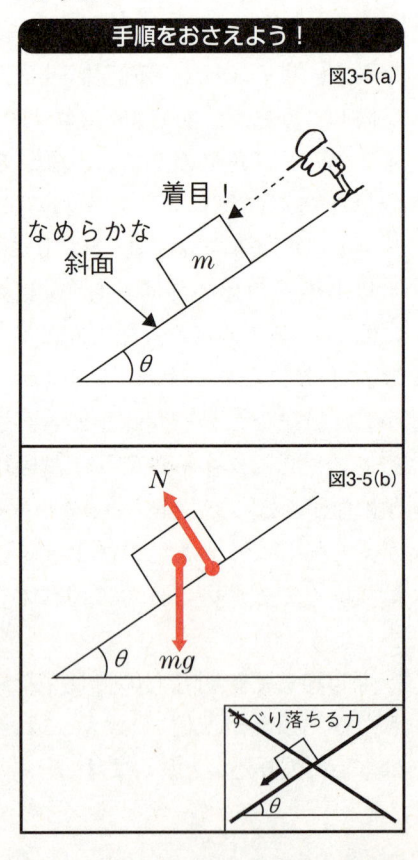

ッチの定理でした。

　着目する物体に働く力は1つ目は重力 $mg$ ですね。次にタッチの定理で考えましょう。この物体は斜面にタッチしているので斜面から受ける力がありますね。面は物体を押し上げようとする垂直の力を及ぼします。これを垂直抗力（$N$ とします）といいましたね。

　間違ってもタッチの定理を無視して「すべり落ちる力」なんて描かないように。こんな力はありませんよ!!

〔手順3〕**座標軸 $x$-$y$ を決めよ**（図3-5(c)）

　先ほど，力の分解を準備しましたが(P.52)，力学では $x$ と $y$ という座標をとり，$x$ 軸方向は $x$ 軸方向，$y$ 軸方向は $y$ 軸方向というように**運動を別々に考える**ことがコツなんです。

　そこで，座標軸をどうとるのかが問題になってきます。よく，初心者の人は図3-6のようにやってしまうんです。これでは問題は絶対解けません。座標軸のとりかたがいけないんですね。

　今回は物体が斜面をすべり降りるような直線運動の座標のとりかたを説明します。図3-5(c)を見てください。

　物体の中心から移動方向に向かって $x$ 軸をとればいいんです（この場合はすべり落ちる方向に）。「**移動方向を正**」とするのがポイントですよ。

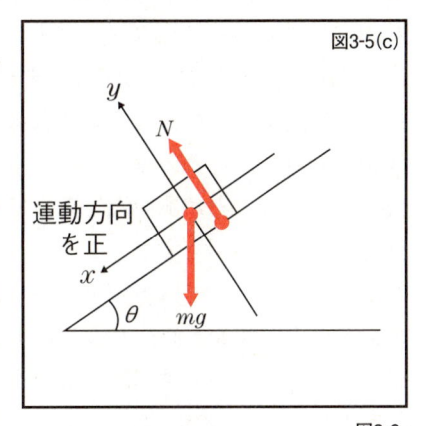

〔手順4〕**力を $x$ 軸方向，$y$ 軸方向に分解する**（どちらが sin か cos か慣れてしまおう）（図3-5(d)）

　$x$ 軸と $y$ 軸をとりましたので，先ほどP.52の「準備」でやったように力を $x$ 軸方向と $y$ 軸方向に分解していきます。

今度は斜面上に物体があるので，ちょっとわかりにくいと思いますが，よく図3-5(d)を見てください。

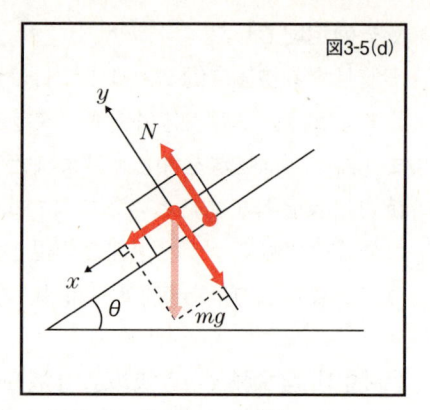

どの力を分解するべきなのかというと，座標軸に対してななめに出ている重力 $mg$ です（垂直抗力 $N$ は $y$ 軸の方向に向いていますので分解する必要はありませんね）。さあ，「準備」でやった力の分解を思い出してください！矢印の先端から座標軸に向かって垂線をおろします（図中の点線）。そして，その垂線にめがけて矢印をおろします。そうすると，重力 $mg$ が $x$ 成分と $y$ 成分に分解されたということになります。この重力 $mg$ がなくなって $x$ 軸方向と $y$ 軸方向に力が働いたと考えても結構です。

また，補足説明ですが，このように力を分解すると，なぜ物体がすべり落ちるのかわかってきます。それは図3-5(d)のように $x$ 軸正の向きに力が働いているからですね。$x$ 軸の負の向きに力は働いていないでしょ。この $x$ 軸正の向きの力のせいで物体は等加速度運動をするのです。

問題は，「矢印が作る角のうち，どの角が $\theta$ なのか？」です。図3-7を見てください。

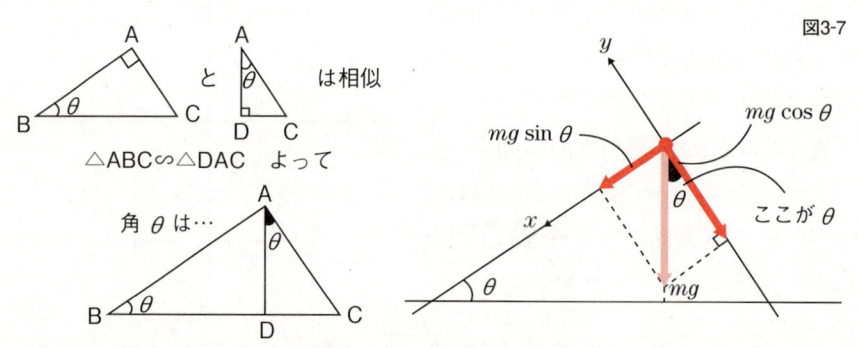

直角三角形 ABC の A から BC に垂線をおろせば，∠B ＝ ∠CAD となりますね（図の $\theta$）。この関係を使えば，重力 $mg$ の矢印と $y$ 軸のなす角が $\theta$ だとわかります。角度 $\theta$ がここに移れば，$y$ 軸方向の力の大きさは $mg\cos\theta$，$x$ 軸方向の力の大きさは $mg\sin\theta$ になりますね。これで，座標軸の方向に

力が分解されました。

〔手順5〕$x$ 軸方向，$y$ 軸方向別々に
1. **物体が**（その方向に）**静止（または等速度運動）をしているとき，**（その方向の）**力のつりあいの式を立てる**
2. **物体が**（その方向に**加速度**）**運動**するとき，（その方向の）**運動方程式 $ma = F$ を立てる**

　$x$ 軸方向と $y$ 軸方向別々に考えるのがポイントなんですよ。$x$ 軸方向のことを考えているときは $y$ 軸方向のことを考える必要なんてありません。図3-5(e)を見てください。

　$x$ 軸方向には $mg\sin\theta$ という力を受けながら当然物体は加速していくでしょう。だから，$x$ 軸方向には運動方程式を立てるのです。

　さらに $y$ 軸方向の運動を見てみましょう。物体は斜面に沿って動くので，$y$ 軸方向に物体が舞い上がったり，斜面にめり込んだりってことは考えられませんよね。ということは，**$y$ 軸方向だけで見ると物体は静止しつづけている**ことになりますね。だから，**$y$ 軸方向は力のつりあいの式**を立てるといいんです。このようになりますね。

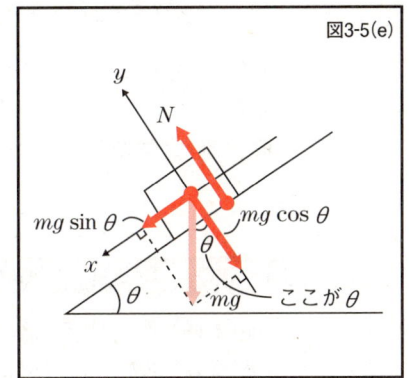

図3-5(e)

$x$ 軸方向の運動方程式

$$ma = mg\sin\theta$$

$y$ 軸方向の力のつりあいの式

$$N = mg\cos\theta$$

〔手順6〕**連立方程式として解いて，加速度や力を求める**
　$x$ 軸方向，$y$ 軸方向別々に解ける場合もありますが，問題によってはいく

つかの方程式をあわせて連立方程式にしなくてはならないこともあります。いずれにしても，これらの式から加速度や力を求められます。さらに加速度がわかったら，第1講でやりました等加速度運動の式を使いましょう。

〔手順7〕等加速度運動なら，第1講の等加速度運動の公式を適用して，位置，速度，時間などを求める

$$位置の公式：x = \frac{1}{2}at^2 + v_0 t + x_0$$

$$速度の公式：v = at + v_0$$

$$便利な公式：v^2 - v_0^2 = 2a(x - x_0)$$

以上が「橋元流・力学解法ワンパターン」でした。7つの手順をまとめておきましょう。

---

**橋元流●力学解法ワンパターン**

【手順1】▶▶ 着目する物体を決める
【手順2】▶▶ 着目する物体に働く力を矢印で描く
【手順3】▶▶ 座標軸 $x$-$y$ を決める
【手順4】▶▶ 力の矢印を $x$ 軸方向，$y$ 軸方向に分解する
【手順5】▶▶ $x$ 軸方向，$y$ 軸方向別々に力のつりあいの式か運動方程式を立てる
【手順6】▶▶ 連立方程式で加速度や力を求める
【手順7】▶▶ 等加速度運動なら等加速度運動の公式を使う

---

では，「橋元流・力学解法ワンパターン」を手順よく忠実に使って問題を解いていきましょう。

# 問題演習

## 「力学解法ワンパターン」で解け！

**❶** 水平と角 $\theta$ をなすなめらかな斜面上に質量 $m$ の小物体があり，初速度 $v_0$ で斜面をすべりはじめた。重力加速度の大きさを $g$ として，以下の問に答えよ。

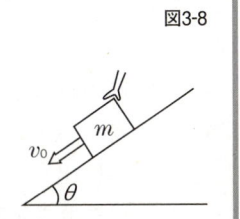

図3-8

(1) 小物体が斜面から受ける垂直抗力の大きさはいくらか。
(2) 小物体の加速度の大きさはいくらか。
(3) 小物体が斜面上を $l$ だけすべり降りたときの速さはいくらか。

**橋元流で解く！**

**準備** 最初に，問題文の「なめらかな」に下線を引いておいてください。「垂直抗力はいくらだろう？ 加速度は？」なんて考えるまえに，解法パターンに忠実になって解いてみましょう。

この問題の場合は，物体は 1 つだけなので，この 1 つに着目します【◀◀手順1】（図3-9(a)）。

小物体 $m$ に働く力を矢印で描きます。まず 1 つは重力 $mg$ ですね。そしてもう 1 つはタッチの定理から，斜面から垂直に受ける力（垂直抗力 $N$）です【◀◀手順2】（図3-9(b)）。

本来はここで，摩擦力も働くことを考えますが，この問題は「**なめらかな**」斜面なので摩擦力は働きません（これが「なめらかな」に下線を引いてもらった理由です）。

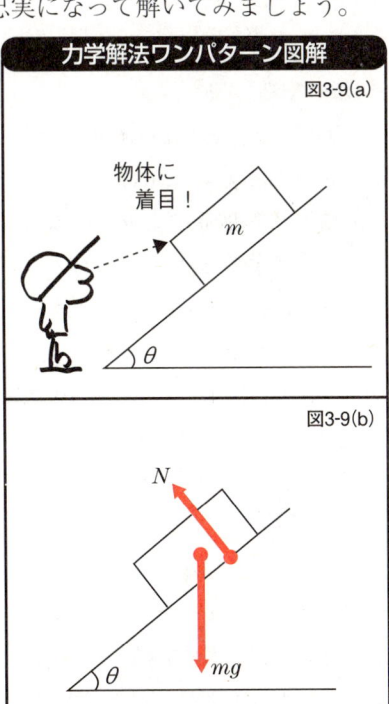

**力学解法ワンパターン図解**

図3-9(a)

物体に着目！

図3-9(b)

次に，座標軸をとります【◀◀手順3】。すべり落ちる方向に$x$軸（**下向きが正**）を，それに直角に$y$軸をとります（図3-9(c)）。

力を$x$軸方向と$y$軸方向に分解し，その力を別々に求めます。座標軸に対してななめに出ている重力$mg$を分解します。そうすると図3-9(d)のようになりますね。三角比から，$x$軸方向の力は$mg\sin\theta$，$y$軸方向の力は$mg\cos\theta$ですね【◀◀手順4】。

図3-9(c)

図3-9(d)

(1) $y$軸方向において物体は静止しつづけています。だから力のつりあいの式を立てましょう【◀◀手順5】。

$y$軸方向の力のつりあいの式は，垂直抗力$N$と$mg\cos\theta$がつりあっているから（図3-9(d)），

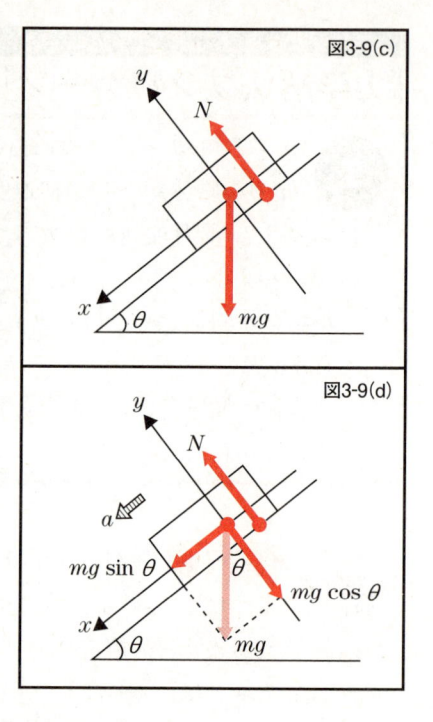

　　垂直抗力 $N = mg\cos\theta$ ………(1)の 答え

(2) 加速度を求めましょう。$x$軸方向について考えてみます。

$x$軸方向の加速度を$a$とします。**物体が加速しているので運動方程式を立**てます【◀◀手順5】。

　　公式 $ma=F$ より，

　　$ma = mg\sin\theta$

　　∴ $a = g\sin\theta$ ………(2)の 答え

この問題は，連立方程式を立てる【◀◀手順6】ほど複雑ではないですね。

(3) **着目！** 右の図3-9(e)を見てください。改めて，図を描きました。物理では状況が変わったら，めんどうくさがらずに新しい図を描くことがポイントです。「はじめ」の物体の初速度は

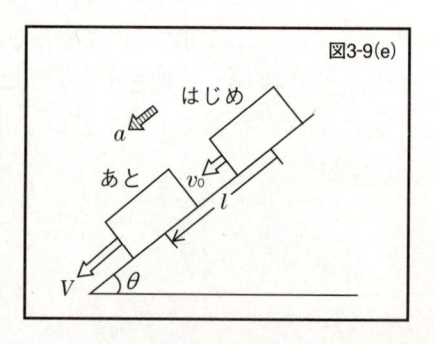

図3-9(e)

$v_0$, 移動距離は $l$ と与えられています。「あと」の速度を $V$ とします。物体はどういう運動をするかというと, 典型的な等加速度運動ですね ($a = g\sin\theta$ は一定の値で変化しません)。どの公式を使いましょうか。移動距離の $l$ がわかっていて速度 $V$ を求める問題ですから, 等加速度運動の公式で移動距離を求められる**便利な公式**がありましたね。その公式を使うといいでしょう。

公式 $v^2 - v_0^2 = 2a(x - x_0)$ より【◀◀手順7】,

$x - x_0 = l$ として,

$V^2 - v_0^2 = 2al$

$V = \sqrt{v_0^2 + 2al}$

(数学的には, $V = \pm\sqrt{v_0^2 + 2al}$ となりますが, この問題の場合, $V$ が負でないことは明らかです。)

$a = g\sin\theta$ を代入すると,

$V = \sqrt{v_0^2 + 2gl\sin\theta}$ ……… (3)の 答え

**2** 図のように，なめらかな定滑車に伸び縮みしない糸がかけられ，両端に質量 $M$ の物体 A と質量 $m$ の物体 B がつながれている（$M>m$）。

はじめ A は床から $h$ の高さにあり，B は床面にあるが，その後 A と B は動きはじめる。重力加速度の大きさを $g$，A と B の初速度は 0 として以下の問に答えよ。

(1) A および B の加速度の大きさはいくらか。
(2) 糸の張力の大きさはいくらか。
(3) A が床面に到達するまでの時間はいくらか。
(4) (3)の瞬間の B の速さはいくらか。

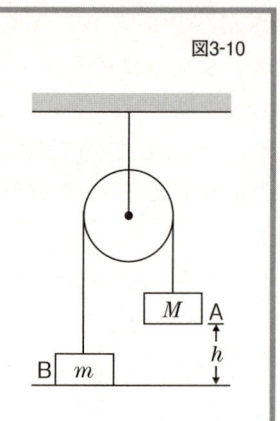

図3-10

**準備** これも，力学解法のワンパターンを手順よく使って解いていきましょう。とりあえず，A に着目しましょう【◀◀手順1】。

そして，着目する物体に働く力を矢印で描きます（重力とタッチの定理）。すると，重力 $Mg$ と糸の張力（$T$ とおく）が描けます【◀◀手順2】（図3-11(a)）。

【手順3▶▶】次に座標軸を決めましょう。物体 A は物体 B より質量が大きいので下に落ちます。ですから，**下向きが正の向き**になりますね（これが $x$ 軸）。$y$ 軸方向には力がないので $x$ 軸だけをとればいいでしょう（図3-11(b)）。

順番どおりにいくと【手順4▶▶】ですが，この問題は $x$ 軸方向に重力 $Mg$ も張力 $T$ もあるので（これらの力は座標

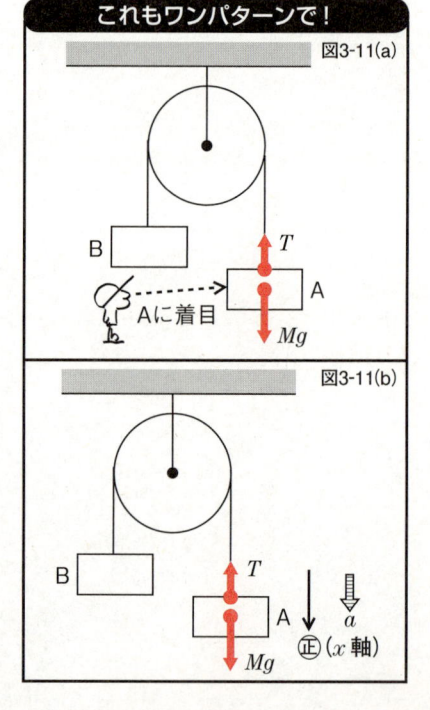

これもワンパターンで！

図3-11(a)
A に着目

図3-11(b)

軸に対してななめに出ていませんね），力の分解は必要なし！ さらに，物体は静止状態から動く，つまり加速度運動しますから，運動方程式を立てますね【◀◀手順5】。

Aの運動方程式

$\boxed{\text{公式 } ma=F}$ より，

$Ma = Mg - T$ ……… ①

**着目！** 未知数が2つ（$a$ と $T$）あるので①式だけでは答えは出ません。そこでBに着目ということになります【◀◀手順1】。重力 $mg$ と糸の張力 $T$（同じ1本の糸でつながれているからAの張力と同じ）が物体Bに働く力です【◀◀手順2】。また，物体Bは上に同じ加速度 $a$ で動くので上向きが正の向きになります【◀◀手順3】(図3-11(c))。運動方程式を立てましょう【◀◀手順5】。

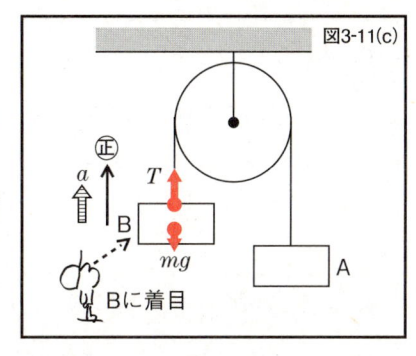

Bの運動方程式

$ma = T - mg$ ……… ②

Aとは逆向きに座標軸をとっていますから，今度は $T$ がプラス，$mg$ がマイナスとなります。

①式と②式の連立方程式を解きます【◀◀手順6】。

①+②より（左辺は左辺，右辺は右辺どうし足し算して $T$ を消去します），

$(M+m)a = (M-m)g$

∴ $a = \dfrac{M-m}{M+m} \cdot g$ ……… (1)の 答え

②式より糸の張力 $T$ は，

$T = ma + mg$

$a = \dfrac{M-m}{M+m} \cdot g$ を代入して，

$T = \dfrac{(M-m)mg}{M+m} + mg$

$= \dfrac{mMg - m^2g + mMg + m^2g}{M+m}$

∴ $T = \dfrac{2Mm}{M+m} \cdot g$ ……… (2)の 答え

(3) Aが高さ$h$のところから床面に到達するまでの運動について考えます。ここで**等加速度運動の位置の公式**を使います【◀◀手順7】。初速度$v_0$は0です。また，$h$だけ移動するのに$T$秒かかったとします（図3-11(d)）。

$\boxed{\text{公式 } x = \frac{1}{2}at^2 + v_0 t + x_0}$ において, $x_0 = 0$, $v_0 = 0$, $t = T$のとき$x = h$になるとして,

$$h = \frac{1}{2}aT^2 + 0 + 0$$

$$\therefore\ T = \sqrt{\frac{2h}{a}}$$

これに$a = \dfrac{M-m}{M+m} \cdot g$を代入して,

$$\therefore\ T = \sqrt{\frac{2(M+m)h}{(M-m)g}} \ \cdots\cdots\ (3)\text{の}\ \boxed{\text{答え}}$$

(4) 図3-11(e)を見てください。今度はAが床面に達したときのBの速さを求めましょう。BはAと同じ1本の糸でつながれているので当然Aと同じ速さになりますよね。求めるBの速さを$V$として，速度を求める公式を使いましょう。

$\boxed{\text{公式 } v = at + v_0}$ において, $v_0 = 0$, $t = T$のとき$v = V$になるとして,

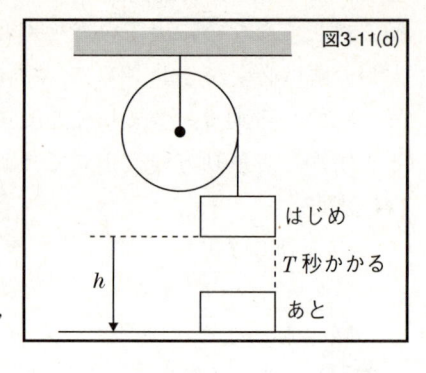

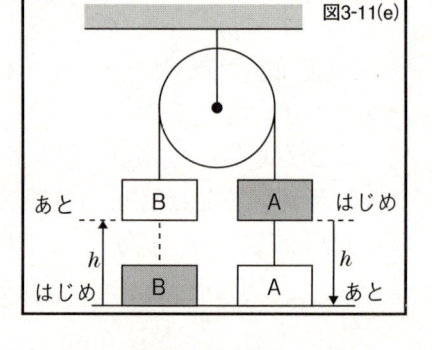

$$V = aT + 0$$

$a = \dfrac{(M-m)g}{M+m}$, $T = \sqrt{\dfrac{2(M+m)h}{(M-m)g}}$ を代入すると,

$$V = \sqrt{\frac{2(M-m)gh}{M+m}} \ \cdots\cdots\ (4)\text{の}\ \boxed{\text{答え}}$$

以上で第3講を終わります。「**橋元流・力学解法ワンパターン**」は力学の問題を解くうえで，大事な解法です。手順が少し長くてめんどうですが，文字どおりワンパターンで解けますので，ぜひ覚えてくださいね。

# 第4講

# 摩擦力

**力学**

**Theme1**
静止摩擦力と動摩擦力

**Theme2**
摩擦力の向き

**Theme3**
動摩擦力 or 静止摩擦力？

**問題演習**
摩擦力の向きに気をつけろ！

## 講義のねらい

静止摩擦力と動摩擦力は「向き」さえわかれば，楽勝問題だ！

# Theme 1
# 静止摩擦力と動摩擦力

前回までは力学の土台を勉強してきました。今回のテーマは摩擦力です。摩擦力の問題は前回までの土台を使って解くものです。まあ，言ってみれば，摩擦力は力学の簡単な応用編のようなものですね。

## Step 1 摩擦力って何？

摩擦力には「**静止摩擦力**」と「**動摩擦力**」の2種類がありますが，これについて簡単に触れておきましょう。

物体を引っぱるときに，その物体がなかなか動かないことがありますね。このときに働いている摩擦力が「**静止摩擦力**」です。物体を動かそうとするとき，静止摩擦力はそれを阻止して動かさない力です。

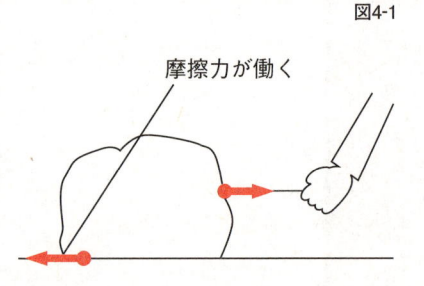

図4-1

また，物体は動いているけれど，外から力を加えつづけないと動きつづけない場合があります（日常生活で見るものの運動は，たいていそうですね）。このように物体が動いているときに，それを止めようとする抵抗力のような力，これを「**動摩擦力**」といいます。

しかし，この説明だとどんなときに静止摩擦力なのか，動摩擦力なのかあいまいな点があります。詳しくはあとで説明します。

## Step 2 静止摩擦力 $\mu_0 N$ の落とし穴にはまるな！

まず，「静止摩擦力」から説明します。はじめて摩擦力を勉強する人はいいのですが，ちょっと知っている人，結構勉強している人にとって静止摩擦力はクセ者なんです。「物理には自信があるぞ！ 難問集も解けるんだ！」というキミこそ，アブナイ落とし穴にはまるおそれがあります。

静止摩擦力は $\mu_0 N$ と覚えている人が多いのではないかと思います。$\mu_0$ は**静止摩擦係数**，$N$ は垂直抗力ですね（はじめて摩擦力を勉強する方！　わからなくてもいいですよ）。でも，これが落とし穴なんです。では，よく見てみましょう。

図のように，ザラザラな斜面の上に物体があります（図4-2(a)）。「この物体に働く静止摩擦力 $f$ の大きさはいくらか？」という問題が出てきたとします。かなり物理を得意とする人でも次のような間違いをするものです。

まず，物体には重力 $mg$ が働きます。そして，物体に対して斜面から垂直抗力 $N$ が働きますね。さらに，物体が下へ落ちようとするのを止める静止摩擦力 $f$ が働きます。重力 $mg$ を分解しましょう（図4-2(b)）。$mg \sin\theta$ と $mg \cos\theta$ に分解されますね。さらに，垂直抗力 $N$ は $mg \cos\theta$ とつりあっています（$N = mg\cos\theta$）。

そこで，静止摩擦力 $f = \mu_0 N$ だから，

静止摩擦力 $f = \mu_0 mg \cos\theta$

摩擦力を知っているキミ，こんな答えを書きませんか？　落とし穴にはまりましたね。間違いです。0点です。どこが間違っているんでしょうね？考えていきましょう。**静止摩擦力は $\mu_0 N$ じゃありません！**

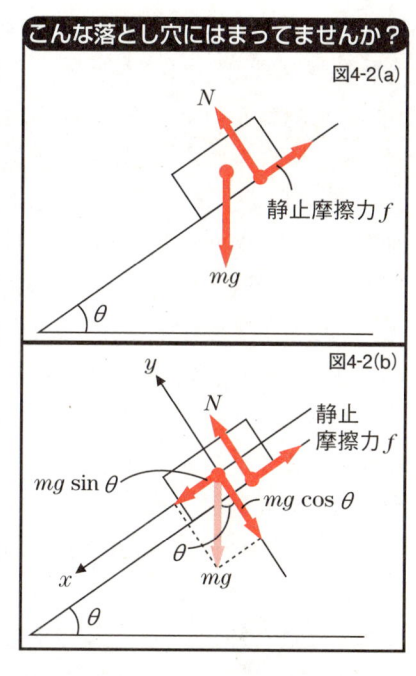

## Step 3 静止摩擦力は変化する！

では、正しい静止摩擦力の考えかたを説明しましょう。水平な粗い面の上で物体を引っぱっているとします（図4-3(a)）。物体を引く力を $F$ としましょう。

まず、小さい力で引いてみますが、動きません。静止摩擦力が働いていることになります。このときに働く静止摩擦力を $f$ としますね。ほんとにこの静止摩擦力 $f$ が $\mu_0 N$ なんでしょうか？

物体が止まっているということは、何が言えますか？ そう、静止しつづけている物体に働く力はつりあっているはずですね。では、どんな力がつりあっているか調べてみましょう（図4-3(b)）。

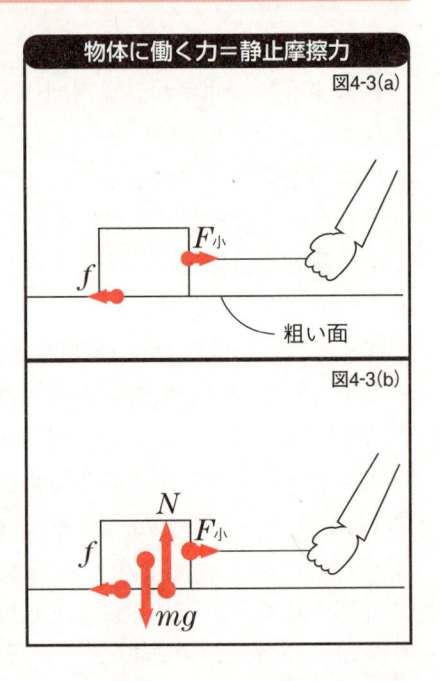

**物体に働く力＝静止摩擦力**

図4-3(a)

図4-3(b)

物体に働く力ですが、まずは重力 $mg$ です。次にタッチの定理より、垂直抗力 $N$ です。これらは鉛直方向の力ですね。鉛直方向には重力 $mg$ と垂直抗力 $N$ がつりあっていますが、それはこの際、どうでもいい。水平方向の力を考えましょう。右向きに小さな力 $F$、左向きに静止摩擦力 $f$。この2つの力がつりあって、物体は静止しつづけるのだから、

$f = F_小$

つまり、

力 $F$ が小さければ、
　　静止摩擦力 $f$ も小さい。

次に，引く力 $F$ をぐーっと大きくしましょう（図4-3(c)）。それでもまだ，物体は動かないとします。物体は静止しているので，静止摩擦力 $f$ が働き「力がつりあっている」ということになります。

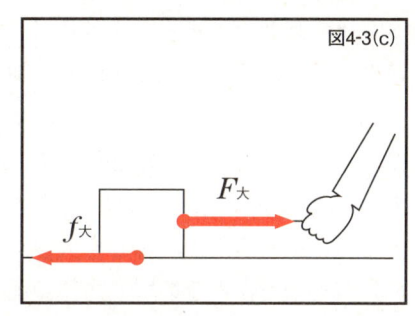

$f = F_{大}$

そして，大きな力で引いているんだから当然，静止摩擦力 $f$ もこの力 $F$ に対抗して大きくなるはずです。つまり，次のことが言えます。

**力 $F$ が大きくなれば，静止摩擦力 $f$ も大きくなる。**

いいですか？　もし，静止摩擦力が $\mu_0 N$ ならば，$\mu_0$ と $N$（$=mg$）は定数なので，静止摩擦力の大きさは変化しないことになります。しかし，今見たように，静止摩擦力の大きさは物体を引く力に応じて変化するんですから，$\mu_0 N$ ではないということになります。

「いやいや，教科書には静止摩擦力 $= \mu_0 N$ だって書いてあるよ！」とみなさんは言うかもしれませんが，よく見ると**教科書にはそんなこと書いてありません**。これが静止摩擦力のアブナイ落とし穴です。$\mu_0 N$ は静止摩擦力ではなく，「**最大静止摩擦力**」と書いてありませんか？　**$\mu_0 N$ は，静止摩擦力ではなく，最大静止摩擦力なんです！**

では「**最大静止摩擦力**」とは何でしょう？

### Step 4　最大静止摩擦力はズルッとすべる直前！

図を見てください（図4-4）。今，物体を引く力を小さい力からぐんぐん大きくしていきましょう。そうすると，このザラザラとした面もいつかは耐えきれなくなるので，物体がズルッとす

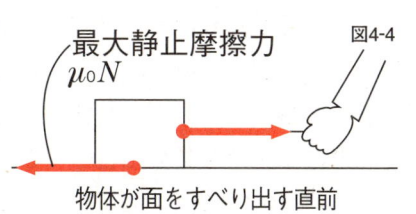

べり出す瞬間がきます。すべり出してしまうと摩擦力は静止摩擦力から動摩擦力に変わってしまいますので，物体がすべり出す直前の状況をイメージしてみましょう。このとき，静止摩擦力はどのくらいの大きさになっているのでしょうか。物体はまだ静止していますから，当然物体を引く力は静止摩擦力とつりあっていますよね。しかも引く力を小さい力から大きくしたので，それに抵抗する静止摩擦力も大きくなっているはずです。しかし静止摩擦力の抵抗も限度があるので，物体は面の上をすべり出すのです。この瞬間に働く静止摩擦力が，一番大きな静止摩擦力，つまり，「**最大静止摩擦力**」ということになります。ここがポイントです。**最大静止摩擦力＝$\mu_0 N$** ということなんですね。仮にこのすべり出す直前の静止摩擦力を$f_0$とおくと，

$$f_0 = \mu_0 N$$

わかりましたか？ さっき，「静止摩擦力は$\mu_0 N$ではない」と言いましたが，あのときの静止摩擦力は最大静止摩擦力ではなかったわけです。図4-5を見てください。斜面に物体がのっています。このようにただ，物体が静止して斜面にのっているときの静止摩擦力は最大ではありません。これがすべり出す直前になると，静止摩擦力は最大静止摩擦力$\mu_0 N$になるのです。この点を間違えないようにしてください。

図4-5

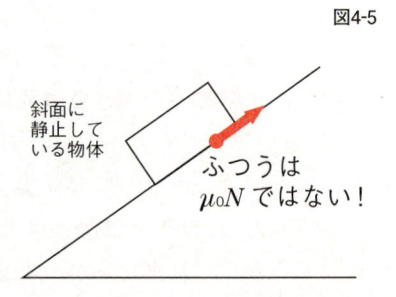

斜面に静止している物体

ふつうは$\mu_0 N$ではない！

## Step 5 なぜ，$\mu_0 N$？

そこで，さっきから「$\mu_0 N$」とボクが言っていますが，「その$\mu_0 N$って何なの？」と言う人もいるでしょう。その意味を考えてみます。

静止摩擦係数$\mu_0$とは，物体が接している面のザラつき具合と言ってよいでしょう。「面の粗さ」だとイメージして

図4-6

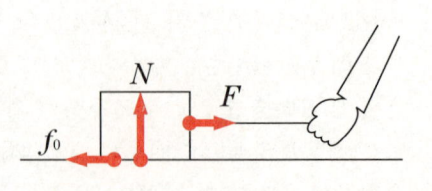

ください。もし，この面がツルツルしていたら小さな力でも物体を動かすことができるので，最大静止摩擦力も小さいでしょう（図4-6）。また，「面の粗さ」が非常に大きければ，大きな力を出さないと物体は動きませんね。その場合，最大静止摩擦力は大きくなります。

　要するに$\mu_0$は面の粗さであり，$\mu_0$が大きければ，物体を動かしにくいということです。もし$\mu_0$が「最大静止摩擦係数」とよばれているならば，「静止摩擦力は$\mu_0 N$だ」とカン違いする人は少なくなると思います。これが「最大」を略して，たんに「静止摩擦係数」とよばれているから，ズッコケル人が出てくるのでしょうね。

### 強く押しあっていればすべりにくい

　次に$\mu_0 N$の「垂直抗力$N$」について考えてみましょう。

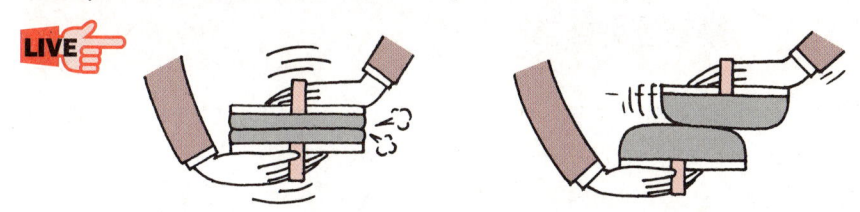

　こちらに注目してください。このように2つの黒板消しを重ねます。上の黒板消しを横に動かしてみますよ。面がザラザラしているので多少は動きにくいですね。さらに，ギュッと強くこの黒板消しが重なりあっている状態をイメージしてみましょう。互いが強く押しあっていればなかなか横に動かないでしょ？　逆に，この2つが軽くフワッと重なりあっていれば，動きやすくなりますね。

　つまり，最大静止摩擦力は面の粗さにもよりますが，接する面どうしが強く押しあっているか，あまり強く押しあっていないか，にもよります。押しあっている力とは，黒板消しの上面が下面を，下面が上面を互いに垂直に押しあう力ですから，上の黒板消しに着目すれば，上の黒板消しが下の面から受ける垂直抗力ということになります。

　最大静止摩擦力は面の粗さが大きければ大きく，面と物体が押しあっている力が強ければ大きくなります。すなわち静止摩擦係数$\mu_0$と垂直抗力$N$の2つの大きさによって最大静止摩擦力は決まります。いいですね？

> **まとめ—5**
>
> ### 静止摩擦力はここがポイント！
> 1. **静止摩擦力は常に物体を動かそうとする力とつりあう。**
>    →静止摩擦力は状況（物体に働く力の大小）に応じて変化する。
> 2. **最大静止摩擦力のみが $\mu_0 N$。**
>    →物体がまさに動き出そうとする直前に働く一番大きな静止摩擦力。

次は動摩擦力について説明をしましょう。

## Step 6 動摩擦力は常に $\mu N$

「動摩擦力」について考えてみましょう。静止摩擦力に比べれば、間違いようがありません。簡単です。動摩擦力の公式は、

$$f = \mu N$$

動摩擦力は常に「$\mu N$」と覚えていただいて結構です。図を見てください（図4-7）。物体が面に対して右向きへすべっているとします（必ずしも右向きに力が働いていなくてもよい）。そうすると、物体がすべるのを阻止する向きに動摩擦力が働きます。

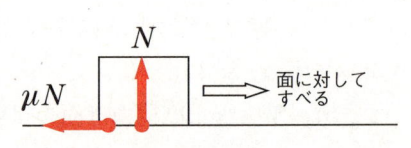

図4-7

公式に注目してください。$\mu$ は面の粗さです。「動摩擦係数」とよんでいます。動摩擦力の場合も静止摩擦力と同じように、面の粗さ $\mu$ が大きければ、また物体と面が強く押しあえば（垂直抗力 $N$ が大きければ）、大きくなるでしょう。しかし、「なぜ？ どうして？」と考えるみなさんはここでちょっと疑問に思いますね。

静止摩擦係数 $\mu_0$、動摩擦係数 $\mu$、この２つは区別されていますね。「面の粗さは同じなのに、それはちょっとおかしいんじゃないの？」という疑問が

浮かびます。静止摩擦係数と動摩擦係数は違います。どうしてでしょう？　実は，厳密にはよくわからない問題なんです。「そんなことでいいの？」と思うでしょうが，物理では最先端のことがわかっていても，こんな摩擦力のような基本的なところほど，わからないことばかりなんですよ。私たちの日常生活の物理現象で不思議なことは多いのです。

　でも，経験上の例をあげて説明してみましょう。

　たとえば，図のように大きな荷物があるときのことをイメージしてみてください（図4-8(a)）。これを引っぱってみます。なかなか動きませんね…。ぐーっと，ぐーっと力を大きくして…引いてみますと，いつかは荷物が動きます（図4-8(b)）。この動く直前の力が最大静止摩擦力ですね。

　ちょっと，イメージを働かせてください。動くまで荷物をぐーっと引いているときは大変ですが，いったん動き出すとズルズルと楽に引けます（図4-8(c)）。経験的に，物体が動く直前の最大静止摩擦力は大きいけれど，物体が動き出して摩擦力が動摩擦力に変わると，そのときの動摩擦力は小さく感じられますね。ですから，2つの摩擦力の摩擦係数は区別されているんです。経験的に動摩擦力は最大静止摩擦力より小さくなります。つまり，

$$\mu < \mu_0.$$

　このように動摩擦係数と静止摩擦係数は区別されています。「じゃあ，それはなんで？」と思うでしょうが，それは「物理のナゾ」ということにしてください。物理でもわからないことがいっぱいあるんですよ。

静止摩擦力と動摩擦力を区別するということがわかったところで，動摩擦力のポイントをまとめましょう。

### まとめ—6
### 動摩擦力はここがポイント！
1. 動摩擦力は常に $\mu N$。
2. 面が粗い（動摩擦係数が大きい）ほど摩擦力は大きい。
3. 面と押しあう力（垂直抗力）が大きいほど摩擦力は大きい。

## Theme 2

# 摩擦力の向き

では，次に摩擦力の向きについて考えましょう。ふつうはこのように考えてしまうんです。図を見てください（図4-9）。物体Aが右に動いています。

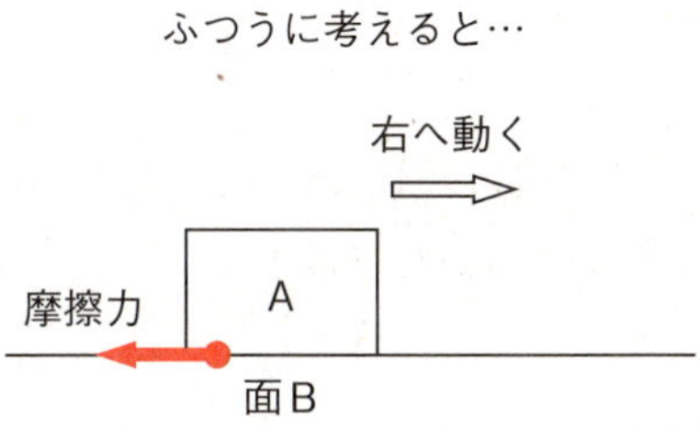

そこで，みなさんの多くは「Aは右へ動くから左向きに動摩擦力を受ける」と考えてしまうでしょう。でも，こういう覚えかたはいけません！ しばしば間違えてしまうからです。次のように覚えてください。

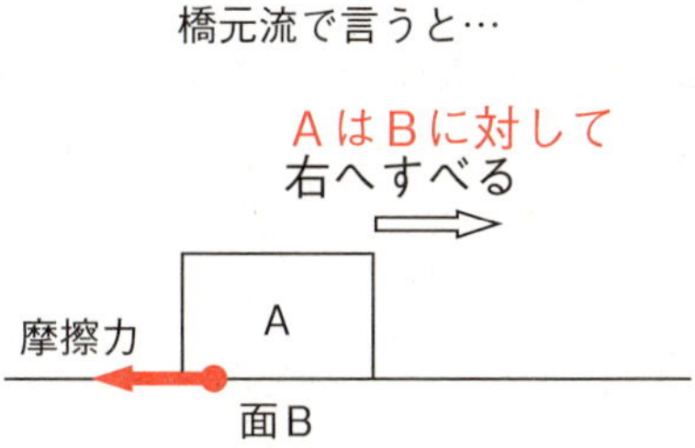

図4-10を見てください。物体 A があり，それに接している面を B としましょう。このとき，A は「右に動く」と言わず，もう少し正確に「A は B に対して右へすべる」と言いましょう。「AはBに対して」というところが重要です。物体 A は面 B に対して右へすべるので，物体 A は面 B から左向きに動摩擦力を受けます。

図4-9
ふつうに考えると…
右へ動く
摩擦力　A
　　　面B

図4-10
橋元流で言うと…
AはBに対して
右へすべる
摩擦力　A
　　　面B

> **橋元流●摩擦力の向きの決めかた**
>
> AがBに対して右へすべるとき，AはBから左向きに動摩擦力を受ける
> 「〜に対して」というところが大事なポイント

静止摩擦力の場合も同じことが言えます。静止摩擦力は「AがBに対して右へすべろうとするとき，AはBから左向きに静止摩擦力を受ける」というふうに言えますね。どうして，まわりくどくて，こんなめんどうな覚えかたをしなくちゃならないのかというと，物体が床のように動かないものの上をすべるときはいいのですが，相手方が動く場合もあるからです。

図を見てください（図4-11）。物体が2つありますね。下をA，上をBとします。今，Aを引っぱっているとします。このとき，物体Bに働く摩擦力の向きを考えましょう。ふつうの考えかたは…

「Aを右に引っぱっていけばBは左向きに摩擦力を受ける」

どうでしょうか？ このように考えたみなさん，注意してくださいよ。これは大マチガイ！ まるっきり逆なんですよ。「物体が右に動くときその逆の左に摩擦力を受ける」と考えていると，こういう間違いをするのです。よーく考えてみましょう。

図4-12を見てください。AとBの関係を見てみますと，まず，引っぱられたAはBに対して（この「Bに対して」が大事！）右にすべります。今度は逆に考えてみましょう。BはAに対して左にすべりますね。だからBはAから右向きに摩擦力を受けることになります。

先ほどの「ふつうの考えかた」とはまるっきり逆ですね。このような間違いをふせぐためには，「～に対して」と考えるところがポイントとなります。

また物体Bを引く力とは，糸の力ではありません。物体Bは糸にタッチしているのでなく，物体Aにタッチしています。だから，物体Bは物体Aだけから力を受けているんですよ。すなわち，BはAから右向きに引きずられているんですね。Bを右に動かす力は当然Aから受けなくてはなりません。これが摩擦力なんです。

## Theme 3

# 動摩擦力or静止摩擦力？

　動摩擦力，静止摩擦力の注意すべき点が，もう1つだけあります。それは「動摩擦力か？　静止摩擦力か？」を決める方法です。

　図4-13を見てください。今，物体Bを引っぱっています。このとき，AとBが一体になって動いているとしましょう。「AがBから受けている摩擦力は動摩擦力か，静止摩擦力か？」と質問されたら，どう答えますか？「物体は動いているから，動摩擦力だ」…と答えてはマチガイ！　AとBが一体になって動いているので，Bの上にある**AはBに対してすべりませんね。すべらないから，AはBから静止摩擦力を受けます。**

図4-13
Bと一緒に動いている
静止摩擦力

　図4-14を見てください。ベルトコンベアーBがキャタピラのようにぐるぐる回っています。ベルトコンベアーの上には物体Aがあり，糸でつながれて止まっています。「このときAに働く摩擦力は動摩擦力か，静止摩擦力か？」という問題です。この場合，「物体Aは止まっているから静止摩擦力だ」と言ってはダメです。ベルトは矢印の向き（右）に動いているので，**Aはベルトコンベアーに対して左に動いていることになります。すなわちAに対して摩擦力は右に働きますが，この摩擦力は動摩擦力ですね。**Aは一見，止まっているようですが，ベルトコンベアーBに対してすべっているんです。

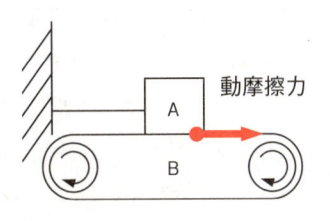

図4-14
動摩擦力

---

**橋元流●動摩擦力，静止摩擦力の決めかた**

「物体が動いているか，止まっているか」を考えるのではなく，「物体が，接している面に対してすべっているか，面と一体になって動いているのか」を考える

## 問題演習

### 摩擦力の向きに気をつけろ！

**❶** 水平と $\theta$（<45°）をなす粗い斜面上に質量 $M$ の物体 A が静止している。重力加速度の大きさを $g$，A と斜面の間の静止摩擦係数を $\mu_0$ として以下の問に答えよ。

(1) 物体Aに働いている静止摩擦力の大きさはいくらか。

(2) $\theta$ を次第に大きくしていったところ，$\theta=45°$ になった瞬間，物体 A は斜面をすべりはじめた。静止摩擦係数 $\mu_0$ の値はいくらか。

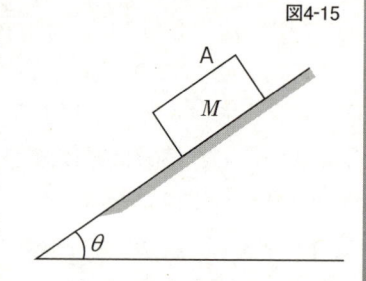

図4-15

**準備** 第3講でやった「橋元流・力学解法ワンパターン」にのっとって解きましょう。

**【手順1】【手順2】** まず，着目する物体に働く力を矢印で描きましょう。重力と**タッチの定理**で図4-16(a)のようになりました（重力 $Mg$，垂直抗力 $N$）。粗い面ですから摩擦力も働きます。摩擦がなければ物体は下にすべり落ちますので斜面に対して上向きに静止摩擦力が働きますね。これを $f$ としておきます。念のために言いますと，この摩擦力の大きさは $\mu_0 N$ ではありませんよ。

**【手順3】** 次に，座標軸をとりましょう。下向きを $x$ 軸正の向きとします。**物体の移動方向を正とする**のが，基本でしたね（この場合，物体は静止していますから，$x$ 軸正の向きはどちらでもい

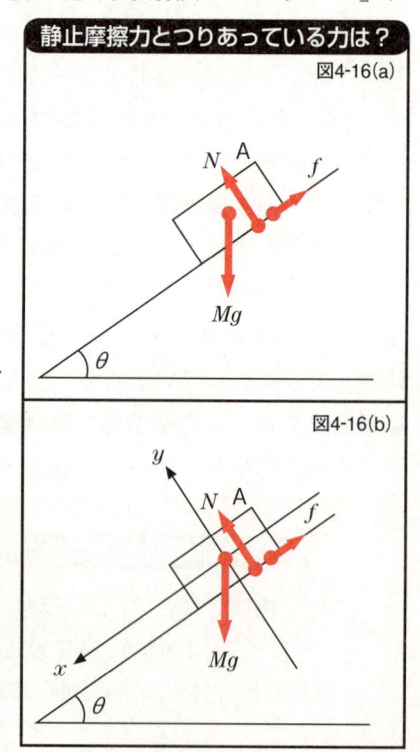

図4-16(a) 静止摩擦力とつりあっている力は？

図4-16(b)

いのですが)。さらに、物体の移動方向と直角に$y$軸をとります(図4-16(b))。

**【手順4▶▶】** 座標軸に沿って重力$Mg$を分解しましょう。図のようになりますね(図4-16(c))。重力$Mg$が$y$軸方向の力$Mg\cos\theta$と$x$軸方向の力$Mg\sin\theta$に分かれます。物体は「**静止している**」これがポイントです。つまり、静止しているからその物体に働く力がつりあっているはずです。$x$軸方向にも$y$軸方向にも力はつりあっています。 **END**

(1) **着目!** 物体は静止しているので、$x$軸方向の力のつりあいを見てみます(鉛直方向はおいておきます)。つりあっている力は$Mg\sin\theta$と静止摩擦力$f$ですね。$x$軸方向の力のつりあいの式は、

$$f = Mg\sin\theta \quad\cdots\cdots(1)\text{の}\;\boxed{答え}$$

(2) 45°になった瞬間に物体Aはすべり出したんだから、この瞬間の摩擦力は**最大静止摩擦力**です。ここではじめて$\mu_0 N$を使うわけです。図4-17を見てください。このように斜面の角度が45°まで上がった瞬間に物体がすべり出したわけです。イメージしてくださいね。物体に働く力の求めかたは今までやってきた手順どおりにすると(1)の説明と同じになります。

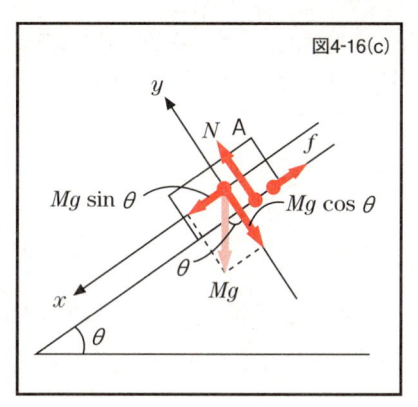

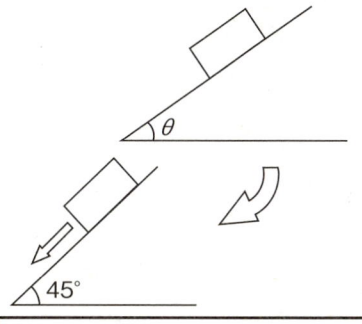

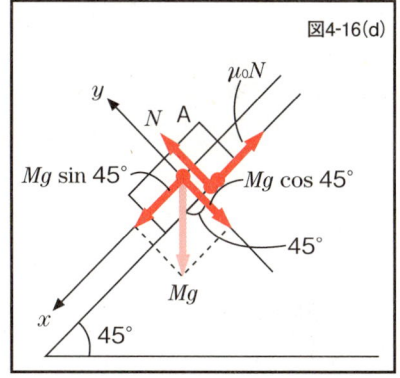

**45°になる直前、まだ物体は静止している**んですから、力はつりあっているはずです(図4-16(d))。静止摩擦力$\mu_0 N$を求めるために力のつりあいの式を立てましょう。

まず、$x$軸方向の力のつりあい($\theta = 45°$ですよ)

$$Mg \sin 45° = \mu_0 N \cdots\cdots\cdots ①$$

そして，$N$ を求めるために，$y$ 軸方向の力のつりあいの式も立てます。

$$N = Mg \cos 45°$$

これを①式に代入します。

$$\therefore \quad Mg \sin 45° = \mu_0 Mg \cos 45°$$

あとは簡単な計算です。$Mg$ は消去されて三角比の計算をすると，

$$\mu_0 = \frac{\sin 45°}{\cos 45°} = 1 \cdots\cdots (2)の \boxed{答え}$$

慣れてくれば簡単です。くれぐれも「静止摩擦力 $= \mu_0 N$」の落とし穴にはまらないように。

**❷** 粗い水平面に質量 $M$ の物体 A が置かれ，その上に質量 $m$ の物体 B が置かれている。重力加速度の大きさを $g$，A と水平面の動摩擦係数を $\mu_1$，A と B の間の動摩擦係数を $\mu_2$ として，以下の問に答えよ。

図4-18

物体 B に水平右向きに大きさ $F$ の力を加えて引っぱると，B は A の上をすべりながら，A と B は右向きに動きはじめた（図4-18）。

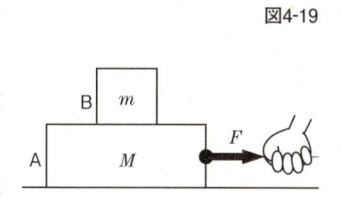

図4-19

(1) 物体 A，物体 B の加速度の大きさはそれぞれいくらか。

次に，物体 A に水平右向きに大きさ $F$ の力を加えて引っぱると，A と B は一体となって動きはじめた（図4-19）。

(2) A および B の加速度の大きさはいくらか。
(3) このとき物体 B に働いている摩擦力は，静止摩擦力か，動摩擦力か。またその大きさはいくらか。
(4) $F'$（$> F$）で物体 A を右向きに引っぱると，物体 B は A の上をすべりながら右向きに動きはじめた。このとき B の加速度の大きさはいくらか。

**橋元流で解く！**

**準備** これは入試問題によく出るタイプの問題です。この問題ができれば，摩擦力は卒業と言ってもいいでしょう。

こちらを見てください。上の黒板消しと下の黒板消しがズレながら動いていきます。

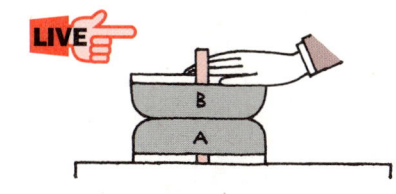

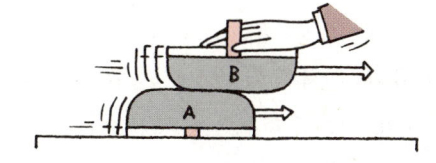

下の黒板消しが上の黒板消しに引きずられながら動いているのをイメージしてください。

(1) Aは水平面やBから力を受けるということで，複雑そうですね。では，Bから先に考えてみましょう。

**【手順1▶▶】** まず，Bに着目します（図4-20(a)）。

**【手順2▶▶】** 物体Bに働く力を矢印で描きましょう（図4-20(b)）。重力$mg$と**タッチの定理**より，タッチしている糸からの力$F$です。それから物体Bは物体Aに接していますね。BがAから受ける摩擦力を考えましょう。BはAに対して右に動いているので，左向きに動摩擦力が働きます。これを$\mu_2 N$とします。$N$は垂直抗力です。鉛直方向に物体は動かないので重力$mg$と垂直抗力$N$はつりあいます。ですから，

$N = mg$

∴ $\mu_2 N = \mu_2 mg$ （図4-20(c)）。

**【手順3▶▶】** 次は座標軸をとります。物体が動いている方向（右）を正としますよ（この場合，鉛直方向のことは問われていないので，$y$軸は省略します）。

**【手順4▶▶】** 力の分解も必要なしです。

**【手順5▶▶】** 物体は動くので，**運動方程式**を立てましょう。Bの運動方程式（加速度を$a_B$としておきましょう）は，

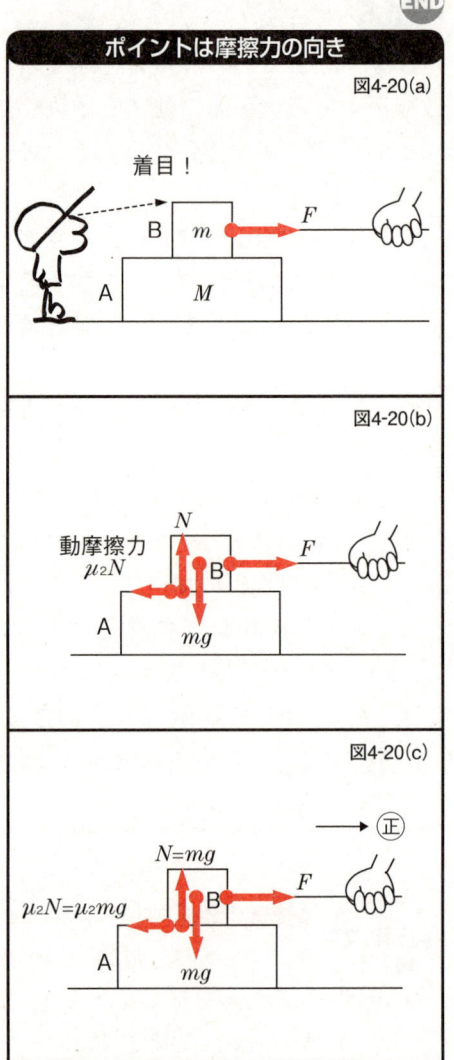

　　$\boxed{\text{公式 } ma = F}$ より，

$ma_B = F - \mu_2 mg$ （右向きが正ですから，$\mu_2 mg$ はマイナスの力になりますね）

∴ $a_B = \dfrac{F - \mu_2 mg}{m}$ ……… Bの加速度の 答え

次にAの加速度を求めましょう。

図4-21

【手順1▶▶】Aに着目です（図4-21）。

【手順2▶▶】物体Aに働く力を矢印で描きます。まずは重力 $Mg$ ですね。そして**タッチの定理**を使えば，物体Aに触れているものは水平面と物体Bです。床から受けている力について考えてみましょう。まずは垂直抗力（$N'$ とします），そして水平面に対して右に動いていますから左に摩擦力を受けますね。Aと水平面の間の動摩擦係数 $\mu_1$ ですから，これを $\mu_1 N'$ としましょう。物体Aが物体Bから受ける垂直抗力を $N$ とします。この $N$ は先ほどの物体Bに働く垂直抗力 $N$ と等しいですね。（AがBから受ける垂直抗力はBがAから受ける垂直抗力に等しい→「**作用・反作用の法則**」（P.30）でしたね）だから $N = mg$ です。

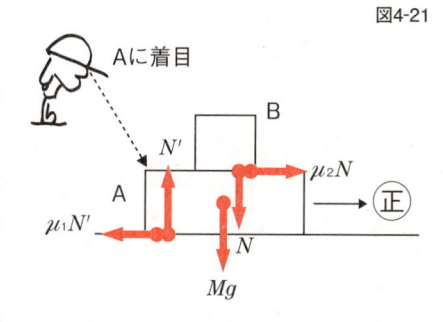

着目! AがBから受ける摩擦力はどちらの方向でしょうか？ こちらを見てください。Bを右に引くので，BはAに対して右にすべります。ということは，AはBに対して左にすべっていることがわかります。摩擦力の向きはその逆向きで，右になります。AとBの間の動摩擦係数は $\mu_2$ ですね。

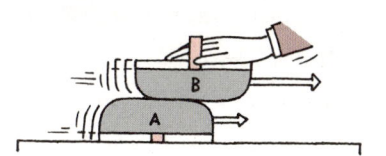

ですからこの摩擦力は，

　　$N = mg$ より，$\mu_2 N = \mu_2 mg$

となります。これは先ほどのBがAから受ける摩擦力の大きさに等しいですね（図4-22）。その理由は，「作用・反作用の法則」です。

図4-22

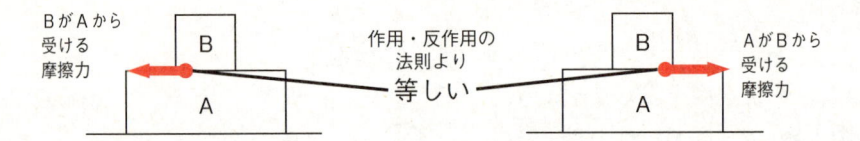

BがAから受ける摩擦力　　作用・反作用の法則より　等しい　　AがBから受ける摩擦力

図4-22において「AがBから，BがAから」という表現に注目してください。これらの摩擦力に「作用・反作用の法則」が成り立ちますね。

問題に戻って物体Aの加速度を求めましょう。右向きを正として，加速度を $a_A$ とします。物体Aの運動方程式を立てましょう。

公式 $ma=F$ より，

$Ma_A = \mu_2 mg - \mu_1 N'$ ……… ①

鉛直方向の力のつりあいより，$N' = Mg + mg$ が成立するから，
$N' = (M+m)g$ を①式に代入して，

$Ma_A = \mu_2 mg - \mu_1 (M+m)g$

$\therefore a_A = \dfrac{\{\mu_2 mg - \mu_1 (M+m)g\}}{M}$ ……… Aの加速度の 答え

(2) **着目!**「AとBが一体」というところに下線を引いてください。

図4-23

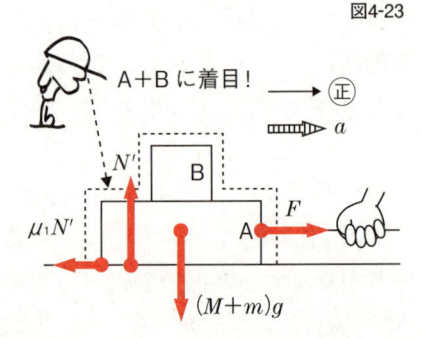

【手順1▶▶】一体となって動くのでAとBをまとめて着目します（**A＋Bに着目**）（図4-23）。

このようにすると，AとBの間に働く垂直抗力 $N$ や静止摩擦力のことを考えなくてすむことに注目してください。それらの力は，「**作用・反作用の法則**」で，大きさが等しく向きが逆ですから，**A＋Bで考えれば 0 !** になってしまうのです。

【手順2▶▶】【手順3▶▶】【手順4▶▶】そうしてA＋Bに働く力を考えましょう。図には描きましたが鉛直方向に物体は動かないので，鉛直方向の力は省かせてもらいます。タッチしている糸の力を $F$ とします。AとB全体が床から受けている摩擦力は $\mu_1 N'$ になりますね。つまりこれは，$\mu_1 (M+m)g$ です。そして，物体A＋Bの加速度を $a$ とします。右向きが正です。

【手順5▶▶】A＋B の運動方程式 公式 $ma=F$ より，

$(M+m)a = F - \mu_1(M+m)g$

∴ $a = \dfrac{F - \mu_1(M+m)g}{M+m}$ ………(2)の 答え

(3) 物体 A と物体 B は一体となってすべるのですから，B は A に対してすべらない。ですから，B に働く摩擦力は，

　　静止摩擦力 答え です。

　B だけに着目しましょう（図4-24）。B は加速度 $a$ で物体 A と一体になって右に動いています。B の質量は $m$ です。B の運動方程式を立てましょう。

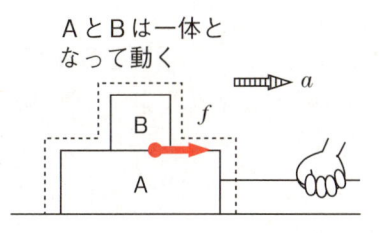

公式 $ma=F$ より，静止摩擦力の大きさを $f$ とおくと，

　　$ma = f$

加速度 $a = \dfrac{F - \mu_1(M+m)g}{M+m}$ を代入すると，

∴ $f = \dfrac{\{F - \mu_1(M+m)g\}m}{M+m}$ ………(3)の 答え

図4-24

(4) 物体 B は A の上をすべりますから動摩擦力を受けます。B に着目してください。B は A に対して左にすべるので，動摩擦力の向きは図4-25のように右です。動摩擦力 $f'$ は $\mu_2 N$ ですから，$f' = \mu_2 mg$ ですね（$N = mg$）。

図4-25

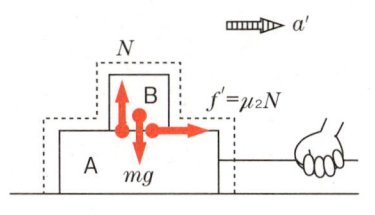

　B の運動方程式を立てると（加速度を $a'$ とします），

公式 $ma=F$ より，

　　$ma' = \mu_2 mg$

∴ $a' = \mu_2 g$ ………(4)の 答え

　動摩擦力は常に $\mu N$ なので簡単に答えが出ますね。摩擦力の向きに注意することが今回のポイントでした。では，第4講はここまでにします。

# Coffee Time

## 誰が力学を創ったのか

　力学は物理学の一分野ですが，そもそも力学や物理学というのは誰が創ったのでしょう？　物理がニガテな諸君には，ウラメシイような人物ですが，なにも受験生を困らせようと思って創ったわけではありません。この宇宙，この世界は何からできていて，どういう原理で動いているのか，という素朴な疑問から力学は生まれたのです。

　今から2300年以上昔，ギリシャの哲学者たちがさまざまな宇宙論を唱えました。その代表ともいえる人が**アリストテレス**ですが，皮肉なことに，彼はあまりに詳しく世界を説明したために，その後2000年近くの間，彼の自然学が真理だと信じられつづけてきました。

　アリストテレスの考えを真向から否定し，新しい自然観を唱えたのは，**コペルニクス，ケプラー，ガリレオ・ガリレイ**といった人たちで，16世紀後半から17世紀にかけてのことです。とくにガリレオは，力学の基本原理である慣性の法則などを発見したので，「誰が力学を創ったのか」という栄誉は，彼に与えられるべきでしょう。

　17世紀後半，**ニュートン**という大天才が現れて，ガリレオや天体の法則を発見したケプラーらの成果を，ほんのわずかの法則で全て説明してしまいます。本書でボクが述べたことは，全てニュートンが300年以上もまえに述べていることなのです。ニュートンの書いた『プリンキピア』という本の中に，人工衛星を飛ばすにはどうしたらよいか，ということまで書かれているのにはオドロキです。

# 第5講

# 放物運動

**力学**

**Theme1**
等速度運動

**Theme2**
放物運動

**Theme3**
放物運動の公式は覚えなくても導ける！

**Theme4**
投げ上げ・投げ下ろしにこだわりたい人のために

**問題演習**
$x$軸，$y$軸，別々に考えれば大丈夫

## 講義のねらい

公式を別々に覚えるなんてナンセンス!!
放物運動のポイントは等加速度運動の延長だ！

# Theme 1
# 等速度運動

　第5講では「**放物運動**」を勉強しましょう。「放物運動」とは，文字どおりものを空中に放り投げたときの運動です。それほど難しくはないんですが，参考書によっては，たくさんの公式をズラズラと並べたものもありますね。でも実は，そんなにたくさん公式を覚える必要はないんですよ。

## Step 1　公式を「丸暗記」なんてナンセンス!!

　たとえば，下図のように投げ上げ公式，投げ下ろし公式などと区別してある参考書もあります。

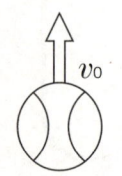

図5-1　投げ上げ公式
$$y = -\frac{1}{2}gt^2 + v_0 t$$
$$v = -gt + v_0$$

図5-2　投げ下ろし公式
$$y = \frac{1}{2}gt^2 + v_0 t$$
$$v = gt + v_0$$

　しかし，こんなふうにして4つの公式を別々に丸暗記するなんてナンセンスです（しかも，この方法では，ななめに投げ上げ（下ろし）た公式も別に覚えないといけません）。これらの公式は間違いではありませんが，丸暗記する必要は一切ありません。どうして暗記する必要がないか？ いつもの「なぜ？ どうして？」と疑問を持って考えていきましょう。

## Step 2　等速度運動とは何ぞや？

**準備**　本題に入るまえに「準備」です。基礎トレーニングこそ，実力アップの秘訣です。めんどうがらずについてきてくださいね。第1講でやった等加速度運動の公式に触れてみたいと思います。大事な公式ですので，ちょっと復習をしておきましょう。

## （復習）等加速度運動の公式

位置 $x = \dfrac{1}{2}at^2 + v_0 t + x_0$ （加速度 $a$，時間 $t$，初速度 $v_0$，最初の位置 $x_0$）
速度 $v = at + v_0$

「便利な公式」もありますが，今回はこの2つを使います。

　今，この等加速度運動の公式の特別な場合として，加速度 $a=0$ のときを考えてみます。**加速度 $a=0$** というのは「**加速しない**」という意味ですね。すなわち，**速度が**速くもならず，遅くもならず，**一定**ということです。このように，物体が同じスピードでずーっとまっすぐ進んでいくような運動を「**等速度運動**」といいます。

$$a=0 \text{ のとき} \Rightarrow \text{一定の速度（等速度運動）}$$

## 等加速度運動の公式から等速度運動の公式を導く

　では，「等加速度運動の公式」から，「等速度運動の公式」を導いてみたいと思います（というほど，大げさなものではありませんが）。

　まず，等加速度運動の位置の公式の加速度 $a$ に0を代入します。

　そうすると，

$$\text{位置：} x = v_0 t + x_0$$

　さらに，速度の公式も同じように $a$ に0を代入します。

$$\text{速度：} v = v_0 \text{（一定）}$$

## 等速度運動の性質

　速度の公式に注目しましょう。等速度運動は速度が変わらないので，初速度を保ちながら運動をするわけですね。このように等加速度運動の公式から簡単に等速度運動の公式を導くことができます。形式的に説明しましたが，これを無理に覚える必要はありませんよ。というのは，等加速度運動の公式から式を導くということをしなくても，等速度運動のイメージさえできていれば $v = v_0$（一定）は明らかだし，物体の位置も，

　　　　移動距離＝速度$(v_0)$×時間$(t)$

から，直感的に求められるからです。小学校のときにやった，速さ×時間＝距離という式と同じことです。公式に $x_0$ がついているのは，物体がはじめ

原点にいなくて，$x_0$ の位置にいるときにも使えるようにするためです。つまり，等速度運動の位置の公式は，位置を $x$ として，

　　位置（$x$）＝速度（$v_0$）×時間（$t$）＋はじめの位置（$x_0$）

というように考えていいでしょう。速度の公式の方は，もっと単純ですね。

　今説明してきた式を無理に覚える必要はないのですが，「等速度運動の公式」としてパッと頭に浮かぶといいですね。

**まとめ—7**

### 等速度運動の公式

位置　$x = v_0 t + x_0$
速度　$v = v_0$

　等速度運動の場合，速度は常に初速度 $v_0$。位置を求めるには「速度 $v_0$ ×時間 $t$ ＋はじめの位置 $x_0$」というように覚えておけばよい。

# Theme 2

# 放物運動

　放物運動はボールをパッと空中に放り投げる運動です。投げ上げ，投げ下ろし，ななめ投げ上げ…など場合分けする必要はありません。全て1つの同じ種類の運動だからです。
　では，この放物運動とはいったいどんな運動なのか？ 第3講で学んだ「**橋元流・力学解法ワンパターン**」を使って考えましょう。

## Step 1 そこで力学解法ワンパターン

　図5-3(a)のようにボールがふわっと飛んでいます。さあ，**力学解法ワンパターン**を使ってみましょうか。
【**手順1**▶▶】まず，このボールに着目。
【**手順2**▶▶】そしてボールに働く力を矢印で描きます。ボールの質量が $m$ ならば，重力は $mg$ ですね。そして**タッチの定理**を使いますが，ボールにタッチしているものはありません（空気抵抗は無視します）。結局ボールに働く力は重力 $mg$ だけになりました。
【**手順3**▶▶】次は座標軸をとりましょう。今までは，物体が動いている方向を正としていましたね。しかし，ボールは放物線という曲線を描きますから，動いている方向を座標軸にしたら，座標軸の向きがくるくる変わってしまいます。

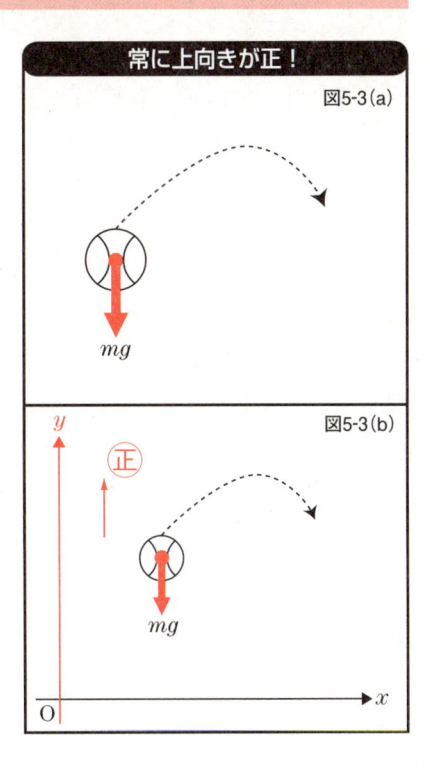

　そこで，放物運動の場合は，図5-3(b)のように，**鉛直上向きを常に「$y$ 軸正の向き」ととる**ことにします。つまり「上向きが正」と決めておくのです。これがポイントです。下向きを正にすることができないわけではあ

りませんが，上向きにとったり，下向きにとったり，と向きを決めないでおくと，先ほど触れました「投げ上げ，投げ下ろしの公式」のように場合に分けて公式を覚えなくてはいけなくなってしまうのです。

**【手順4▶▶】** さて，解法ワンパターンの次の手順は力の分解ですが，この場合は必要ありませんね。

**【手順5▶▶】** では $x$ 軸方向と $y$ 軸方向，**別々に考えてみましょう。**

## Step 2 水平（$x$ 軸）方向の運動をチェック！

まず，ボールの水平方向の運動を考えてみましょう。ボールに働く力は鉛直下向きの重力だけなので，水平方向に力は働いていませんね。そこで，水平方向では，

力 $F = 0$　つまり，運動方程式で考えると $ma = 0$ ですね。

∴　$a = 0$（物体の質量 $m$ が0ということはないですから）。

**加速度 $a$ が0** ということは，Theme1で調べたように**等速度運動**です。**ボールは水平方向に等速度運動**をするんですね。みなさんの中には「ボールはふわっと曲線を描いて飛んで放物運動をするのに，等速度運動なんて信じられない！」と言う人もいるでしょう。

しかし，こんなふうにイメージしてみましょう。太陽が真上からボールに照りつけているとします（図5-4）。

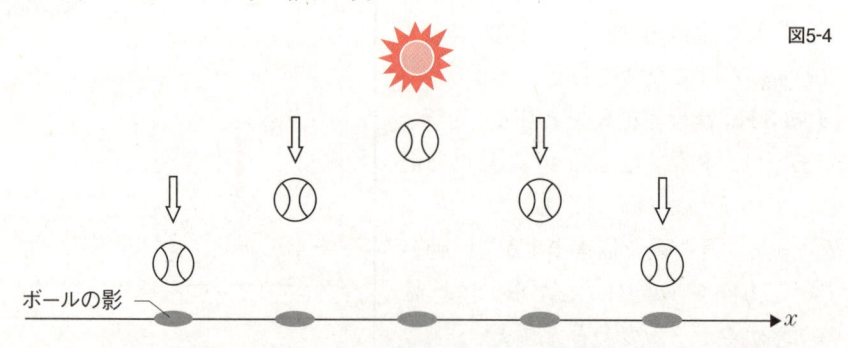

図5-4

ボールはふわっと飛んでいますが，太陽に照りつけられているボールの影は地面の上をどのように動いているでしょうか？ ボールが高く飛んでいようが，低かろうが，影はずーっとまっすぐに一定の速度で動いてはいません

か？ これは速度が変わらない「等速度運動」ですね。すなわち，**$x$軸方向にボールは等速度運動**をするのです。

## Step 3 鉛直（$y$軸）方向の運動をチェック！

ボールの鉛直方向の運動はどうなるでしょうか（図5-5）。鉛直方向に働く力は下向きに重力$mg$ですね。座標軸は，常に上向きを正にとっていますから，この**重力$mg$は負の力**になります。ここがポイントです。

$y$軸方向の運動方程式を立てます。

$ma = -mg$ （下向きに注意！）

∴ $a = -g$

図5-5

$g$は「重力加速度」とよばれている特別な加速度でしたね。その大きさは9.8m/s²という一定の値です。つまり，物体は正の向きとは逆向きに（つまり，ボールが上向きに飛んでいるときは，減速しながら）等加速度運動をしているということです。

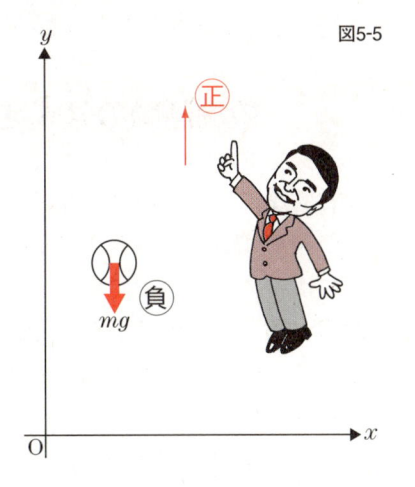

「放物運動」って難しく見えますが，実は非常に単純なのです。横には一定の速度で動いている，縦には一定の加速度で動いているという2つの運動の組みあわせに過ぎないんです。要するに$x$軸方向にはTheme1の等速度運動の公式を使い，$y$軸方向では第1講の等加速度運動の公式を使えばいいんです。

### 橋元流●放物運動のとらえかた

ふわっと空中を飛ぶボールの運動（放物運動）は…
水平方向に**等速度運動**
鉛直方向に**等加速度運動**

## Theme 3
# 放物運動の公式は覚えなくても導ける！

　Theme1で，ボクは「投げ上げ，投げ下ろしの公式を別々に覚える必要なんてない」と言いました。放物運動とはどんな運動なのかがわかると，公式を新たに覚えなくてもよくなるんです。

### Step 1　放物運動の公式を導こう！

　本質的なことではありませんが，ボールが最初，どこから飛び出すのかは問題によってさまざまです。ボールが飛び出す場所が原点ばかりだと応用がききませんので，ある適当な場所から飛び出すと考えましょう。

　図5-6(a)を見てください。はじめの位置を $x$ 軸方向に $x_0$，$y$ 軸方向に $y_0$ としておきます。そして，ななめに初速度の大きさ $v_0$ で飛び出すと考えましょう（図5-6(b)）。

　この速度の矢印は力ではありませんが，「力の分解」と同じように $x$ 軸方向と $y$ 軸方向に分解することができます。ふつうは図5-6(c)のように水平となす角 $\theta$ が与えられているので，もう慣れたと思いますが，三角比を使います。すると，$x$ 軸方向の成分は $v_0 \cos\theta$。これは $x$ 軸方向の初速度ですね。ボールの影をイメージしてください。$x$ 軸方向に $v_0 \cos\theta$ の速さで影が動くんです。

　$y$ 軸方向も同様にして $v_0 \sin\theta$ となり，

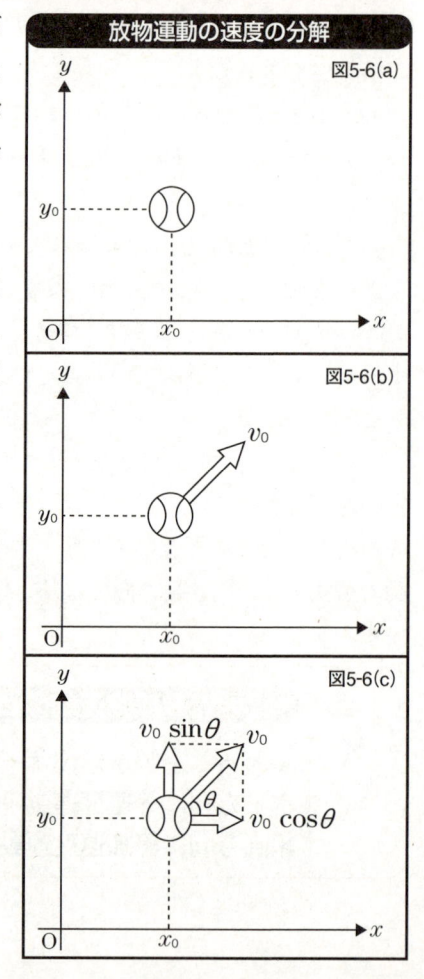

**放物運動の速度の分解**

図5-6(a)

図5-6(b)

図5-6(c)

これが $y$ 軸方向の初速度となります。

さあ，次は等速度運動と等加速度運動の公式を適用すればいいんです。**$x$ 軸方向と $y$ 軸方向は別々に考えます。**

### 水平方向の公式を導く

$x$ 軸方向の運動を等速度運動の公式に当てはめます。

等速度運動の公式（等加速度運動の公式で加速度 $a=0$ とすればよい）は，

位置 $x = v_0 t + x_0$

速度 $v = v_0$ （速度一定）

でした。

まずは位置の公式から。$x$ 軸方向の初速度は $v_0 \cos\theta$ ですね。等速度運動の公式に値を代入しましょう。

$$\therefore\ 位置\quad x = v_0 \cos\theta \cdot t + x_0 \quad \text{（はじめの位置は $x_0$）}$$

次は速度の公式です。

$$v_x = v_0 \cos\theta \quad \text{（速度一定）}$$

$x$ 軸方向の速度なので，$v_x$ としておきました。

### 鉛直方向の公式を導く

今度は $y$ 軸方向の運動です。$y$ 軸方向の運動は等加速度運動でしたね。

等加速度運動の公式

位置 $x = \dfrac{1}{2} at^2 + v_0 t + x_0$

速度 $v = at + v_0$

において，加速度 $a = -g$，$y$ 軸方向の初速度は $v_0 \sin\theta$ です。$y$ 軸方向の位置なので，$x$ とはせず $y$ として，値を代入すると，

$$y = -\frac{1}{2}gt^2 + v_0 \sin\theta \cdot t + y_0 \quad \text{（はじめの位置は $y_0$）}$$

$y$ 軸方向の速度も求めましょう。$a = -g$，$v_0 = v_0 \sin\theta$ を等加速度運動の速度の公式に代入します。すると，

$$v_y = -gt + v_0 \sin\theta$$

### まとめ―8

**放物運動の公式**

$x$ 軸方向の運動
$$x = v_0 \cos\theta \cdot t + x_0$$
$$v_x = v_0 \cos\theta \quad (速度一定)$$

$y$ 軸方向の運動
$$y = -\frac{1}{2}gt^2 + v_0 \sin\theta \cdot t + y_0$$
$$v_y = -gt + v_0 \sin\theta$$

　たくさん公式が出てきて慌てている人はいませんか？ しかし，何度も強調しますが，これらを無理に覚える必要はないのです。放物運動の問題を解くためには，等加速度運動の公式さえ，覚えておけばいいんです。そこから放物運動の公式をすぐに導けるように練習しておくことの方が，ずっと大事だし役に立つんです。

## Theme 4
# 投げ上げ・投げ下ろしにこだわりたい人のために

　Theme3までで，放物運動のどんな問題にも対処できます。しかし，それでも教科書には投げ上げ・投げ下ろしの公式が出てくるので，心配な人もいるでしょう。そういう人のために，あえてTheme4を設けました。放物運動はもうわかったという人にとっては，つけ足しみたいな節ですので，ざっと目を通すだけでも結構です。

### Step 1　投げ上げは，放物運動の公式をそのまま使えばよい

　一言で言えば，**投げ上げ・投げ下ろしはボールの鉛直方向の運動**です。つまりTheme3で鉛直方向（$y$軸方向）の運動の公式を導きましたが，それをそのまま使えばよいのです。

　まず投げ上げについて考えましょう。

　図5-7のように地上を$y$軸の原点として，鉛直上向きに$y$軸をとります（水平方向の運動はないので，座標軸は，$y$軸ではなく$x$軸としてもかまいません）。

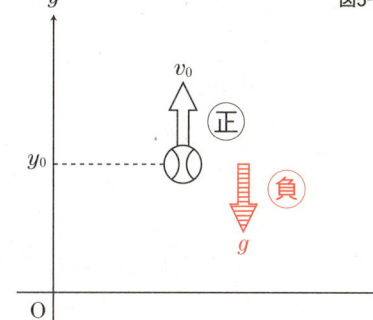

　一般にボールを投げ上げる地点の座標を$y=y_0$としましょう。地上から投げ上げるのなら，$y_0=0$で簡単になります。

図5-7

　ボールの加速度は鉛直下向きに大きさ$g$ですから，符号も含めれば，加速度は$-g$となります。

　またボールの初速度の大きさを$v_0$とします。投げ上げですから，初速度は正，すなわち$+v_0$です。水平方向の成分もある放物運動のときは，$v_0\sin\theta$になりましたが，$\sin\theta$は不要です。

　そこで，ボールを投げ上げる瞬間を時刻$t=0$とすれば，時刻$t$でのボールの位置$y$は，

$$y=-\frac{1}{2}gt^2+v_0t+y_0$$

また、時刻 $t$ でのボールの速度 $v$ は、

$$v = -gt + v_0$$

となります。

何のことはない、Theme3の放物運動の $y$ 軸方向の公式の $v_0 \sin\theta$ を $v_0$ としただけのことです。

## Step 2 投げ下ろしは座標軸のとり方に注意

投げ下ろしも投げ上げと本質的なことは何も変わりません。しかし、最初にボールを鉛直下向きに投げますので、もし放物運動と同様に鉛直上向きを $y$ 軸とすると、初速度の大きさを $v_0$ としたとき、公式としては符号を考慮して $-v_0$ としなければなりません。

また、ボールは当然下向きに動いていきますから、上向きに $y$ 座標をとっているとボールの移動距離は負になるわけです（図5-8）。

こんなふうに初速度や位置（移動距離）が負になるのは少しやりにくいので、投げ下ろしの場合は、あえて座標軸を鉛直下向きにとることが多いのです。

どちらが正しく、どちらが間違っているということではありません。座標軸の向きは好きに選んでよいのです。ただし、いったん座標軸の向きを決めたら、位置、速度、加速度が正か負かをいつも意識して式を書かないといけないわけです。

それでは、鉛直下向きを $y$ 軸正の向きとすると、どんな公式になるかを見てみましょう。

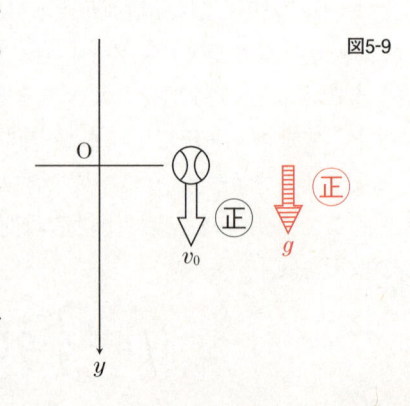

投げ下ろしでは，ボールが最初の位置より上に来ることはありませんので，ボールの最初の位置を原点 $y=0$ としましょう。すなわち，$y_0=0$ です。
　次に，ボールの加速度は鉛直下向きに $g$ ですから，$+g$ となります。
　また，初速度も下向きですから，$+v_0$ です。
　ボールの位置も下向きを正としておけば，常に正になります（図5-9）。
　以上を等加速度運動の公式に適用して，時刻 $t$ でのボールの位置は，

$$y = \frac{1}{2}gt^2 + v_0 t$$

　また，時刻 $t$ でのボールの速度は，

$$v = gt + v_0$$

となります。問題を解くときには，この公式の方が楽ですね。ですから，投げ下ろしの場合だけは，鉛直下向きに座標軸をとり，上の公式を適用する方が，少し簡単ということになります。

　ただし，上の公式を投げ下ろし公式として丸暗記することはやめましょう。放物運動の公式で座標軸の向きを変えただけ，あるいは等加速度運動の公式をそのまま適用しただけなのですから，余分な丸暗記は時間のムダだし，間違いのもとなのです。

## 問題演習

### $x$ 軸, $y$ 軸, 別々に考えれば大丈夫

**❶** 地上から高さ $h$ の点からボールを仰角30°, 初速度の大きさ $v_0$ で投げた。重力加速度の大きさを $g$, 空気の抵抗は無視できるとして, 以下の問に答えよ。

図5-10

(1) ボールが最高の高さに達するのは, 投げてからどれだけ時間がたったあとか。
(2) その瞬間のボールの地上からの高さはいくらか。
(3) ボールが地上に達するのは, 投げてからどれだけ時間がたったあとか。
(4) その瞬間のボールの飛んだ水平距離はいくらか。

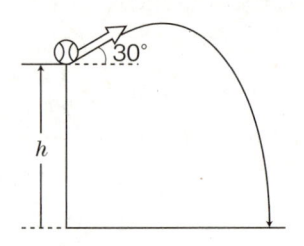

**橋元流で解く!**

**準備** まず図を描きます (図5-11)。

図5-11

初速度の成分を分解しておきましょう。公式の $\theta$ はこの問題では30°ですから, $x$ 軸方向の初速度は $v_0 \cos 30°$, $y$ 軸方向の初速度は $v_0 \sin 30°$ となります。よって, 三角比の計算より $\cos 30° = \frac{\sqrt{3}}{2}$, $\sin 30° = \frac{1}{2}$ ですね。こういう計算には早く慣れましょう。

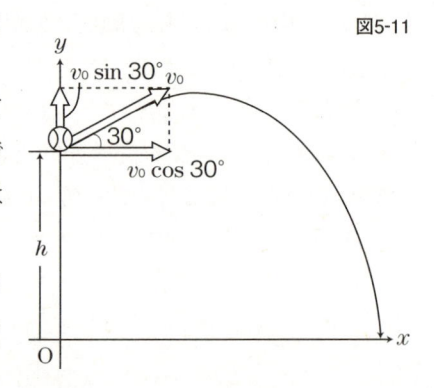

慣れないうちは $x$ 軸, $y$ 軸それぞれの運動の式を全部書き出してみましょう (全部で4つの式です)。番号もふります。

ボールの運動

$x = v_0 \cos 30° \cdot t$ (はじめの位置は0) ……… ①

$v_x = v_0 \cos 30°$ (速度一定) ……… ②

$y = -\frac{1}{2} gt^2 + v_0 \sin 30° \cdot t + h$ (高さ $h$ からボールが出ている) ……… ③

$v_y = -gt + v_0 \sin 30°$ ……… ④

($\cos 30°$, $\sin 30°$ の値を最初から代入しておいてもかまいません。)

END

(1) **着目!** 問題文の「最高の高さ」に下線を引いてください。問題を解くときに，このことをどう利用するのかを知るために，最高点に達したときのボールの運動の特徴を考えてみます。$y$軸方向の運動だけをイメージしてみましょう（図5-12）。真横から西日がさしていてビルの壁（$y$軸）にボールの影が動く様子を想像してください。影は$y$軸方向に上がっていって，だんだんゆっくりになり，いったん止まってから，下へ落ちていきますよね。つまり，**最高点でボールの影は一瞬止まります**。これがポイントです。

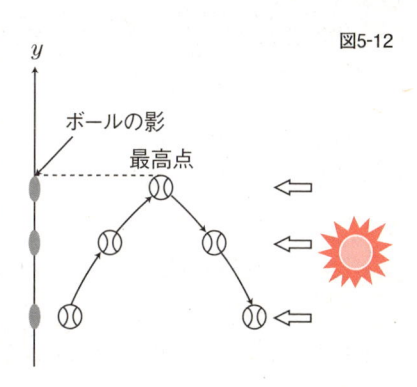

**最高点** とは **$y$軸方向の速度が $0$ になる点**

図5-11に戻ります。最高点に達した時刻を$T$秒後とすれば，このとき$v_y$が$0$になるということですね。そこで4つの式の中の$v_y$の式④を使いましょう。

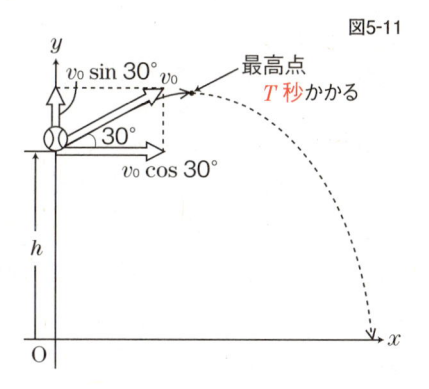

④式において，$t=T$のとき，$v_y = 0$として

$$0 = -gT + \frac{1}{2}v_0$$

（$\sin 30° = \frac{1}{2}$ を使っている）

∴ $T = \dfrac{v_0}{2g}$ ……(1)の 答え

(2) ボールの地上からの高さを$H$とおきます（図5-13）。この$H$を求めましょう。$y$軸方向の位置ですから，③式を使えばいいですね。

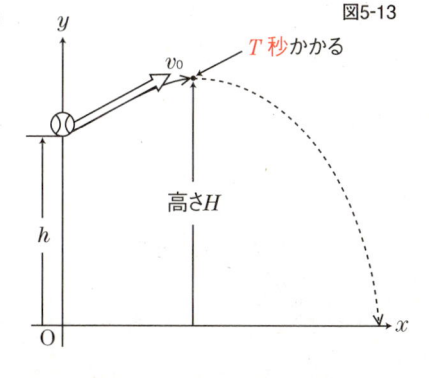

③式において，$t=T$のとき$y=H$として，値を代入します。

$$H = -\frac{1}{2}gT^2 + \frac{1}{2}v_0 T + h$$

$T = \dfrac{v_0}{2g}$ を代入して，

$$H = -\frac{1}{2}g \cdot \frac{v_0^2}{4g^2} + \frac{1}{2}v_0 \cdot \frac{v_0}{2g} + h$$
$$= \frac{v_0^2}{8g} + h \cdots\cdots (2)の\boxed{答え}$$

(3) 地上に達するときの時刻を $T'$ 秒後としましょう（図5-14(a)）。地上に達するということは，$y=0$ということですね。どの式を使いましょうか。$y$ が0になるんですから③式ですね。

③式において，$t=T'$ のとき $y=0$ 値を代入してみます。

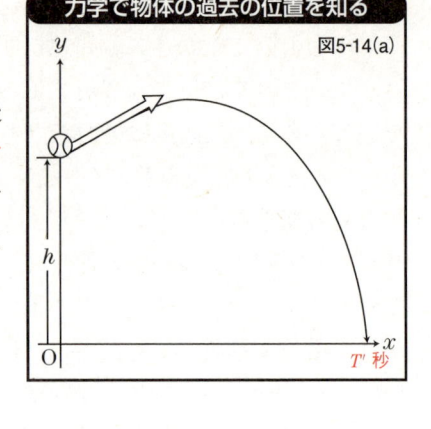

$$0 = -\frac{1}{2}gT'^2 + \frac{1}{2}v_0 T' + h$$

$T'$ が未知数ですね。$T'$ の二次方程式です。式を整理して，

$$gT'^2 - v_0 T' - 2h = 0$$

中学生のときにやった二次方程式の解の公式を使って，

$\boxed{公式\ x = \dfrac{-b \pm \sqrt{b^2 - 4ac}}{2a}}$ において $x=T'$, $a=g$, $b=-v_0$, $c=-2h$ として，

$$\therefore\ T' = \frac{v_0 \pm \sqrt{v_0^2 + 8gh}}{2g}$$

**着目!** ちょっと待ってください！ ±がありますね。プラスとマイナス，どちらが答えなんでしょうか？ ここでも，物理のイメージが問われてきます。この問題，計算がややこしいですね。なんで，二次方程式になったのでしょうか？ それはこの高さ $h$ がクセ者なんです。$h$ があるということは原点からボールが飛び出していませんね。こんな中途半端なところから飛び出しているから，解の公式を使うはめになるんです。そこで「原点からボールが飛び出している場合」はどうなるかを考えてみましょうか。

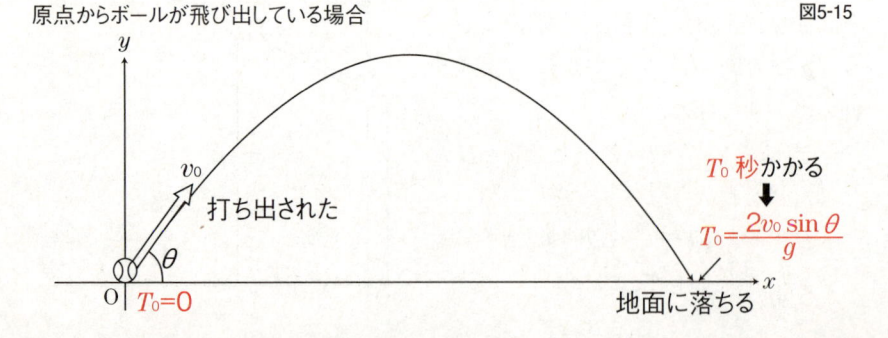

原点からボールが飛び出している場合　　　　　　　　　　　図5-15

原点出発なので，高さ $h$ は式につきませんよ。求める時刻を $T_0$ とし，角度は，一般的に $\theta$ としておくと，

$y = -\dfrac{1}{2}gt^2 + v_0 \sin\theta \cdot t$ において，$t = T_0$ で $y = 0$

$0 = -\dfrac{1}{2}gT_0^2 + v_0 \sin\theta \, T_0$

$\therefore \quad T_0 = 0$ または，$T_0 = \dfrac{2v_0 \sin\theta}{g}$

なぜ，2つ答えが出るのかという理由は簡単です。$y$ が0になるときは2回あるんです。ボールが打ち出されたとき（時刻0）と地面に落ちたときです。$T_0 = 0$ が，ボールが打ち出されたとき，$T_0 = \dfrac{2v_0 \sin\theta}{g}$ は地面に落ちたときです。

では，問題に戻りましょう。「途中からボールが飛び出た場合」に戻りますよ。ボールが落ちたときの時刻 $T'$ の値は正です。逆に値が負ということは時刻が0よりまえになり，過去です。時間をさかのぼってみると，

$T' = \dfrac{v_0 - \sqrt{v_0^2 + 8gh}}{2g}$ のときにボールは打ち出されたことになりますね（実際には，そんなことは起こっていないのですが，式の上からはそうなるわけです）。図5-14(b)をよく見てください。

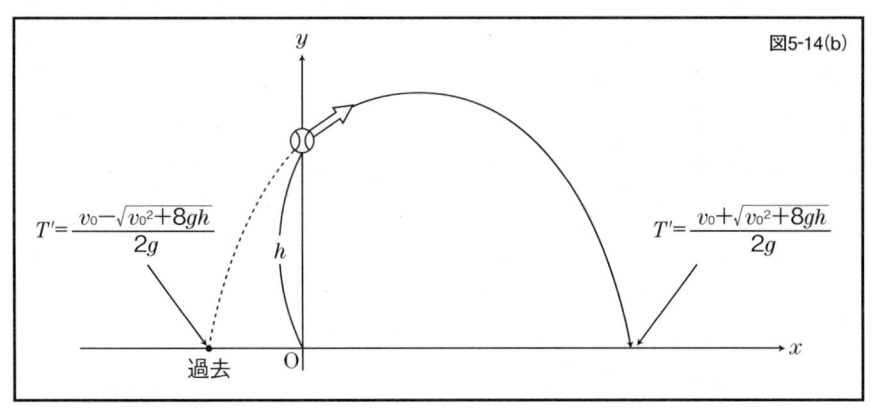

図5-14(b)

$T' = \dfrac{v_0 - \sqrt{v_0^2 + 8gh}}{2g}$ 　　過去

$T' = \dfrac{v_0 + \sqrt{v_0^2 + 8gh}}{2g}$

ですから，(3)の答えは，プラスの値ですね。

$T' = \dfrac{v_0 + \sqrt{v_0^2 + 8gh}}{2g}$ ……… (3)の　答え

「物体がいつどこにあるのかを予言するのが力学だ」と，第1講でボクは言いましたが，実は力学は未来のことだけでなく，過去での物体の位置も推測できるんです。ニュートンが考えた力学というのは未来のこともわかれば，

過去のこともわかるんですよ。不思議ですね…。

　われわれの感覚では時間は過去から未来へ流れていくもので，過去は過ぎ去り，未来はどうなっているかわかりませんね。でも，力学では過去も未来も1つの方程式でわかるんです。

(4)　図5-16を見てください。ボールの飛んだ距離を$X$とおきましょう。この距離を求めるんですが，これは$x$軸方向の位置ですから，①式を使いましょう。

　①式 $x = v_0 \cos 30° \cdot t$ において，$t = T'$ のとき $x = X$ なので，

$$X = \frac{\sqrt{3}}{2} v_0 T'$$

$T' = \dfrac{v_0 + \sqrt{v_0{}^2 + 8gh}}{2g}$ を代入して，

$$= \frac{\sqrt{3}v_0 + \sqrt{3v_0{}^2 + 24gh}}{4g} \cdot v_0 \cdots\cdots (4)の\;\boxed{答え}$$

図5-16

$T'$ 秒後

こんな複雑な答えになるのも，ボールが原点から出てないからなんです。

## 2

下図のように水平面上に，ある距離だけ離れて2点P，Qがある。

今，Pから仰角60°の方向に初速度$v_0$で小物体Aを投げると同時に，Qからある初速度で仰角30°の方向に小物体Bを投げたところ，AとBはそれぞれの最高点Rで衝突した。

重力加速度の大きさを$g$とし，以上の運動は同一鉛直面内でおこなわれるものとする。

空気の抵抗は無視できるものとして，次の問に答えよ。

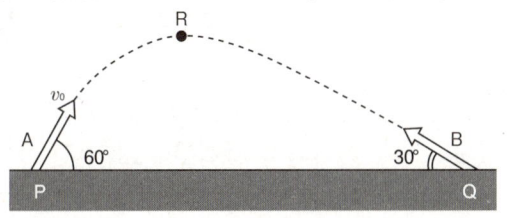

図5-17

(1) A，Bを投げ上げてから衝突までの時間を求めよ。
(2) Bの初速度の大きさはAの何倍か求めよ。
(3) PQ間の水平距離を求めよ。

### 同時に投げ上げられた2物体が最高点で衝突

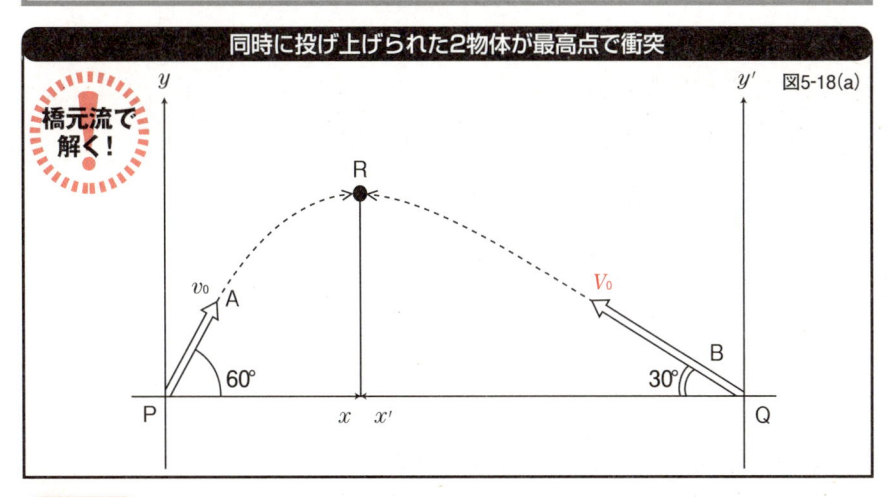

図5-18(a)

**準備** 「同時に」に下線を引いてください。図5-18(a)をよく見て，座標軸のとりかたに注目してください。小物体AとBは別々の運動をするので，$y$軸はそれぞれ，$y$軸と$y'$軸にしましょう。$x$軸ですがAは右向きに飛んで

いきますので，右に $x$ 軸を，B は左向きに飛びますので，左に $x'$ 軸をとりましょう。物体 A の初速度は $v_0$ と与えられていますが，物体 B は与えられていません。物体 B の初速度を未知数 $V_0$ とでもおいておきましょう。

さらに，初速度を $x$ 成分と $y$ 成分に分解しておきます（図5-18(b)）。

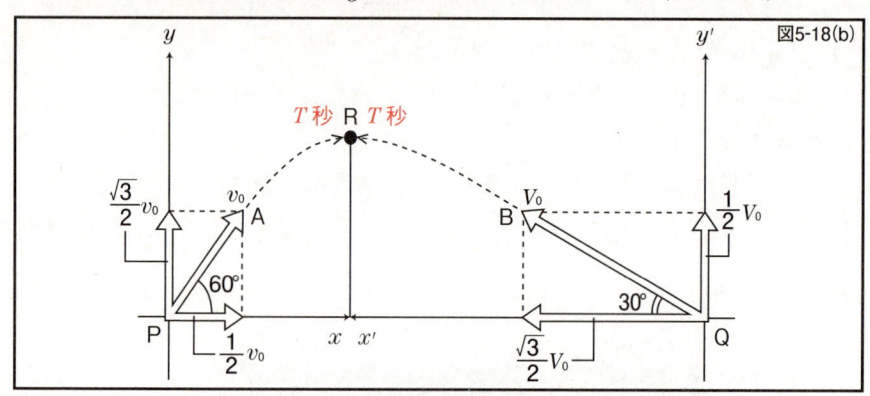

図5-18(b)

初速度 $v_0$ の値は $x$ 軸方向に $\frac{1}{2}v_0$，$y$ 軸方向に $\frac{\sqrt{3}}{2}v_0$ と分解できます。また，初速度 $V_0$ の値は $x'$ 軸方向に $\frac{\sqrt{3}}{2}V_0$，$y'$ 軸方向に $\frac{1}{2}V_0$ と分解できます。

まず，P から投げ上げられた A の運動について式を立てます。$x(x')$ 軸の速度は等速度運動につき，式が単純なので省略します（$v_x = \frac{1}{2}v_0$，$V_x = \frac{\sqrt{3}}{2}V_0$ という式です）。

$x = \frac{1}{2}v_0 t$ （$x$ 軸方向の運動。原点から出ている）……… ①

$y = -\frac{1}{2}gt^2 + \frac{\sqrt{3}}{2}v_0 t$ （$y$ 軸方向の運動。原点から出ている）……… ②

$v_y = -gt + \frac{\sqrt{3}}{2}v_0$ （$y$ 軸方向の速度成分）……… ③

つづいて B の運動について式を立てます。

$x' = \frac{\sqrt{3}}{2}V_0 t$ （$x'$ 軸方向の運動。物体は同時に投げ上げられたから，時間 $t$ は A の運動の $t$ と共通）……… ④

$y' = -\frac{1}{2}gt^2 + \frac{1}{2}V_0 t$ （$y'$ 軸方向の運動）……… ⑤

$v_y' = -gt + \frac{1}{2}V_0$ （$y'$ 軸方向の速度成分）……… ⑥

END

(1) 最高点 R で A と B が衝突したことがポイントですね。R までの時間を $T$ 秒としましょう。P からも，Q からも同じ $T$ 秒です。

最高点が話題になっているのですから，問題演習 1 と同様に，$y$ 軸方向の速度の式を使いましょう（$y'$ 軸方向の式でも OK です）。**最高点では $y$ 軸方向の速度が 0 になる**のでしたね。

③式 $v_y = -gt + \dfrac{\sqrt{3}}{2}v_0$ において $t=T$ のとき，$v_y = 0$ として，

$$0 = -gT + \dfrac{\sqrt{3}}{2}v_0$$

$$gT = \dfrac{\sqrt{3}}{2}v_0$$

$$\therefore\ T = \dfrac{\sqrt{3}v_0}{2g} \cdots\cdots (1)\text{の} \boxed{\text{答え}}$$

(2) (1)と同じように解けばいいんです。最高点 R では，$y'$ 軸方向の速度成分は $v_{y'}=0$ になります。

⑥式 $v_{y'} = -gt + \dfrac{1}{2}V_0$ において $t=T$ のとき，$v_{y'} = 0$ として，

$$0 = -gT + \dfrac{1}{2}V_0$$

$$gT = \dfrac{1}{2}V_0$$

$$\therefore\ V_0 = 2gT$$

(1)で求めた $T = \dfrac{\sqrt{3}v_0}{2g}$ を代入。

$$V_0 = 2g \times \dfrac{\sqrt{3}v_0}{2g} = \sqrt{3}v_0$$

よって $\sqrt{3}$ 倍 $\cdots\cdots$ (2)の $\boxed{\text{答え}}$

**橋元流で解く！**

**別解** この問題は別の方法でも解けますよ。図5-19を見てイメージしてください。

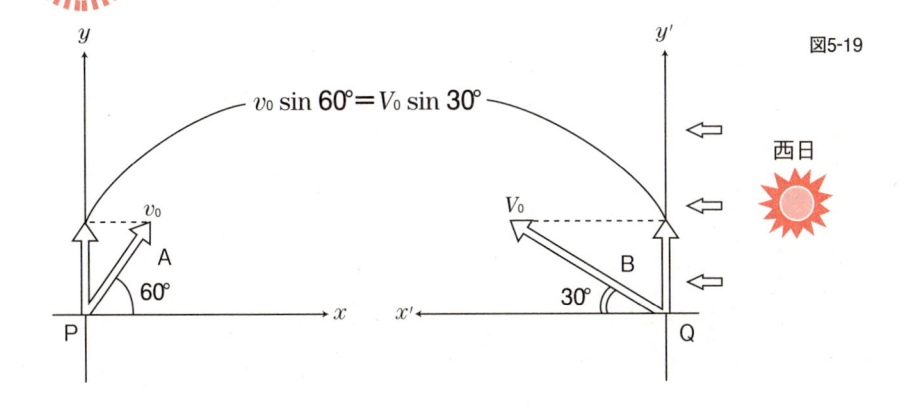

図5-19

$v_0 \sin 60° = V_0 \sin 30°$

西日

P　A　60°　$v_0$　$x$　　$x'$　B　30°　$V_0$　Q

西日がボールに当たっています。壁にAとBの影が映っているとします。この影の運動，すなわち$y$軸方向の運動を考えましょう。AとBの運動はどちらも$y$軸（$y'$軸）方向に上がって最高点に達し，それから落ちますが，同じ時刻に同じ最高点に達するためには，AとBの影はまったく同じ運動をしなければならないことがわかるでしょう。そのためには，最初の投げ上げる初速度から同じでなければいけませんね。つまり，**$y$軸方向と$y'$軸方向の初速度が等しくなるはず**です。だから，

$v_0 \sin 60° = V_0 \sin 30°$

$\dfrac{\sqrt{3}}{2} v_0 = \dfrac{1}{2} V_0$

$\therefore V_0 = \sqrt{3} v_0$

よって $\sqrt{3}$ 倍 ……… (2)の 答え

(3) 図5-20を見てください。

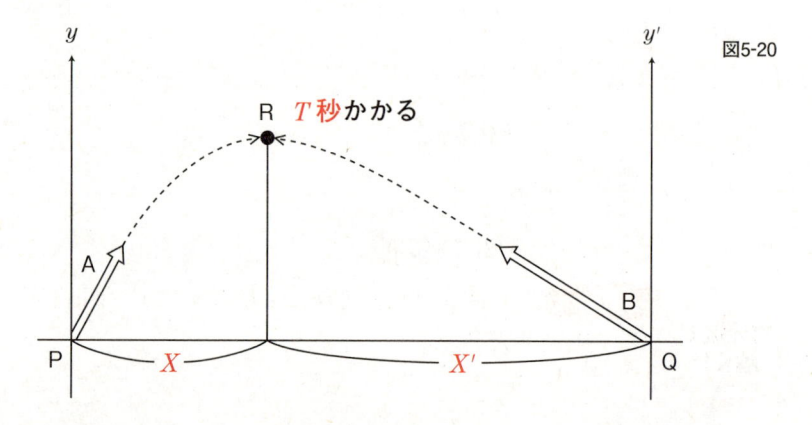

図5-20

Aが進んだ距離を$X$，Bが進んだ距離を$X'$とおきます。これらの距離は$x$軸方向にあるのですから，$X$は①式，$X'$は④式を使えば出てきますね。

①式 $x = \dfrac{1}{2} v_0 t$ において，$t = T$のとき $x = X$として，

$X = \dfrac{1}{2} v_0 T$

$T = \dfrac{\sqrt{3} v_0}{2g}$ を代入。

$X = \dfrac{1}{2} v_0 \cdot \dfrac{\sqrt{3} v_0}{2g} = \dfrac{\sqrt{3} v_0^2}{4g}$

④式 $x' = \dfrac{\sqrt{3}}{2} V_0 t$ において，$t=T$ のとき $x'=X'$ として，

$$X' = \dfrac{\sqrt{3}}{2} V_0 T$$

$V_0 = \sqrt{3} v_0$，$T = \dfrac{\sqrt{3} v_0}{2g}$ を代入。

$$X' = \dfrac{\sqrt{3}}{2} \cdot \sqrt{3} v_0 \cdot \dfrac{\sqrt{3} v_0}{2g} = \dfrac{3\sqrt{3} v_0^2}{4g}$$

ＰＱ間の距離は $X+X'$ なので，

$$\overline{\mathrm{PQ}} = X + X' = \dfrac{\sqrt{3} v_0^2}{4g} + \dfrac{3\sqrt{3} v_0^2}{4g} = \dfrac{\sqrt{3} v_0^2}{g} \cdots\cdots (3)の\; \boxed{答え}$$

問題演習1,2とも，少しややこしい計算もありましたが，基本的に同じ解きかたをしていることを知ってください。そして，ほとんどの放物運動の問題はこの手順で解けるのです。

　放物運動って一見，複雑そうに見えますが，等速度運動と等加速度運動の組みあわせに過ぎません。公式も等加速度運動の公式が基本となっています。これらのことが，第5講のポイントでした。

　もう一度，まとめ―7,8や橋元流・放物運動の解きかたを復習しておきましょう。

# Coffee Time

## 次元の話

　距離を測るには，メートル，ヤードなどいろいろな単位が使えますね。しかし，どんな単位で測っても「距離」は「距離」です。一方，秒や分は「時間」の単位で，これをメートルで測ることはできません。つまり，「距離」と「時間」はそれぞれ別の次元ということができます。力学には，このほかに「質量」の次元があり，これはふつうキログラムという単位を使います。

　いや，力学にはほかにも速度や力やエネルギーといった次元があるぞ，と思われるでしょう。しかしそれらはすべて「距離」「時間」「質量」の3つの次元の組みあわせで表せるのです。

　以下にそれを紹介します。どうしてそうなるのか，本書を読みながら考えてみてください。

$$速度 = \frac{距離}{時間}$$

$$加速度 = \frac{速度}{時間} = \frac{距離}{時間^2}$$

$$力 = 質量 \times 加速度 = \frac{質量 \cdot 距離}{時間^2} \quad (単位はニュートンを使う)$$

$$仕事（エネルギー）= 力 \times 距離 = \frac{質量 \cdot 距離^2}{時間^2} \quad (単位はジュールを使う)$$

　こんなややこしいことを覚えて何の意味があるのか，と思われるかもしれませんが，物理がだんだんわかってくると，次元を知っているだけで，計算ミスをチェックできるなど，いろいろ便利なことがあるんですよ。

# 第6講

## 圧力と浮力

力学

**Theme1**
力と圧力はどう違うのか

**Theme2**
浮力

**問題演習**
圧力・浮力も解き方は力学解法ワンパターンで！

### 講義のねらい

気体や液体は広がりがあるので，圧力や浮力という考え方が必要なのだ！

## Theme 1
# 力と圧力はどう違うのか

　第6講Theme1では，圧力について学びます。圧力は力とよく似ていますが，定義がちょっと違うのです。その点さえ理解しておけば，覚えることはほとんどありません。

### Step 1　圧力は広がりのある面に働く力である

　これまであまりこだわることなく「物体の運動」とか「ボールに働く力」という表現を使ってきましたが，実は厳密に言えば，これらの「物体」や「ボール」が意味するのは，大きさのない「質点」であったのです。ですから，「物体やボールに働く力」と言うとき，それは一点に働く力ということになります。これまで学んできた力は全て，**ある一点に働く力**であったわけです（図6-1）。

　しかし，たとえば図6-2のように，ピストンのついたシリンダー容器に気体が閉じ込められているような状況を考えてみましょう。このとき，ピストンの断面は気体から力を受けていますが，この断面はある面積を持った広がりですから，気体がピストン断面に及ぼす力は一点に働く力ではありません。

　このように，ある面積を持った広がりのある面に働く力を考えるときに，**圧力**というものを考えるのです。

　そこで，圧力は次のように定義します。

図6-1

図6-2

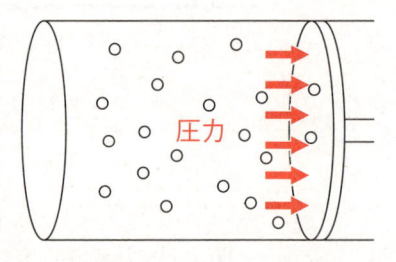

図6-3

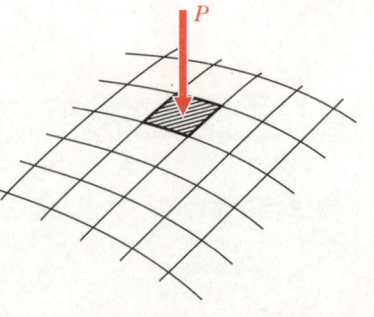

**圧力＝単位面積（1m²）あたりに働く力**

力の単位が〔N〕ですから，圧力の単位は，〔N/m²〕となります。この圧力の単位を〔Pa〕（パスカル）とよびます。つまり，

　　1〔Pa〕＝1〔N/m²〕

です。

## Step 2 覚える公式はただ1つ

　図6-4のようなピストンのついたシリンダー容器を考え，この容器の中に気体が閉じ込められているとします。気体が周囲に及ぼす力は，広がりを持っていますから，力ではなく圧力という考え方が必要になります。そこで，この気体の圧力を $P$〔Pa〕としましょう。気体の圧力はどの面に対してもまんべんなく働いていると考えてよいでしょう。つまり，気体に触れている（《タッチ》している）どの部分を考えても，そこでの圧力は $P$〔Pa〕とみなせるわけです。

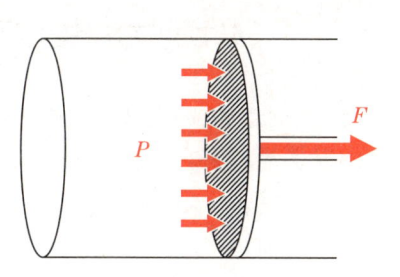

図6-4

　次に，ピストンの断面積を $S$〔m²〕とします。圧力は1〔m²〕あたりに働く力ですから，ピストンの断面全体に働く力の大きさを $F$〔N〕とすれば，

$$F_{[N]} = P_{[N/m^2]} \times S_{[m^2]}$$

となるはずです。これが，力と圧力の関係を示す公式で，圧力について理解しておくべきことは，この式で全てです。

### まとめ—9

**圧力の公式** ……………………………………………

力を $F$，圧力を $P$，圧力を受けている面の面積を $S$ として，

　　$F = PS$ 　　　　あるいは，　　　$P = \dfrac{F}{S}$

# Theme 2

# 浮力

　木片などは空気中では落下するのに，水中では水に浮かぶことから，われわれは浮力というものがあることを直感的に知っています。では，なぜ浮力というものがあるのでしょうか。浮力はこれまで学んだいろいろな力と違って特殊なもののように見えますが，実は第2講で学んだ**「橋元流・タッチの定理」**による力なのです。

## Step 1 なぜ浮力が生じるのか

　たとえば，深い水槽に溜められた水を考えてみましょう。水槽を深くもぐって底へ近づくほど，水圧が高くなりますね。水も気体と同じで広がりがありますから，水圧というものもTheme1で学んだ圧力です。

　なぜ深いところほど圧力が高いかといえば，深い位置ほどその上にのっている水の量が多く，その水に働く重力に相当する重さがその位置にかかってくるからです。

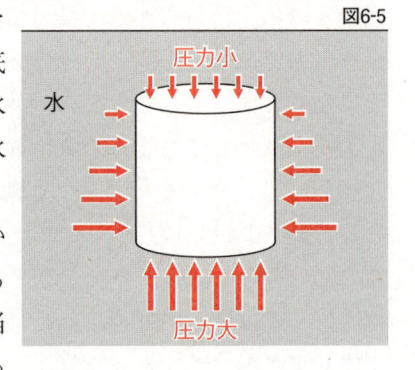

　今，図6-5のように，水槽の水の中に円筒形の物体を置いて固定させてみます。この物体に働く力は重力のほかには《タッチ》している周囲の水からの力，すなわち水の圧力が働いています。円筒の上面と下面では，下面の圧力の方が大きいですね。ですから，合計ではこの円筒には鉛直上向きの水からの圧力が働くはずです。これが**浮力**です。

　それでは，この浮力の大きさがいくらになるかを考えてみましょう。

## Step 2 簡単に理解できる浮力の公式

図6-6

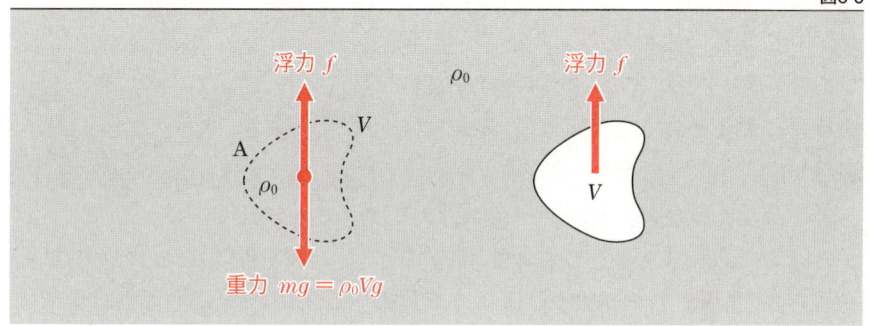

図中: 浮力 $f$、$\rho_0$、$V$、$A$、重力 $mg = \rho_0 V g$、浮力 $f$、$V$

　水槽に溜められた水の中に，仮想的に体積 $V$ の部分Aを考えます（図6-6）。形はどのようなものでもよいのです。Aは静止していますから，Aに働く力はつりあっているはずです。ところで，Aに働く力は重力と《タッチ》の定理による力だけですが，Aに《タッチ》しているものは周囲の水ですから，これは周囲の水からの浮力にほかなりません。そこで，Aの質量を $m$，Aに働く浮力の大きさを $f$ とすれば，Aに働く力のつりあいの式は，

　　　$f = mg$

です。つまり，Aに働く周囲の水からの浮力の大きさは，Aの重力に等しいということになります。浮力の向きは当然，鉛直上向きです。Aは周囲の水と同じ水ですから，Aの質量 $m$ は，水の密度を $\rho_0$ とすれば，

　　　$m = \rho_0 V$

です。そこで，Aが受ける周囲の水からの浮力の大きさは，

$$f = \rho_0 V g$$

ということになります。Aが水であれ，ほかの物体であれ，空洞であれ，周囲の水がこの部分に及ぼす力は同じはずですから，結局，水中の体積 $V$ の部分に働く浮力の大きさは，$\rho_0 V g$ で，$\rho_0$ は周囲の水の密度ということになるわけです。

木片のような軽いものだけでなく，鉄のかたまりであれ何であれ，水中にあるものは必ず水からの浮力を受けます。木片が水に浮くのは，木片自身に働く重力が，同じ体積の水の重力より小さいからであり，鉄のかたまりが水に沈むのは，鉄自身に働く重力の方が浮力より大きいからです。

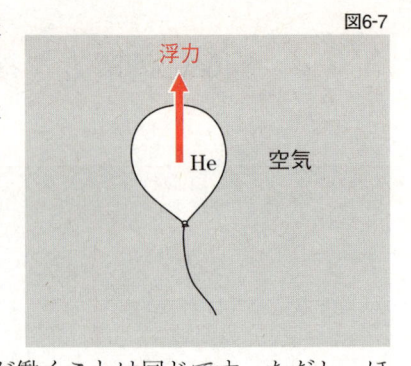

図6-7

　水ではなくほかの液体であっても浮力が働くことは同じです。ただし，ほかの液体であれば，浮力の大きさ $\rho_0 V g$ の $\rho_0$ は，その液体の密度になります。

　さらに言えば，液体だけではなく気体の中にある物体にも浮力は働きます。われわれは空気の中にいますから，実は空気の浮力を受けています。ただ空気は気体なので密度が小さく，普段はその浮力をあまり感じないだけです。水素やヘリウムで膨らんだ風船が空気中を上に向かって飛んでいくのは，まさに空気の浮力によるものですね（図6-7）。真空の月面で風船をはなせば，鉄のかたまりと同じ加速度で月面に向かって落ちていきます。

# 第6講 圧力と浮力

## 問題演習

### 圧力・浮力も解き方は力学解法ワンパターンで！

**❶** 鉛直に置かれたシリンダー容器の中に気体が閉じ込められている。シリンダーの上面には質量が $m$ で断面積 $S$ の蓋（ふた）が置かれ，蓋とシリンダーの内壁はなめらかに接している。またシリンダー内の気体は蓋によって密封されて外部に漏れ出すことはない。蓋がその面を水平にして静止しているとき，外部の大気の圧力を $P_0$，重力加速度の大きさを $g$ として，シリンダー内の気体の圧力を求めよ。

図6-8

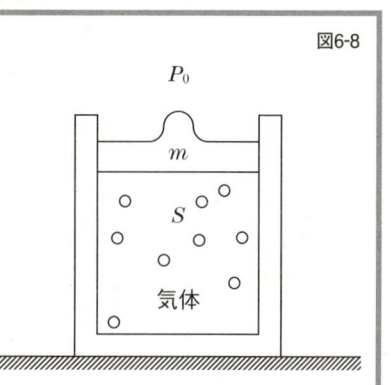

**橋元流で解く！**
蓋は静止していますから，蓋に働く力はつりあっているはずです。蓋に働く力は，重力 $mg$ 以外に蓋に《タッチ》しているものから受けます。シリンダーの内壁と《タッチ》していますが，なめらかという条件より，シリンダーの内壁からの摩擦力はありません。

図6-9

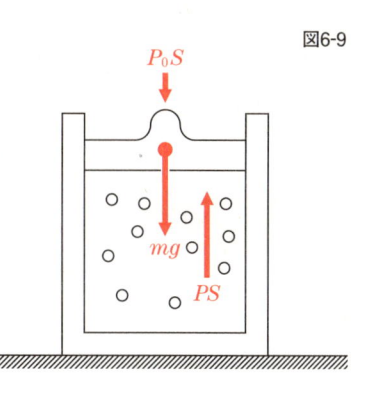

あと蓋に《タッチ》しているものは，蓋の上面の大気と下面のシリンダー内の気体です。蓋が外の大気から受ける力の大きさは，大気の圧力が $P_0$ ですから，蓋の面積をかけて，$P_0 S$ です。向きはもちろん鉛直下向きです。

また，蓋の下面の気体から受ける力の大きさは，気体の圧力を $P$ とすれば，$PS$ です。気体は下から上に向かって蓋を押していますから，その向きは鉛直上向きです。

以上より，蓋に働く力のつりあいの式は，

$PS = mg + P_0 S$

となります。
　よって,
$$P = P_0 + \frac{mg}{S} \quad \cdots\cdots \boxed{答え}$$

**❷** 水に体積 $V$ の木片が浮かんで静止している。水の密度を $\rho_0$、木片の密度を $\rho$（$\rho < \rho_0$）としたとき、水面の上に出ている木片の体積はいくらか。

図6-10

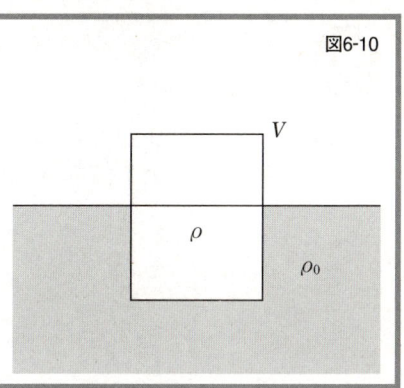

**準備** 水面の上に出ている木片の体積を $V'$ として、木片に働く力のつりあいを考えます。

木片の質量は $\rho V$ ですから、木片に働く重力の大きさは $\rho V g$ です。

また、木片の水中にある部分の体積は $V - V'$ ですから、この部分に働く水からの浮力の大きさは、$\rho_0 (V - V') g$ です。

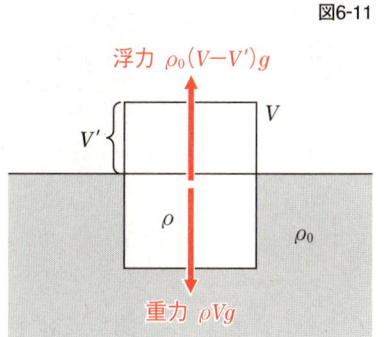

よって、木片に働く力のつりあいは、

$$\rho_0 (V - V') g = \rho V g$$

これを $V'$ で解けば、

$$V' = \left(1 - \frac{\rho}{\rho_0}\right) V \quad \cdots\cdots \text{答え}$$

図6-11

浮力 $\rho_0 (V - V') g$

重力 $\rho V g$

**❸** 密度 $\rho$ の金属片が密度 $\rho_0$（$< \rho$）の液体の中を自由落下している。この金属片の加速度の大きさは，重力加速度の大きさの何倍か。

図6-12

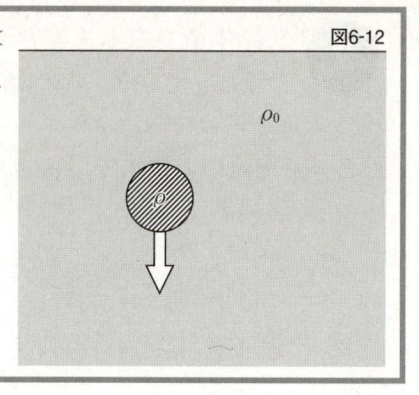

**橋元流で解く！**

$\rho > \rho_0$ ですから，金属片は同じ体積の液体より重く，液体の中を落下していきます。そこで，鉛直下向きに座標軸をとり，金属片の加速度の大きさを $a$ とします。

金属片の質量を $m$，体積を $V$ とすれば，

$$m = \rho V$$

ですから，

$$V = \frac{m}{\rho}$$

よって，金属片に働く液体からの浮力の大きさ $f$ は，

$$f = \rho_0 V g = \frac{\rho_0}{\rho} m g$$

ですから，鉛直下向きを正の向きとして金属片の運動方程式を書けば，

図6-13

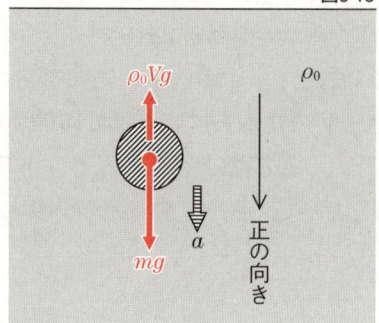

$$ma = mg - f$$
$$\quad\,\, = mg - \frac{\rho_0}{\rho} mg$$

よって，

$$a = \left(1 - \frac{\rho_0}{\rho}\right) g$$

となり，

$$\frac{a}{g} = 1 - \frac{\rho_0}{\rho} \text{（倍）} \quad \cdots\cdots \boxed{\text{答え}}$$

# 第7講

# 仕事と
# エネルギー

**力学**

**Theme1**
仕事

**Theme2**
運動エネルギー

**Theme3**
位置エネルギー

**Theme4**
仕事とエネルギーの関係

**問題演習**
仕事とエネルギーの関係式で楽に解く！

## 講義のねらい

「仕事とエネルギー」は問題を簡単に解くためのスーパー解法。たった1つの手順，1つの式で問題が解けてしまうのだ！

# Theme 1

# 仕事

　第6講までで，力学の一番難しいところは終えることができました。今回からは仕事とエネルギーです。おもしろくて，かつ問題を簡単に解く方法でもあるんですよ。

　ところでまえにも力学の解法はたった3種類しかないと言いましたが，覚えていますか？

> 解法1　運動方程式
> 解法2　仕事とエネルギー
> 解法3　力積と運動量

　解法1は前回まで何度もやってきた，「**橋元流・力学解法ワンパターン**」ですね。解法2が，今回と次講のテーマです。

## Step 1　力の効果を考える

　さて，みなさん。こんなことを考えたことありますか？ "勉強の効果" というものについてです。

### 勉強の効果

$$1.\ 集中力 \times 解いた問題数$$
$$2.\ 集中力 \times 勉強時間$$

　集中力は必要でしょう。でも，1日だけ猛烈にがんばっても，あとでなまけたら，意味がない。いかに集中力を持続させるかが大切です。

　勉強の効果を測るときに，「その集中力で何題問題を解いたんだろう」と考えますね（集中力×問題数）。また，「集中力を持続して何時間，勉強したんだろう」と考えることもあります（集中力×時間）。

　要するに，一瞬の力ではなく，その力がどれだけ持続できるのかを考えたとき，2つの見かたがあるわけです。

力についても同じことが言えるのです。

> **力の効果**

## 1. 力 × 移動距離
## 2. 力 × 時間

力の持続的な効果を考えてみます。

　力を加えながら物体を何メートルか動かすとしましょう。このときの力の効果は，1の，**力×移動距離**で求められます。先ほどの集中力×問題数と同じ考えかたですね。また，それを何秒間つづけたかによる力の効果は，2の，**力×時間**で求められます。

　今までは一瞬の力のことだけ考えていたんですが，これからは「持続するもの」としての力についても考えることにします。そうすると，力学の解きかたがとっても簡単になるんですよ。

　ところで，1の，**力×移動距離**を「**仕事**」とよびます。また，2の，**力×時間**を「**力積**」とよんでいます。今回は前者の「**仕事**」がテーマです。

## Step 2 仕事もいろいろ

仕事にもいろいろあります。どういうことかというと、仕事をしている人もいれば、仕事をしているフリをする人、仕事のジャマをする人もいるんです。図7-1を見てください。

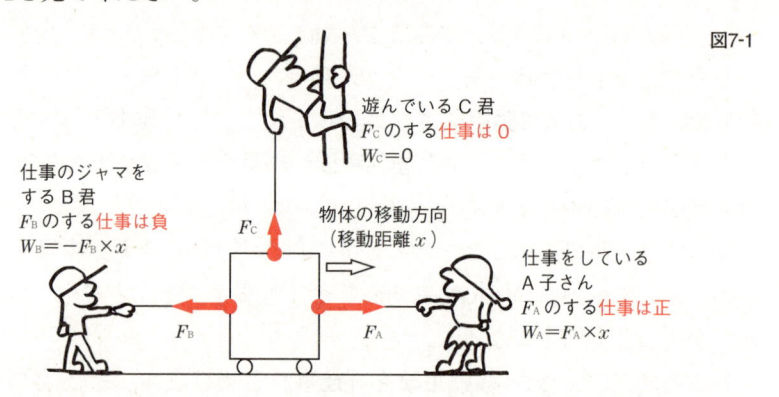

図7-1

遊んでいるC君
$F_C$のする仕事は0
$W_C = 0$

仕事のジャマをするB君
$F_B$のする仕事は負
$W_B = -F_B \times x$

物体の移動方向
（移動距離 $x$）

仕事をしているA子さん
$F_A$のする仕事は正
$W_A = F_A \times x$

A子さん、B君、C君の3人が荷物を持って引越しをしています。右向きに荷物を動かしたいのですが、みんな、まったくバラバラなことをしていますね。

A子さんは移動方向（右）に荷物を引っぱっていますから、ちゃんと仕事をしていることになりますね。**プラス(正)の仕事**です。仕事を$W$とおき、A子さんの仕事を$W_A$としましょう。$W_A > 0$となります。

次に、B君を見てください。B君は力を出していますが、移動方向とは反対に荷物を引いていますね。A子さんのジャマをしています。つまり物体の移動方向に逆らって仕事をしているんです。こういう仕事は**マイナス(負)の仕事**となります。ですから、B君の仕事を$W_B$とすると、$W_B < 0$です。

C君を見てください。彼はヘソまがりですねー。右でもなく左でもなく、荷物を上に引っぱっていますよ。C君は役に立っていますか？ 立っていませんね。荷物を上に引いても何の役にも立ちません。C君は（力を出しているにもかかわらず）**仕事をやっていない**ことになります。そこで、C君の仕事を$W_C$とすると、$W_C = 0$です。

こんなふうに仕事はいろいろあるんですよ。次のように考えてください。

### 橋元流●仕事の見わけかた

移動方向に働く力がする仕事はプラス（A子さんの仕事）。逆に移動方向と反対に働く力がする仕事はマイナス（B君の仕事）。
そして移動方向に対して直角に働く力のする仕事はプラスでも，マイナスでもない0（C君の仕事）。

C君のように力は出しているけれども，仕事は0だってこともある。どうですか？　仕事っておもしろいでしょ？　一言で言えば**「力×移動距離」だけど，プラスもあればマイナスも0もある**。これがポイントです。

## Step 3　物理の問題に出てくる仕事

では，例をあげましょう。物体が面の上を引きずられているとしましょう（図7-2(a)）。引く力を$F$とし，移動方向は右です。

物体を動かした距離を$x$とします（図7-2(b)）。この物体にはもちろん，重力が働いていますが，そのことは今はおいておきます。

物体にタッチしている面から受ける力は垂直抗力$N$です。ザラザラしている面だと，摩擦力が働きます（第4講でやりましたね）。これは動摩擦力なので$\mu N$とします。

さて，これらの重力以外の3つの力がどのような仕事をするのか考えましょう。

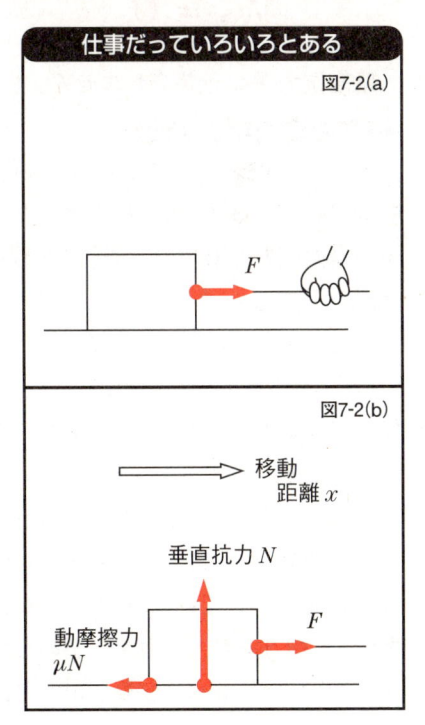

**仕事だっていろいろとある**

図7-2(a)

図7-2(b)

移動距離$x$

垂直抗力$N$

動摩擦力$\mu N$

$F$

図7-2(c)を見てください。力$F$がする仕事を考えます。これを$W_1$としますと、仕事＝力×移動距離ですから、

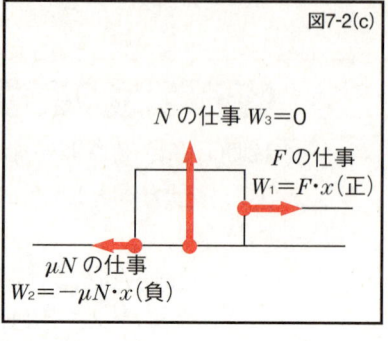

$$W_1 = F \cdot x$$

$W_1$はプラスの仕事です。先ほどのA子さんの仕事と同じです。

動摩擦力$\mu N$を見てみましょう。こちらは移動方向に逆らっていますね。動摩擦力の仕事を$W_2$としますと、

$$W_2 = -\mu N \cdot x$$

**動摩擦力はマイナスの仕事をします。**先ほどのB君の仕事と同じになりますね。

次は移動方向に直角の垂直抗力$N$です。この仕事を$W_3$とすると、

$$W_3 = 0$$

**垂直抗力$N$は仕事をしません。**先ほどのC君と同じです。

### ななめの力がする仕事

もう1つ例をあげましょう。物理の問題に出てくる仕事は先ほどの例にあった垂直抗力や摩擦力のように、移動方向に対してまっすぐの力だけとは限りません。ななめの力だってありますよ。

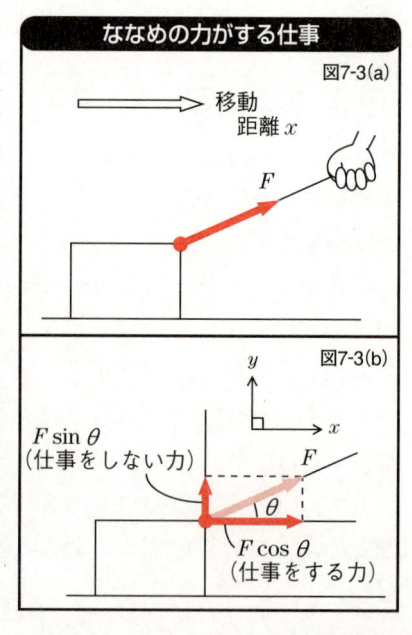

図7-3(a)のようにななめに力$F$が働いています。移動方向は右。物体の移動距離を$x$とします。

次に考えることは、「ななめに働く力は分解せよ」です。力$F$を座標軸に沿って分解すると図7-3(b)のようになりますね。$x$軸方向の力と力$F$の間のなす角を$\theta$としましょう。$x$軸方向の力はお

なじみの三角比で $F\cos\theta$，$y$ 軸方向は $F\sin\theta$ ですね。このようにななめの力を分解すれば，水平方向に $F\cos\theta$，鉛直方向に $F\sin\theta$ という 2 つの力が働いていると考えることができます。

さあ，ここで先ほどの A 子さん，B 君，C 君を思い出しながら考えていきましょう。$F\cos\theta$ は移動方向を向いていますからプラスの仕事をしますね。$F\cos\theta$ は仕事をする力ということになります（A 子さんと同じ）。$F\sin\theta$ は移動方向に直角ですから，遊んでいる C 君，先ほどの垂直抗力 $N$ と同じになります。$F\sin\theta$ は仕事をしない力です。

結局，$F\cos\theta$ だけが仕事をするので，力 $F$ がする仕事 $W$ を式で表すと，仕事＝力×移動距離より，

$$W = F\cos\theta \cdot x = Fx\cos\theta$$

というふうになります。教科書にもななめの力がする仕事は $Fx\cos\theta$ と書かれているので，何の理由も考えず，「ななめの力がする仕事は $Fx\cos\theta$ だ」とそのまま覚えてしまいがちですね。しかし，これじゃあ，つまらない。「ななめの力を分解したら仕事をする力，しない力に分解されたから…」と考えることですね。そうするとイメージもわくし，おもしろいでしょう。

# Theme 2
# 運動エネルギー

Theme1では力がなす仕事について説明しました。次に仕事の効果について考えたいと思います。その効果は物体のエネルギーの増減として現れるのです。

## Step 1 ピザ店の金庫残高チェック

キミがピザ店の店長だとしましょう。ピザの売上げを計算します。金庫の中にお金が入っていまして，きのう，仕事が終わった夜に残高を計算したところ，100万円入っていました。きょういっしょうけんめいピザを売って，その売上げが50万円あったとします。金庫の中は当然，きょうの残高として150万円になっているはずですね（図7-4）。

図7-4

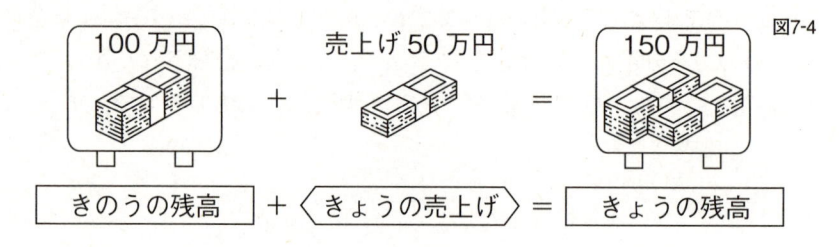

100万円 + 売上げ50万円 = 150万円

きのうの残高 + 〈きょうの売上げ〉 = きょうの残高

これとまったく同じことが力学の仕事についても言えるんです。図7-5を見てください。物体が速度 $v_1$ でノロノロと動いています。

図7-5

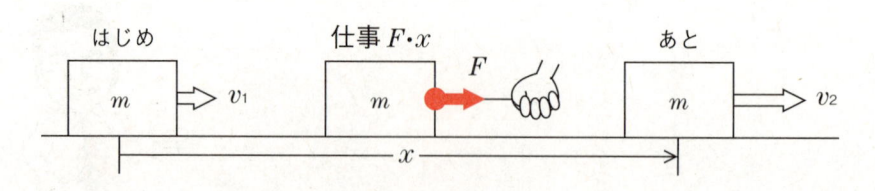

はじめ　　仕事 $F \cdot x$　　あと
$m$ → $v_1$　　$m$ →$F$　　$m$ → $v_2$
←――――――― $x$ ―――――――→

この物体に一定の力 $F$ を加えて，距離 $x$ だけ引いてみます。つまり仕事 $F \cdot x$ をするわけですが，その結果，物体の速度が遅い $v_1$ から速い $v_2$ となっ

たとしましょう。これを金庫の中のお金にたとえると、「少ない100万円が（100万円は決して少なくはないが…）いっしょうけんめいピザを売りつづけたおかげで、50万円多い150万円になった」と同じような考えかたですね。100万円のお金が、ピザが売れて150万円に増えた。遅い物体が仕事をされたことによって速くなった。よく似ていますね。そこで物体の速度が $v_1$ から $v_2$ へ変化した場合を仮に次のように考えてみます。

$v_1 + F \cdot x = v_2$ ？

$F \cdot x$ が物体にされた仕事ですね。遅い速度 $v_1$ が仕事を加えられると、速い速度 $v_2$ になる。考えかたはいいのですが、本当にそれでいいのでしょうか？ 次の式を見てください。

100万円 + ピザ1000枚 = 150万円 ？

物体のはじめの速度にされた仕事を足すと、あとの速度になるという計算式は、ピザ店の残高計算にたとえるとこのようになります。しかし、ちょっとおかしいですね。100万円 + 1000枚 = 150万円…こんな計算式は成り立ちません。ピザ1000枚のところが50万円という金額にならないとおかしいですね。単位があっていません。同じように $v_1$（速度）+ $F \cdot x$（仕事）= $v_2$（速度）も単位があっていないのです（図7-6）。

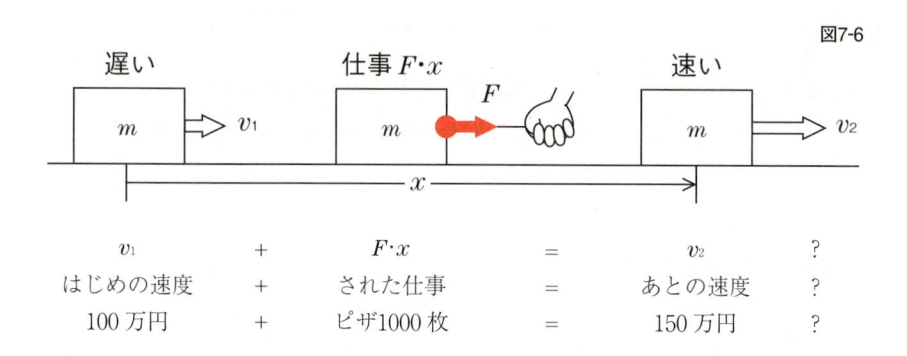

図7-6

| $v_1$ | + | $F \cdot x$ | = | $v_2$ | ? |
| はじめの速度 | + | された仕事 | = | あとの速度 | ? |
| 100万円 | + | ピザ1000枚 | = | 150万円 | ? |

そこで、この「仕事」を生かして全て単位をそろえるためには、はじめの速度とあとの速度のところはどんな単位になればいいのかを考えてみましょう。

## Step 2　運動エネルギーは「便利な公式」がからんでいる

　以下でおこなうことは，仕事と単位があうのは，$\frac{1}{2}mv^2$ というエネルギーである，ということの証明です。はじめての人で，少しめんどうだなと思う人は，とりあえず次頁の10行目まではとばしてもかまいません。いや，きちんと説明してもらわないと納得いかないという人は，じっくり読んでみてください。

　図7-7を見てください。この物体のはじめの速度を $v_0$ として，あとの速度を $v$ とします（Step 1 では $v_1$, $v_2$ としましたが，記号のとりかたは本質的なことではないので，気にしないでください）。この間に力 $F$ を移動方向に加えて，動いた距離を $x$ としておきましょう。

図7-7

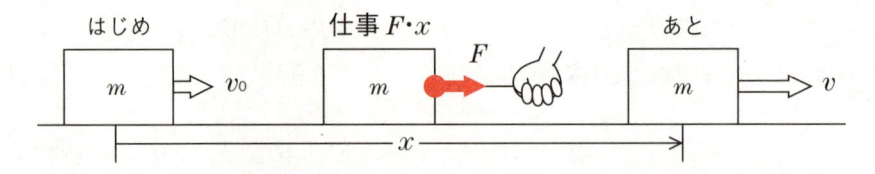

**はじめ**　　　　　**仕事 $F \cdot x$**　　　　　**あと**

$m$　→ $v_0$　　　$m$ ← $F$　　　$m$ → $v$

← $x$ →

　摩擦などがないとすると，この物体にされた仕事は $F \cdot x$ になります。また，この物体のする運動は等加速度運動ですね。ですから，等加速度運動の公式が使えるでしょう。例の便利な公式を使います。

　便利な公式：$v^2 - v_0^2 = 2a(x - x_0)$

### 便利な公式を変形する

　この便利な公式は，実を言うと第7講のテーマ「仕事とエネルギー」を先取りしたような公式なんです。

　$v$ は物体のあとの速度，$v_0$ ははじめの速度ですね。$a$ は加速度です。$x - x_0$ は物体の移動距離なんですが，はじめの物体の位置を原点としますと，$x_0 = 0$ なので，右辺は $2ax$ ということにしていいですね。でも，これだけではどうしていいのかわからないので，ちょっと細工をしてみましょう。

　加速度 $a$ を力 $F$ にしたいので，強引ですが便利な公式の両辺に，質量 $m$

をかけてみます。そうすると，

$mv^2 - mv_0^2 = 2max$

さあ，下線を引いたところを見てください。$ma$ が出てきましたね。運動方程式（$ma=F$）よりこの $ma$ は $F$ になります。

$mv^2 - mv_0^2 = 2F \cdot x$

するとどうですか，$F \cdot x$（力×移動距離）が出てきましたね。もちろんこの $F \cdot x$ は仕事ですね。ここで 2 がジャマなので 2 で割っておきましょう。

$\frac{1}{2}mv^2 - \frac{1}{2}mv_0^2 = F \cdot x$

このままでもいいのですが，式をちょっと変形させます。

$\frac{1}{2}mv_0^2 + F \cdot x = \frac{1}{2}mv^2$

### エネルギーとは？

$\frac{1}{2}mv^2$ や $\frac{1}{2}mv_0^2$ は仕事 $F \cdot x$ と同じ単位を持つ量です（なぜなら，もともと左辺と右辺で単位のあっている便利な公式を，変形しただけですから）。こうして登場した $\frac{1}{2}mv^2$ や $\frac{1}{2}mv_0^2$ を「**(運動) エネルギー**」とよびます。変な式だと思われるかもしれませんが，何度も使っているとすぐになじんできますよ。「エネルギー」は「仕事」と同じ単位を持つ量で，とくに $\frac{1}{2}mv^2$ は物体が運動しているときに持つエネルギーなので，「**運動エネルギー**」とよびます。

上の式の意味は，物体がはじめ持っていた $\frac{1}{2}mv_0^2$ という運動エネルギーが，仕事 $F \cdot x$ をされることによって $\frac{1}{2}mv^2$ に増えたということです。

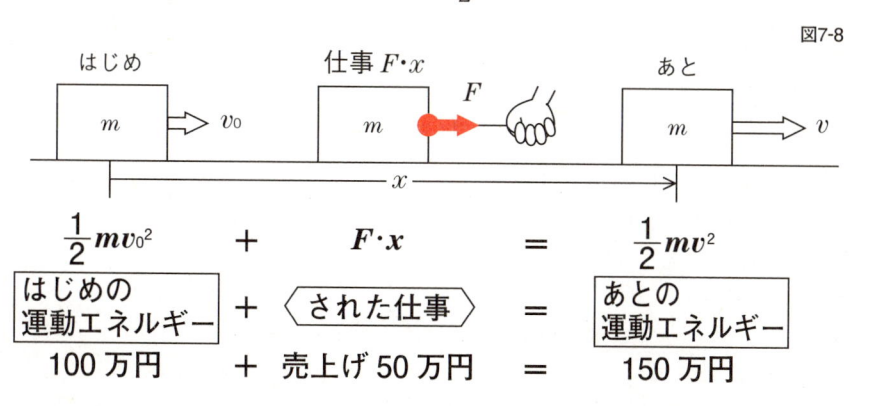

図7-8

$\frac{1}{2}mv_0^2$ ＋ $F \cdot x$ ＝ $\frac{1}{2}mv^2$

はじめの運動エネルギー ＋ 〈された仕事〉 ＝ あとの運動エネルギー

100万円 ＋ 売上げ50万円 ＝ 150万円

そこで，P.129の式は正しくは，図7-8のようになります。仕事は負の場合もありますから，はじめの運動エネルギーよりもあとの運動エネルギーが減るというケースももちろんありえます。たとえば，動摩擦力によって物体がだんだん遅くなる場合などです。

### まとめ—10
## 仕事と運動エネルギーの関係

仕事と運動エネルギーの関係式

$$\frac{1}{2}mv_0^2 + F\cdot x = \frac{1}{2}mv^2$$

はじめの　　　　された　　　あとの
運動エネルギー　仕事　　　　運動エネルギー

## Step 3　重力のする仕事

これまでは重力のことについてまったく触れてきませんでしたが，重力も力なので，仕事をするはずです。そこで，重力のする仕事について考えてみましょう。

### 例1　物体を垂直に落とした場合

図7-9のように地面から高さ $h$ のところから，ボールをパッと落としました。そうすると，ボールは速度をどんどん上げて落ちます。このときに重力がする仕事を考えてみましょう。重力は下向きでボールの移動方向と同じですから，この場合，重力は正の仕事をしますね。仕事 $W$ は力×距離なので，

$$W = mg \times h = mgh$$

となります。

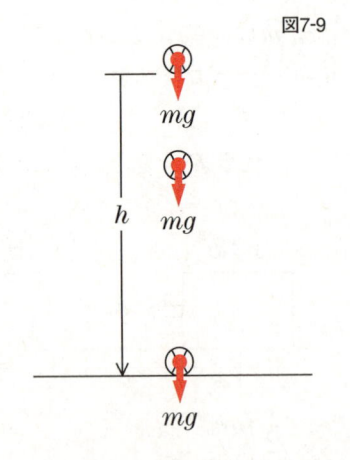

図7-9

## 例2 物体を斜面上ですべらせた場合

今度は物体を斜面上ですべらせてみましょう（図7-10(a)）。斜面が水平となす角を$\theta$，この物体が動いた高低差（はじめの位置とあとの位置との落差）を$h$とします。

物体はななめにすべっていきますから，第3講でやったように，物体の移動方向である斜面下向きに$x$軸，それに直角に$y$軸をとり，重力を分解してみます（図7-10(b)）。もう慣れたと思いますが，$x$成分は$mg\sin\theta$，$y$成分は$mg\cos\theta$となりますね。そして，$mg\sin\theta$が仕事をする力，$mg\cos\theta$は仕事をしない力だということもわかります。

ここで注意。ななめの力の場合，仕事をする成分はいつでも$F\cos\theta$だとは限りませんよ。間をなす角$\theta$の位置に気をつけてください。

仕事を求めるために移動距離を出しましょう。

図7-10(c)を見てください。高さは$h$です。仮に移動距離を$l$とすると，この距離は$l=\dfrac{h}{\sin\theta}$ですね（図7-11を見てください。慣れましょう）。

結局仕事をする力は$mg\sin\theta$，移動距離は$l=\dfrac{h}{\sin\theta}$ですから，重力がする仕事$W$は，

$$W = mg\sin\theta \times \frac{h}{\sin\theta} = mgh$$

**重力$mg$がする仕事は…**

図7-10(a)

図7-10(b)

図7-10(c)

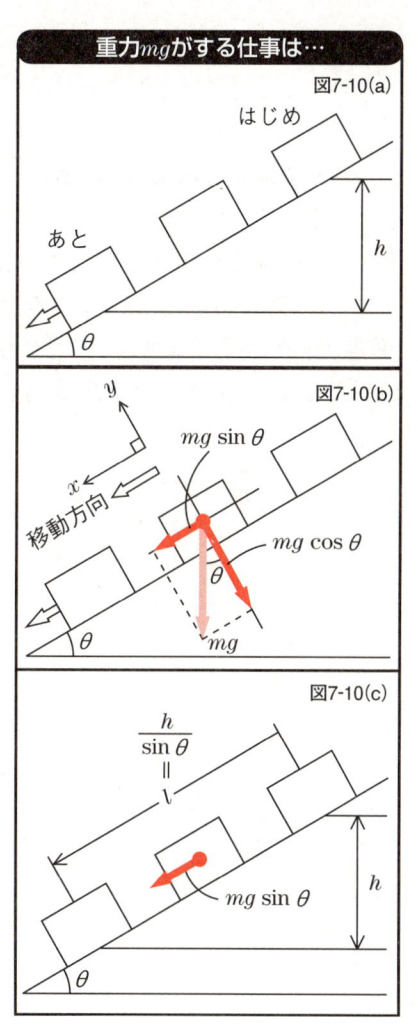

図7-11

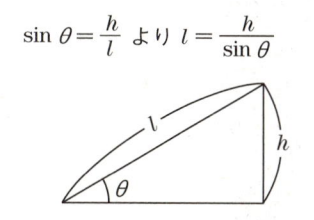

$\sin\theta = \dfrac{h}{l}$ より $l = \dfrac{h}{\sin\theta}$

### 偶然の一致？

はい，ここで先ほどのまっすぐボールを落としたときの重力のする仕事と比べてみてください。どちらも，$W=mgh$ ですね。偶然の一致でしょうか？いいえ。**物体をどんなふうに落としても，重力がする仕事は $mgh$** なんです。まっすぐに落としても，ななめに落としても，くねくねした経路で落としても，重力のする仕事は，いつも $mgh$ だということです。ものを落としているときの経路に関係なく，重力のする仕事は変わりません。このような力を「**保存力**」とよんでいます。よびかたはともかく，これが重力というものの性質なんです。重力とは不思議なものですね。

# Theme 3

# 位置エネルギー

　ここからは，「**保存力**」を扱うときには「**位置エネルギー**」というものを考えると「**便利だ**」というお話をします。保存力のこともよくわかっていないのに，突然位置エネルギーと言われてもチンプンカンプンだとおっしゃるかもしれません。もっともです。しかし，難しいことはぬきにして，「**便利だ**」というところに注目してください。これからの話は，**問題をカンタンに解くためのおもしろくて役に立つマジック**なのです。

　そもそもエネルギーとは，仕事ができる潜在能力のことです。エネルギッシュな人とは，勢いがあって仕事のできる人のことをいいますが，静かに何かを考えている人だって，やらせてみればすごい仕事をすることがありますね。仕事ができる潜在能力を持っているわけです。そんな人もエネルギッシュな人だといえますね。

　「**位置エネルギー**」とは，**物体は静かに止まっているにもかかわらず，そこにいるだけで仕事をできる潜在能力を持っている**，そんなエネルギーのことなのです。

## Step 1　重力の位置エネルギー

　高さ $h$ のところに質量 $m$ のボールがあったとします（図7-12）。下にはくぎを軽く刺した板があります。このボールを板に向けて落とすと，くぎは板に打ち込まれますね（まあ，こんなことして，くぎを打ち込む人なんて，いませんが…）。

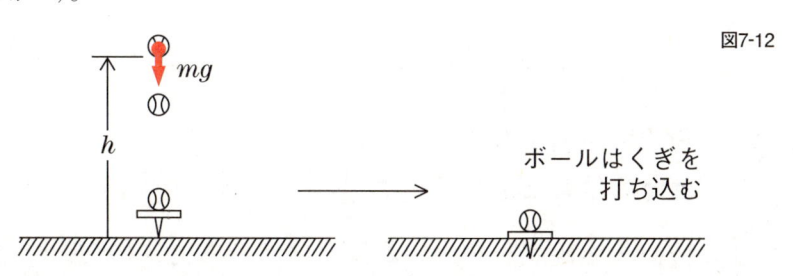

図7-12

ボールはくぎを打ち込む

　ある高さから落ちたボールは，必ずこのように仕事をします。要するに，

高さ $h$ にある物体はどんな経路をたどって落ちようとも，必ず $mgh$ の仕事をします。言いかえれば，**高さ $h$ にあるボールは $mgh$ の仕事をできる潜在能力**——すなわち**位置エネルギーを持っている**ということになるわけです。

## Step 2 ばねの位置エネルギー

あともう1つ覚えてもらいたい保存力による位置エネルギーがあります。それは「ばねの位置エネルギー」です。

図7-13を見てください。今，ばねが自然長から $x$ だけ伸びているとします。このように物体を $x$ だけ引いて，パッとはなしてみると，ばねの力によって，物体は動きますよね。ボールを落としたときと，よく似た感覚です。すなわ

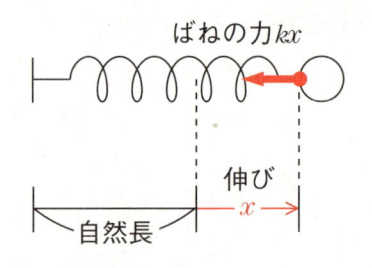

図7-13

ち物体がばねを $x$ だけ伸ばした位置にいるということは，高い位置に物体があるときと同様に仕事をする「潜在能力」を持っているということになります。つまり**ばねの位置エネルギーがある**ということです。

ばねの位置エネルギー（弾性エネルギーともいう）は，

$$\frac{1}{2}kx^2$$ （$k$ はばね定数，$x$ は自然長からの伸び・縮み）

という形になります。なぜこんな形になるのかを説明するには，少し難しい数学を使わないといけないので，ここでは省略いたします。

### まとめ―11

**保存力**
1. **保存力（重力やばねの力）がする仕事は，位置エネルギーという形で表現できる。**
2. **重力の位置エネルギーは $mgh$**
   **ばねの位置エネルギーは $\frac{1}{2}kx^2$**
3. **位置エネルギーを用いれば，いちいち力×移動距離という仕事の計算をしなくてもよい。**

# Theme 4
# 仕事とエネルギーの関係

それでは，本講のメインテーマに入ります。図7-14を見てください。質量 $m$ の物体がある高さ $h_A$ の位置にあって，ある速さ $v_A$ で動いているとします（高さの基準面は適当に決めてかまいません）。物体は，重力以外にも外力を受けて，やがて高さ $h_B$ の位置まで来て，そのときの速さが $v_B$ になったとします。

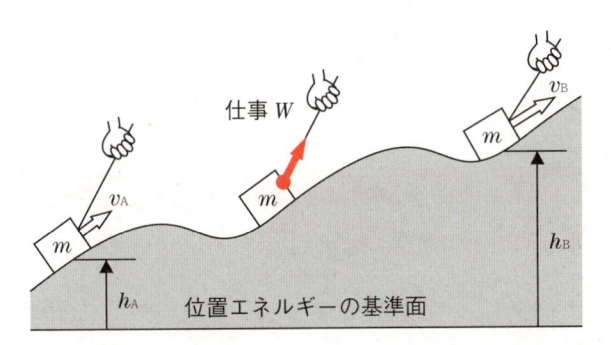

図7-14

まず，はじめの状態で物体が持っているエネルギーが全部でいくらになるか調べてみましょう（力学で登場するエネルギーは，運動エネルギーと位置エネルギーです。これらをあわせて**力学的エネルギー**とよびます）。運動エネルギーの公式は $\frac{1}{2}mv^2$，重力の位置エネルギーの公式は $mgh$ でしたから，

はじめの**力学的エネルギー（運動エネルギー＋位置エネルギー）**は，

$\frac{1}{2}mv_A^2 + mgh_A$

となりますね。

その後，物体には外力が加えられますが，その外力が物体にする仕事を $W$ としましょう（具体的には力×移動距離で計算するのですが）。このとき，重力のする仕事は $W$ には加えません。なぜかと言えば，Theme3で見たように，**重力のする仕事はいちいち計算せず，そのかわりに位置エネルギー $mgh$ として，物体の持つ力学的エネルギーに織り込み済み**だからです。

仕事 $W$ が加わった結果，物体は $v_B$ という速さになり，また，高さ $h_B$ まで

上がったので，$mgh_B$ という位置エネルギーも持ちます。そこで，あとの状態の物体が持つ力学的エネルギー（運動エネルギー＋位置エネルギー）は，

$$\frac{1}{2}mv_B^2 + mgh_B$$

となります。はじめの力学的エネルギーに仕事 $W$ が加わった結果，あとの力学的エネルギーになるわけですから，全部式で表すと，

$$\frac{1}{2}mv_A^2 + mgh_A + W = \frac{1}{2}mv_B^2 + mgh_B$$

という関係式が成り立つことになります。

　ここでは，煩雑さを避けるためにばねは登場させませんでしたが，もしばねも出てくる問題なら，この式にさらにばねの位置エネルギーをつけ足せばよいのです。

> **まとめ—12**
> ### 仕事とエネルギーの関係式
> 
> $$\frac{1}{2}mv_A^2 + mgh_A \quad + \quad W \quad = \quad \frac{1}{2}mv_B^2 + mgh_B$$
> 
> はじめの力学的　　＋　外力のした仕事　＝　あとの力学的
> エネルギー　　　　　　　　　　　　　　　　エネルギー

　これが今回，一番覚えていただきたかったことなんです。仕事とエネルギーの関係式を書くだけで問題が非常に楽に解けます。では，本当かどうか問題演習で試してみましょう。

# 第7講 仕事とエネルギー

## 問題演習

## 仕事とエネルギーの関係式で楽に解く！

**❶** 質量 $m$ の小物体を粗い水平面に置いて，初速度の大きさ $V_0$ を与えてすべらせた。重力加速度の大きさを $g$，小物体と水平面の動摩擦係数を $\mu$ としたとき，物体が水平面上をすべる距離はいくらか。

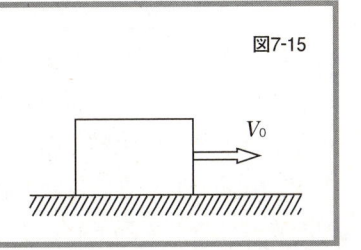

図7-15

仕事とエネルギーの関係式で解くことがどれほど簡単かを実感していただくために，まずここまででやってきた「力学解法ワンパターン」（運動方程式による解法）で解くとどうなるかをやってみましょう。この問題では物体は等加速度運動をするので，「力学解法ワンパターン」をそのまま適用できるのです。

### 力学解法ワンパターンで解く

**橋元流で解く！**

**準備** 図7-16(a)を見てください。この物体に働く力は重力 $mg$ と，**タッチ**している面から受ける垂直抗力 $N$ と動摩擦力 $\mu N$ ですね。物体は水平面に対して右に動いているから，動摩擦力の向きは左向きです。$\mu N = \mu mg$ としていいでしょう（垂直抗力 $N$ と重力 $mg$ はつりあっているから）。

次に座標軸を決めます（図7-16(b)）。物体の移動方向は右ですから，右向きが正ですね。力の分解は必要なし。次に，物体の運動方程式を立てましょう。水平方向に働く力はマイナスの力である動摩擦力です。

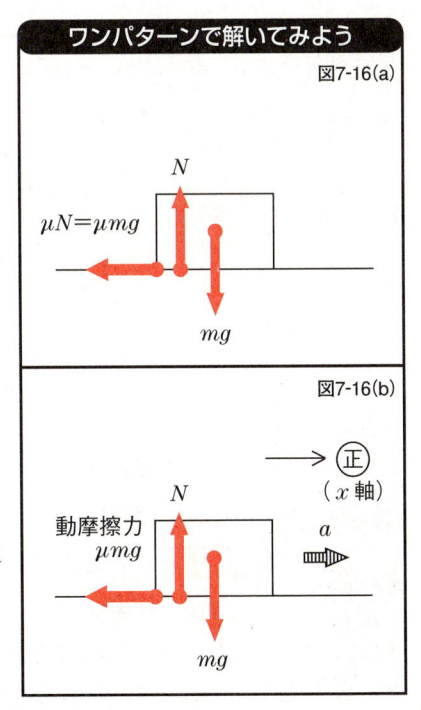

**ワンパターンで解いてみよう**

図7-16(a)

図7-16(b)

公式 $ma=F$ より，
$$ma = -\mu mg$$
$$\therefore a = -\mu g$$

　この式からわかるように，加速度は負，すなわち物体はどんどん減速しています。しかし，まだ問題が解けたわけではありません。物体をすべらせてから止まるまでの距離を出しましょう。　**END**

　図7-16(c)を見てください。物体ははじめは$V_0$という速度で右に動き，摩擦力を受けてやがて静止します。この間に進んだ距離を$l$としておきましょう。加速度は$-\mu g$ですが，とりあえず$a$としておきます。「力学解法ワンパターン」の最後の手順，等加速度運動の公式を使います。便利な公式を使いましょう。

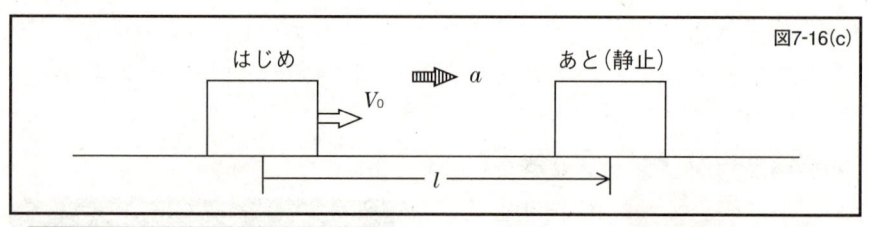

図7-16(c)

便利な公式 $v^2 - v_0^2 = 2a(x-x_0)$ において $v_0=V_0$, $v=0$, $x-x_0=l$ として，
$$0 - V_0^2 = 2al$$
$$\therefore l = -\frac{V_0^2}{2a}$$

$a=-\mu g$ を代入すると，
$$l = \frac{V_0^2}{2\mu g} \cdots\cdots 答え$$

　「力学解法ワンパターン」を覚えていれば，さほど難しい問題ではありませんが，少し時間がかかりましたね。
　では，「**仕事とエネルギー**」を使って解いてみます。「ワンパターン」による解法とぜひ比べてみてください。

### 仕事とエネルギーで解く

**橋元流で解く！**

　**準備**　はじめ物体は速度$V_0$で動きます。静止するまでに物体にどんな仕事がされたのかを考えましょう。この物体に働く力は重力$mg$と垂直抗力$N$，そして$\mu mg$の動摩擦力ですが，垂直抗力$N$と重力$mg$は移動方向に直角ですから仕事をしません。よって，物

体に仕事をする外力は動摩擦力 $\mu mg$ だけですが，この動摩擦力がする仕事はもちろん負です。物体の移動距離を $l$ とすると，仕事 $W$ ＝力×移動距離ですから，

$$W = -\mu mg \times l = -\mu mg \cdot l$$

となります。

**着目！** 図7-17を見てください。**仕事とエネルギーの関係式**（はじめの運動エネルギーに，物体にされた仕事を足すと，あとの運動エネルギーになるという式）を立てましょう。Theme4で覚えた仕事とエネルギーの関係式には，位置エネルギーの項がありますが，この問題に関しては物体が上下に動きませんから，位置エネルギーは関係ありませんね。

図7-17

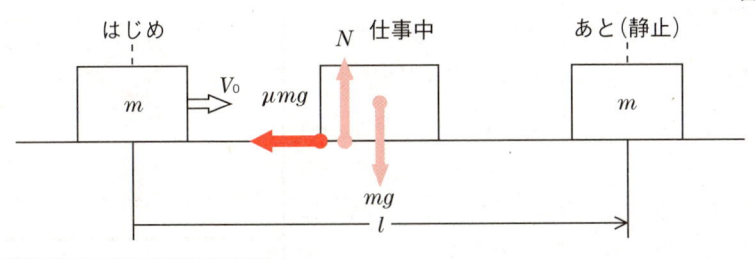

公式 $\dfrac{1}{2}mv_0^2 + W = \dfrac{1}{2}mv^2$ において，

$\dfrac{1}{2}mv_0^2 = \dfrac{1}{2}mV_0^2$, $W = -\mu mg \cdot l$, $\dfrac{1}{2}mv^2 = 0$ として，

$$\dfrac{1}{2}mV_0^2 + (-\mu mg \cdot l) = 0$$

$\dfrac{1}{2}mV_0^2$ ははじめのエネルギー，$-\mu mg \cdot l$ はされた仕事，0 はあとのエネルギーです（あとで物体は静止したから）。さあ，$l$ を求めましょう。

$$\therefore \quad l = \dfrac{V_0^2}{2\mu g} \quad \cdots\cdots\cdots \quad 答え$$

**同じ結果が１つの式を書くだけで，あっという間に出ますね。** これが仕事とエネルギーの解法のマジックです。では，次の問題に行きます。

**2** 水平と角 $\theta$ をなすなめらかな斜面上で，質量 $m$ の物体に斜面に平行な一定の大きさ $F$ の力を加えながら引き上げる。はじめの速さが 0 であるとして，物体が斜面に沿って $l$ だけ引き上げられたときの物体の速さはいくらか。ただし，重力加速度の大きさを $g$ とする。

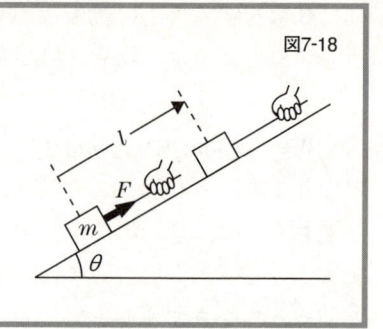

図7-18

## 力学解法ワンパターンで解く

**橋元流で解く！**

なめらかな斜面なので摩擦力はありません。図7-19(a)を見てください。物体に着目して働く力を矢印で描くと，重力 $mg$ と**タッチの定理**より，物体を引いている力 $F$ と，面から垂直抗力 $N$ となりますね。

次に座標軸をとりましょう。糸は上向きに物体を引いているので，斜面に沿って，上向きを正とします。ななめの力を分解します（図7-19(b)）。$x$ 軸方向は $mg\sin\theta$（負の向き），$y$ 軸方向は $mg\cos\theta$（負の向き）ですね。

まずは $x$ 軸方向の運動方程式を立てましょう。上向きが正に注意。

公式 $ma=F$ より，$ma = F - mg\sin\theta$

$$\therefore \quad a = \frac{F - mg\sin\theta}{m}$$

さあ，最後の手順として等加速度運動の公式を適用しましょう。図7-19(c)を見てください。はじめは速さが 0 なので，$v_0 = 0$ としておきましょう。そして加速度 $a$ で距離 $l$ だけ引き上げられた結果，あとの速さを $V$ とします。$V$ を求めましょう。

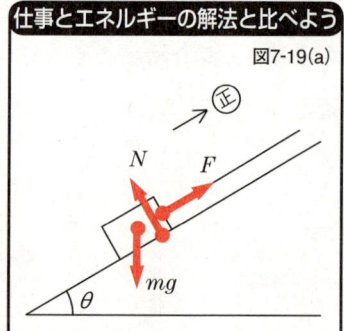

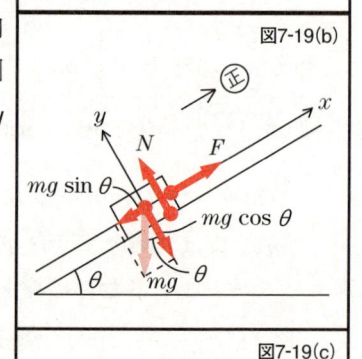

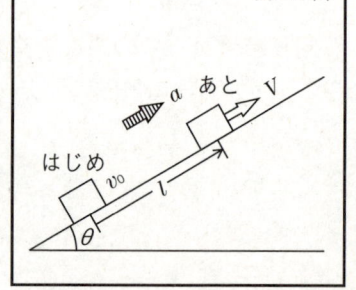

仕事とエネルギーの解法と比べよう

図7-19(a)

図7-19(b)

図7-19(c)

便利な公式を使います。

$\boxed{公式\ v^2 - v_0^2 = 2a(x - x_0)}$ において，
$v = V$, $v_0 = 0$, $x - x_0 = l$ として，

$V^2 - 0 = 2al$

∴ $V = \sqrt{2al}$ (∵ $V \geq 0$)

$a = \dfrac{F - mg\sin\theta}{m}$ を代入。

$V = \sqrt{2l \cdot \dfrac{F - mg\sin\theta}{m}}$ ……… 答え

「力学解法ワンパターン」で解くと，加速度を求めてから，等加速度運動の公式に代入しなくてはいけません。ちょっとメンドウです。では，「**仕事とエネルギー**」で解くとどうなるでしょうか。

### 仕事とエネルギーで解く

**準備** はじめ物体の初速度は 0 でしたが，力 $F$ で引っぱり上げられたので，あとで速さは $V$ になりました。物体の進んだ距離は $l$ です。

**着目!** 運動エネルギーはすぐにわかりますが，位置エネルギーは物体の位置の高低差を見なくてはなりません。図7-20 を見てください。高低差は三角比の計算より，$l\sin\theta$ ですね。位置エネルギーの基準点（0 点）は，どこにとってもよいのですが，図のように，**物体が一番下にいるときの位置を基準点（高さ 0）**とすると計算が簡単になります。

図7-20

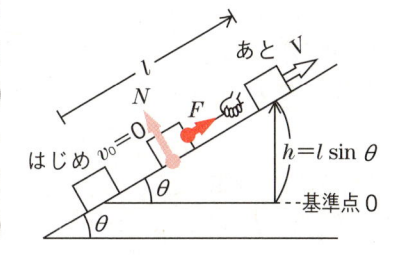

次に，はじめの力学的エネルギー（運動エネルギー＋位置エネルギー）を考えましょう。速さ 0 だから運動エネルギーは 0，高さは基準点（0 点）ですから重力の位置エネルギーも 0。結局はじめの力学的エネルギーは 0 です。途中でされた仕事は $F \cdot l$ ですね（**垂直抗力は移動方向に垂直なので仕事をしない。また，重力がする仕事は位置エネルギーに織り込み済みだから，計算しなくていい**ですよ）。

あとの力学的エネルギーは $\dfrac{1}{2}mV^2 + mgl\sin\theta$ （運動エネルギー＋位置

エネルギー）です。
　よって式は，
$$0 + F \cdot l = \frac{1}{2}mV^2 + mgl\sin\theta$$
$$\therefore V = \sqrt{2l \cdot \frac{F - mg\sin\theta}{m}} \cdots\cdots\cdots \boxed{答え}$$

どうでしょうか？ 「力学解法ワンパターン」と比べるとはるかにカンタンではないですか。**「仕事とエネルギー」による解法の威力**を実感してください。では，第7講はここまでです。

# 第8講

# 力学的エネルギー保存則

力学

**Theme1**
力学的エネルギー保存則

**Theme2**
使えるのはどんなとき？

**Theme3**
力学的エネルギー保存則の応用編

**Theme4**
どの解法を使うべきか？

**問題演習**
力学的エネルギー保存則を使おう！

## 講義のねらい

物体に仕事がなされないときに「力学的エネルギー保存則」が成立する。力学的エネルギー保存則を使えば，3倍速で解ける！

# Theme 1
# 力学的エネルギー保存則

　第7講では「**仕事とエネルギー**」を勉強しました。力学の問題を解くのに非常に便利な解法でしたね。今回は仕事とエネルギーの関係で，「**外力がする仕事が0の場合**」という特別の場合（といっても，**入試では最頻出**）を考えたいと思います。

## Step 1　もし，外力がする仕事 $W$ が 0 なら

　前回の復習になりますが，この仕事とエネルギーの関係式をちょっと見てください。

$$\frac{1}{2}mv_A^2 + mgh_A + W = \frac{1}{2}mv_B^2 + mgh_B$$

はじめの力学的エネルギーに外力による仕事が加わって，あとの力学的エネルギーになる，という式でしたね。

　ここでもし，外力による仕事 $W$ がなかったらどうでしょうか？　はじめとあとの間に仕事がされないという場合です。

　そうすると，はじめの力学的エネルギーとあとの力学的エネルギーが等しいことになります。これが仕事とエネルギーの特別な場合であり，「**力学的エネルギー保存則**」とよばれるものです。力学における非常に重要な法則であるばかりでなく，**入試でも最もよく出題される**のですよ。

## Step 2 （重力以外の）力が物体に仕事をしないとき

たとえば，図のようななめらかな斜面（まっすぐでなくてもよい）上をすべる物体をイメージしてください（図8-1）。

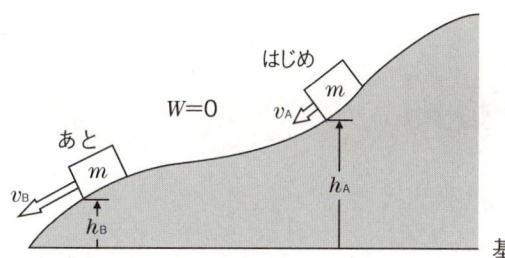

図8-1

**重力のする仕事は位置エネルギーに織り込み済み**でしたね。ですから仕事 $W$ には含まれません（ばねがある場合も同様です）。もし，このとき（重力以外の）力が物体に対して仕事をしない，すなわち $W=0$ だとすると，こんな式ができます。

$$\underbrace{\frac{1}{2}mv_A^2 + mgh_A}_{\text{はじめの全力学的エネルギー}} = \underbrace{\frac{1}{2}mv_B^2 + mgh_B}_{\text{あとの全力学的エネルギー}}$$

はじめの全エネルギーとあとの全エネルギーは変わらないという式です。もちろん，運動エネルギーが増えれば，位置エネルギーが減るという，運動エネルギーと位置エネルギーの互いの割合の増減はありますよ。

これを「**力学的エネルギー保存則**」といいます。問題を解くうえで，大変な威力を発揮する解法ですから，ぜひ覚えてください。

では，どんなときに力学的エネルギー保存則を使うのでしょうか？　もちろん，（重力以外の）力が物体に仕事をしないとき，すなわち，仕事 $W=0$ のときです。しかし，それは外力＝0の場合だけとは限りません。力は存在するが，仕事は0というケースがありましたね（第7講 Theme1 参照）。では，典型的な入試問題から，例をあげてみましょうか。

# Theme 2
# 使えるのはどんなとき？

　重力以外の外力が仕事をしないとき（「力学的エネルギー保存則」が使えるとき）とはどのような場合なのでしょうか？　いくつか例をあげてみましょう。

## Step 1　放物運動

　空中をボールが飛んでいます（図8-2）。放物運動ですね。

　ボールに働く力は，重力だけですね。つまり，重力以外に外力がない（当然 $W=0$）ということです。よってこの場合は当然と言えば当然ですが，力学的エネルギー保存則が使えます。

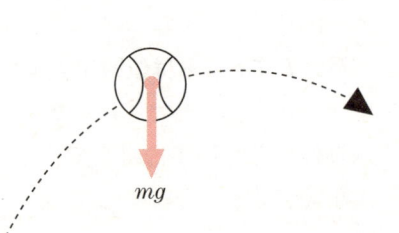

　ここで，簡単な例題をやってみましょう。

図8-2

**【例題】**
図のように地面から高さ $h$ 離れた点からそっとボールをはなしたところ，ボールは落下し，地面に衝突した。鉛直上向きを正とし，ボールが地面についた瞬間の速度を求めよ。
　ただし，重力加速度の大きさを $g$，空気の抵抗は無視できるとする。

図8-3

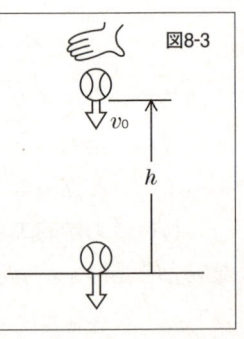

### 橋元流で解く！ 放物運動の公式で解く

　ボールははじめ初速度 $v_0=0$ で落下しはじめます。地面についたときの速度を $V$ としましょう（図8-4）。縦の運動だけなので上向きを正として $y$ 軸だけとりましょう。

図8-4

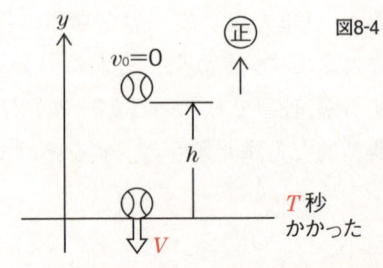

$y$ 軸方向の式を立てます。放物運動の公式より，

$y = -\dfrac{1}{2}gt^2 + h$ （位置の式）… ①

$v_y = -gt$ （速度の式）……… ②

地面にボールがつくまでの時間を $T$ 秒としましょう。地面に落ちたということは $y$ の値は0になります。

①式において，$t=T$ のとき $y=0$ として，

$0 = -\dfrac{1}{2}gT^2 + h$

$\therefore\ T = \sqrt{\dfrac{2h}{g}}$

求めるものは速度 $V$ ですから，②式において，$t=T$ のとき $v_y=V$ として，

$V = -gT = -g\sqrt{\dfrac{2h}{g}} = -\sqrt{2gh}$ ……… 答え

ボールは下向きに落ちているので，$-\sqrt{2gh}$ のマイナスは「速度成分が負になっている」という意味を表しています。「速度はいくらか？」と問われているので，座標軸（この場合は鉛直上向きが正）も考えて $-\sqrt{2gh}$ と答えましょう。また，「速さはいくらか？」と問われれば，絶対値の $\sqrt{2gh}$ でいいんですよ。

このように，放物運動の公式で解いてもいいのですが，力学的エネルギー保存則で解けばもっと速く解けます。やってみましょう。

### 力学的エネルギー保存則で解く

**準備** 図8-5を見てください。まず，はじめの力学的エネルギーの値を出してみましょう。力学的エネルギー＝運動エネルギー＋位置エネルギーですね。はじめの運動エネルギーは0です（初速度が0だから）。次に位置エネルギーを考えるために基準面をとりましょう。基準面を下（地面）にしましょう。基準面はどこを選んでもいいのですが，もし上の方を基準面にすると，下の方の位置エネルギーはマイナスになってしまい，計算間違いが起きやすくなります。

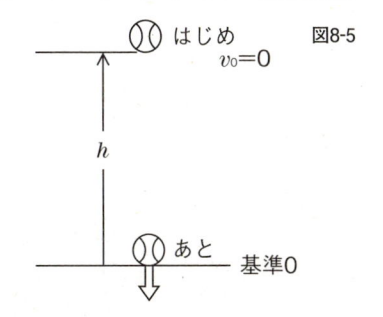

図8-5

そうならないためにも，基準面は下を選ぶのがコツです。

すると位置エネルギーは $mgh$ となるので，はじめの力学的エネルギーは $0+mgh$ ですね。それから，あとの力学的エネルギーは，$\frac{1}{2}mV^2+0$ です（ボールが地面についているから位置エネルギーは０）。

　ここで，$V$ は速度だから負ではないかと心配する人のために，少し補足しておきます。運動エネルギーは常に $\frac{1}{2}mv^2$ という形で出てくるので，$v$ の正，負は問いません（$v$ は向きを持った速度ではなく，常に正の速さだということです）。だから，逆に本問のように速度で答えないといけないときは，式のうえではなく状況をイメージして，正か負を決めなくてはいけません。

さて，そこで力学的エネルギー保存則を書くと，

$0+mgh=\frac{1}{2}mV^2+0$

$mgh=\frac{1}{2}m(V)^2$

速度 $V$ は負なので，

∴　$V=-\sqrt{2gh}$ ……… 答え

簡単でしょ？　もし，この問題が試験場で出たら，キミはどちらの解法を使いますか？　「力学的エネルギー保存則」に決まっていますね。これが力学的エネルギー保存則の威力です。使える場合はまだありますので，見ていきましょう。

## Step 2　なめらかな斜面上の物体

なめらかな斜面上に物体があります（図8-6(a)）。この斜面はまっすぐでなくてもかまいません。なぜ，この状態で力学的エネルギー保存則が使えるのでしょう？

この物体に働く力は，重力 $mg$ と斜面から受ける垂直抗力 $N$ だけです。なめらかな斜面ですから，物体は摩擦力を受けません。垂直抗力は物体

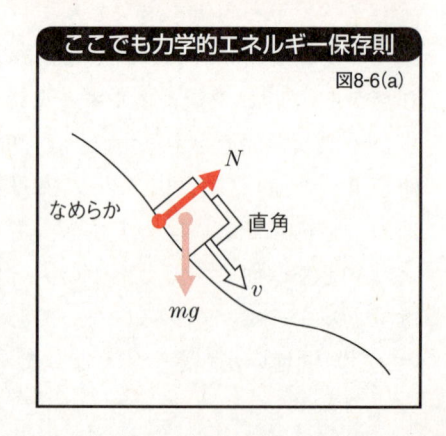

ここでも力学的エネルギー保存則

図8-6(a)

が接する面に対して常に直角に働いています（図8-6(b)）。ですから，仕事をしません。このように，**重力 $mg$ 以外の力である垂直抗力 $N$ が仕事をしない（$W=0$）から，力学的エネルギー保存則が使えるわけです。**「なめらかな斜面 → 力学的エネルギー保存則」と短らく的に覚えるのでなく，「なめらかな斜面 → 摩擦力がなく垂直抗力だけ → 垂直抗力は仕事をしない → だから力学的エネルギー保存則が使えるんだ！」と考えて問題を解いてください。

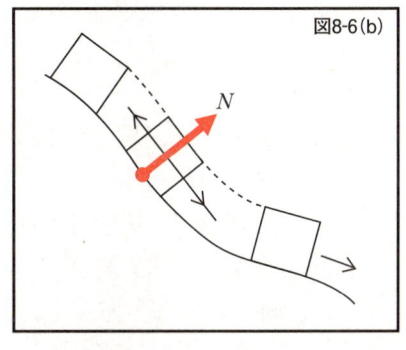

もし，物体に糸などがつながれていたら，糸からの張力が仕事をする場合がありますから，気をつけてくださいね。

## Step 3 円運動

円運動とは，糸につながれた物体がくるくる回ったり，振り子のような運動をする場合です（図8-7(a)）。

この物体に働く（重力以外の）力を考えましょう。タッチしている糸から受ける張力 $T$ だけですね。物体は円弧を描くので，物体の移動する向き（円弧の接線方向）に対して $T$ は常に直角です（図8-7(b)）。ここがポイントですよ。**移動方向に常に直角だから，張力 $T$ は仕事をしない。よって，力学的エネルギー保存則が使えます。**このような円運動の場合もやはり，重力以外の力が仕事をしていませんね。

ではここでもう一度，力学的エネルギー保存則が使える場合をまとめてお

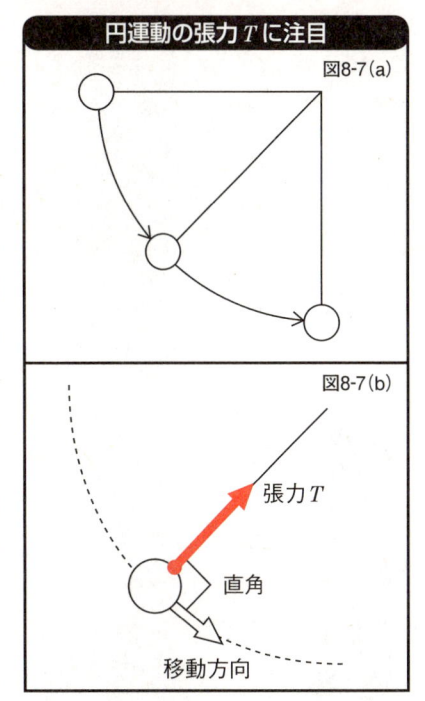

きます。

> **まとめ—13**
>
> **力学的エネルギー保存則を使える場合** ……………
>
> たとえば，
> 　1．放物運動をする物体
> 　2．なめらかな斜面をすべる物体
> 　3．糸につながれて円運動をする物体
> ただし，1，2，3を丸暗記するのではなく，物体にどんな力が働くかを調べ，それらの力が仕事をするか，しないかをチェックすること。

　これでみなさんは力学的エネルギー保存則を使えるようになったはずです。問題もスイスイ解けますよ。問題演習で試してください。

# 問題演習

## 力学的エネルギー保存則を使おう！

**1** 図のように，地上から高さ $h+l$ の点Oに一端を固定された糸の他端に小球を取りつけて，鉛直と60°をなす角で，初速度0ではなす。糸はたるむことなく小球は円弧を描き，点Oの鉛直真下の点Aを通過する瞬間に小球は糸から離れて放物運動をし，地上の点Bに落下した。重力加速度の大きさを $g$ として，

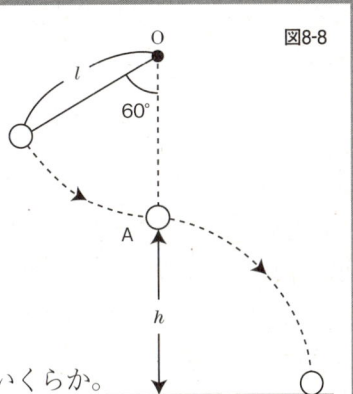

(1) 小球が点Aを通過する瞬間の速さはいくらか。
(2) 小球が地上の点Bに落下する直前の速さはいくらか。

図8-8

### 橋元流で解く！

**準備** 図8-9(a)を見てください。はじめは鉛直と60°をなす位置に物体があります。初速度は0（$v_0=0$）です。そして，小球は振り子の運動をしてA点である速さを持ちます。その速さを $v$，小球の質量を $m$ とします。 **END**

**着目！** はじめの運動エネルギーは0ですね。位置エネルギーを考えます。そのために小球が基準点からどれくらいの高さにあるか，求めなければいけません。**基準点は下をとるのがコツ**でした（図8-9(b)）。A点の高さを0とすると，小球のはじめの高さはどうでしょうか？ 糸の長さが $l$ ですから，三角比の計算より，小球のはじめの高さは，$\frac{1}{2}l$ ですね。ここまでよろしいで

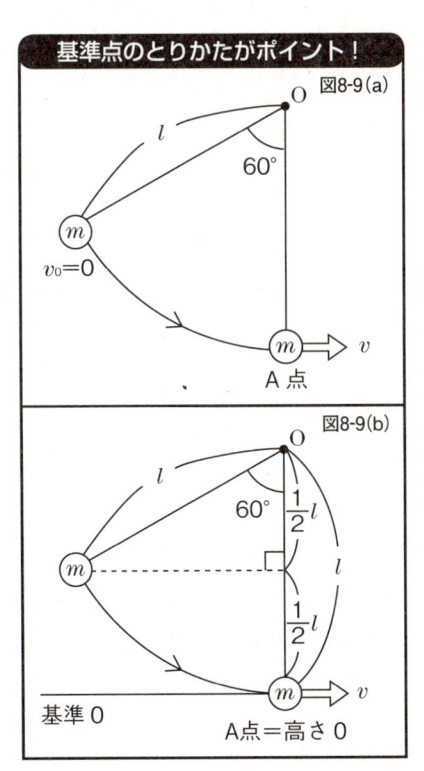

図8-9(a)

図8-9(b)

基準点のとりかたがポイント！

しょうか？

(1) この問題では，Theme2-Step3で見たように力学的エネルギー保存則が使えますから（はじめの運動エネルギー $\frac{1}{2}mv_0^2 = 0$，あとの位置エネルギーも0だから），

$$0 + mg \cdot \frac{l}{2} = \frac{1}{2}mv^2 + 0$$

$$\therefore \quad v = \sqrt{gl} \quad \cdots\cdots\cdots (1)の \boxed{答え}$$

いとも簡単に答えが出てきますね。

(2) 今度は，糸から小球が離れたA点をはじめとしましょう（図8-10）。そして高さ$h$から地上に落下したときの物体の速さを$V$とおきます。

放物運動ですから，この場合ももちろん力学的エネルギー保存則が使えます。B点を位置エネルギーの基準点としましょう。

力学的エネルギー保存則より（あとの位置エネルギーは0），

$$\frac{1}{2}mv^2 + mgh = \frac{1}{2}mV^2 + 0$$

$$\therefore \quad V = \sqrt{v^2 + 2gh}$$

$v = \sqrt{gl}$ を代入して，

$$V = \sqrt{(l + 2h)g} \quad \cdots\cdots\cdots (2)の \boxed{答え}$$

簡単でしょう？

それから，ここでワンポイント！ (2)の問題では，はじめとあとを設定し直しましたが，慣れてくればそんな必要はありません。

ちょっと図8-11を見てください。

**着目！** (1)で物体が円弧を描いてA点まで落ちる間，力学的エネルギーが保存されていました。また，物体が地面に落下する直前までも力学的エネルギー保存はされていますよね。ですから，結局**最初から最後まで力学的エネルギーが保存されている**わけなんです。そこで最初の力学的エネルギー（位置エネルギーのみ）

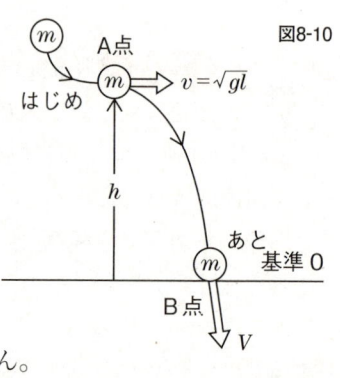

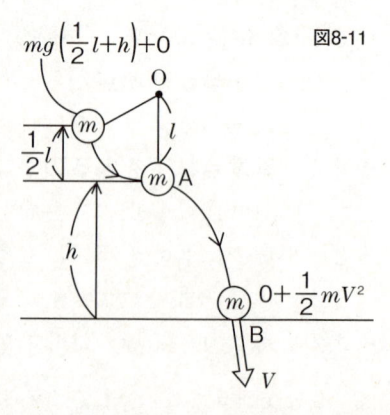

と地面に達したときの力学的エネルギー（運動エネルギーのみ）は等しいという式を立てることができます。

$$mg(\frac{1}{2}l+h) = \frac{1}{2}mV^2$$

この式から答えを求めればいいのです。速く解けるでしょう？　(2)は放物運動の問題ですから，放物運動の公式で解くこともできます。余裕のある方は挑戦してみてください。以下に考えかただけ示しておきます。

### 橋元流で解く！　放物運動の公式で解く

図8-12を見てください。はじめに物体は水平方向に速度 $v$ で動きます。放物運動では水平方向の速度は変わりませんので，物体が地面に落ちる直前まで，等速度運動をしつづけます（速度成分は $v$ のまま）。一方，$y$ 軸方向の運動は，初速度0からずっとまっすぐに落ちている場合（等加速度運動）と同じです。$y$ 軸方向の速度を $v_y$ とします。この2つの速度をベクトルとして合成した $V$ を求めればいいのです。

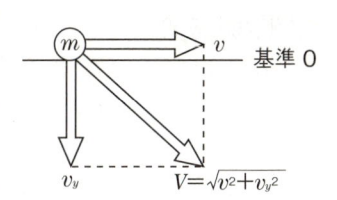

図8-12

三平方の定理の計算から，

$$V = \sqrt{v^2 + v_y^2}$$

このつづきは放物運動の公式を用います。でも，めんどうですね。こんな苦労をしなくても簡単に解けてしまうのが力学的エネルギー保存則の威力なんです。

では，次の問題に行ってみましょう。

## ❷

なめらかな定滑車に糸を介して質量 $M$ の小物体 A と質量 $m$ の小物体 B がつり下げられている。最初 B は水平な床面に，A は床面から高さ $h$ の位置にあり，そこから A は床に向かって落ちはじめた。重力加速度の大きさを $g$ としたとき，A が床に落下した瞬間の B の速さはいくらか。

図8-13

力学的エネルギー保存則を勉強したキミ。どんどん使おうとしますね。そういう積極性はいいと思いますが，力学的エネルギー保存則には落とし穴があるんです。落とし穴にはまったA君の解答です。

### A君の解答

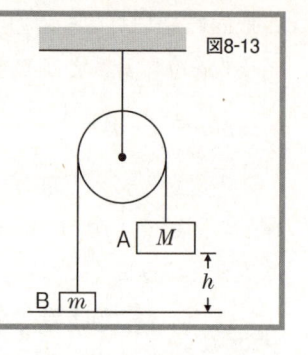

図8-14

A君の失敗

図8-14を見て，まず A に着目です。A の質量は $M$，高さ $h$。床に落下したときの速さを $V$ としましょう（問題では B の速さを問われていますが，B の速さは A の速さと同じですね）。

「これは力学的エネルギー保存則で解ける！」（…と言ってしまったら落とし穴にはまります。）

力学的エネルギー保存則より，$Mgh = \dfrac{1}{2}MV^2$

∴ $V = \sqrt{2gh}$ ……… 誤答

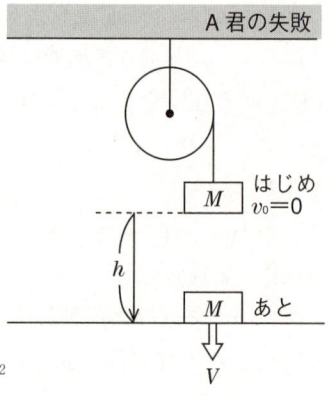

これが落とし穴にはまったA君の答えです。「この問題は力学的エネルギー保存則一発でできたよ。簡単だった」とA君。でもこれは大マチガイ。0点です。なぜ，こういうことになるのか？ 力学的エネルギー保存則が使えるのはどういうときだったか，改めてカクニンです。

### ハッシー君の解答

**橋元流で解く！**

力学的エネルギー保存則が使えるのは「重力以外に物体に働く力が仕事をしないとき」でしたね。この物体 A に働く力は何なのか考えながら，もう一度解いてみましょう。

**着目!** 図8-15(a)を見て，物体 A に働く力を考えます。まずは重力 $Mg$，そしてタッチの定理で糸の張力 $T$。

ここで先ほどの円運動や放物運動では，なぜ力学的エネルギー保存則を使えたかを再確認してください。「**重力以外の力が仕事をしない**」がポイントでしたね。しかし，この問題では物体 A は下に落ちるのに対して，糸の張力が上向きに働いています。つまり，糸の張力 $T$ はマイナスの仕事をしています。糸の張力 $T$ は仕事をしているのです！　よって，力学的エネルギー保存則は使えません！

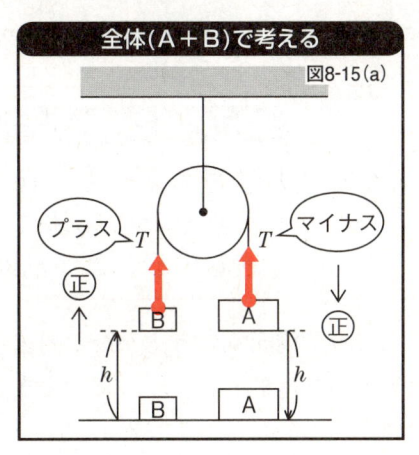

**全体(A＋B)で考える** 図8-15(a)

ということでみなさんは，ここで力学解法ワンパターンを使おうとするかもしれません（実際，この問題は第3講でそのようにして解きました）。しかし，ちょっと待ってください。少し工夫をすれば，力学的エネルギー保存則が使えるんですよ。

**準備** 発想を変えて，A と B 全体に $T$ がどれだけ仕事をしているか調べてみましょう。

A が糸から受ける仕事＝$-Th$（マイナスの向きに仕事をしている）

B が糸から受ける仕事＝$Th$　（同じ糸だから同じ張力 $T$。B は床から上に上がる運動をするからプラスの向きに仕事をする）

この両方の仕事を足しましょう。

$$
\begin{array}{r}
\text{A が糸から受ける仕事} = -Th \\
+)\ \text{B が糸から受ける仕事} = Th \\
\hline
\text{A＋B が糸から受ける仕事} = 0
\end{array}
$$

どうですか？　A＋B を考えれば，（重力以外の力である）張力がする**仕事が 0 になりました**。

うまい具合に，A＋Bで力学的エネルギー保存則が使えるんですね。

> **橋元流●力学的エネルギー保存則の考えかた**
>
> 力学的エネルギー保存則を使いたいときは，着目するそれぞれの物体に，どんな仕事がされているのかを確認することが鉄則

では，橋元流の考えかたで問題を解いてみます。A＋Bで考えます。

図8-15(b)を見てください。

はじめ，A，Bともに止まっていますから，運動エネルギーはどちらも0。位置エネルギーはどうかといえば，Bは基準面（高さ0）にいるので0，Aは高さ$h$にいるので$Mgh$の位置エネルギーを持っています。

このあと，Aは落下，Bは上昇し，図8-15(c)の，あとの状態になります。このとき，AとBは当然同じ速さですから，それを$V$とすれば，Aは$\frac{1}{2}MV^2$，Bは$\frac{1}{2}mV^2$の運動エネルギーを持つことになります。位置エネルギーは，Aが0で，Bが高さ$h$にあって$mgh$ということになります。

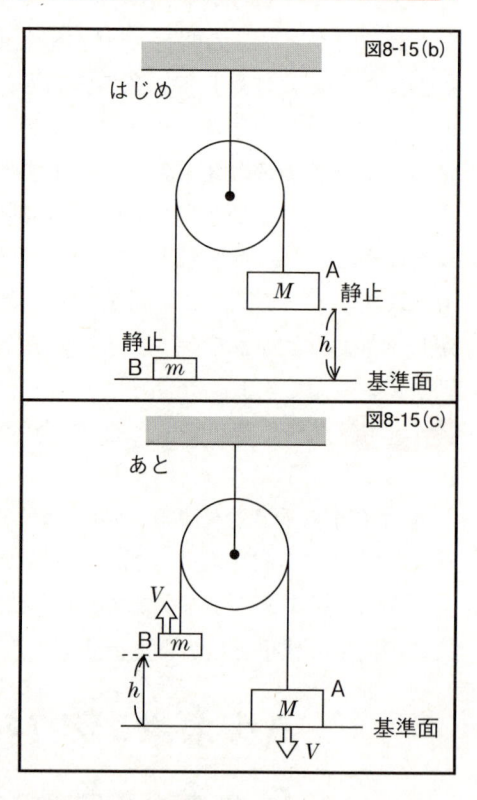

以上のことから，A＋B全体の力学的エネルギー保存則を書けば，次のようになるでしょう。

$$\underbrace{0+Mgh}_{A}+\underbrace{0+0}_{B}=\underbrace{\frac{1}{2}MV^2+0}_{A}+\underbrace{\frac{1}{2}mV^2+mgh}_{B}$$

　　　　　はじめの　　　　　　　　　あとの
　　　　全力学的エネルギー　　　　全力学的エネルギー

$Mgh = \dfrac{1}{2}MV^2 + \dfrac{1}{2}mV^2 + mgh$

$\dfrac{1}{2}(M+m)V^2 = (M-m)gh$

∴　$V = \sqrt{\dfrac{2(M-m)gh}{M+m}}$ ……… 答え

　A＋B全体を見て解くというところがポイントですね。ややこしい計算をする解法ワンパターンよりも，ずーっとラクでしょう。寝ながら（？）でも解けますね。それでは，次に行ってみたいと思います。

## ❸

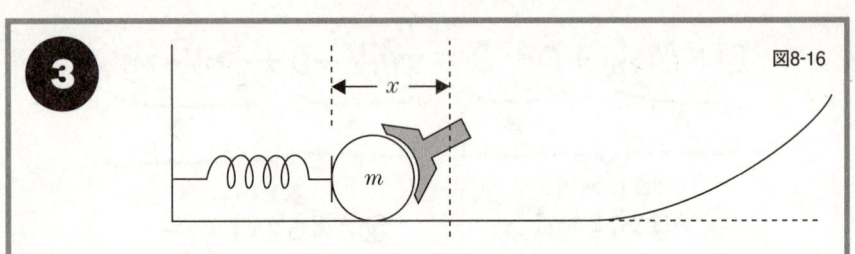

図8-16

図のように，なめらかな水平面上に質量 $m$ の小球があり，自然長から $x$ だけ縮んだつるまきばねに接して静止するように押さえられている。水平面の先にはなめらかな曲線をなす斜面がつながっている。今，小球の押さえを静かにはなすとばねが伸びて小球は動き出した。つるまきばねのばね定数を $k$，重力加速度の大きさを $g$ として以下の問に答えよ。
(1) ばねから離れたときの小球の速さはいくらか。
(2) 小球は斜面をどれだけの高さまで昇るか。

　いよいよ，ばねの問題が出ました。振動しているばねの運動（単振動）の問題は「物理」の範囲ですが，「物理基礎」でも，ばねの位置エネルギーやばねの力そのものは出題される可能性があります。

**橋元流で解く！**　(1)　**準備**　「**静かにはなす**」というところに下線を引いてください。そっとはなすということは，一瞬小球は止まっているということですね。つまり「**初速度 0 ではなす**」という意味です。

　はじめ，ばねは自然長から $x$ だけ押し縮められています（図8-17(a)）。このときのばねの位置エネルギーは，$\frac{1}{2}kx^2$ ですね。【⇒P.136】
そして初速度は 0 なので，はじめの状況でこの物体が持つ力学的エネルギーは $\frac{1}{2}kx^2$ です（水平面を基準面（高さ 0）としておけば，重力の位置エネルギーは 0 です）。

　問題は，この物体がばねから離れたときです。この物体がずーっと押されて，どこでばねと離れるのかを

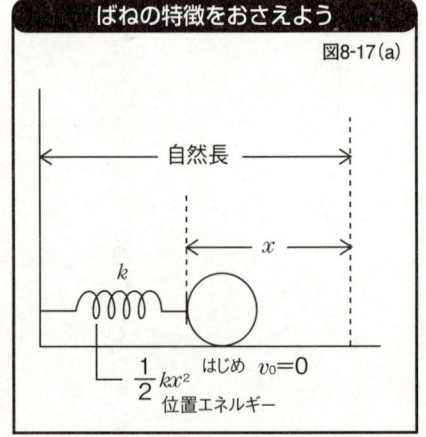

### ばねの特徴をおさえよう

図8-17(a)

自然長

$k$

$x$

はじめ $v_0=0$

$\frac{1}{2}kx^2$ 位置エネルギー

考えましょう。次のように考えればいいでしょう。図8-18を見てください。

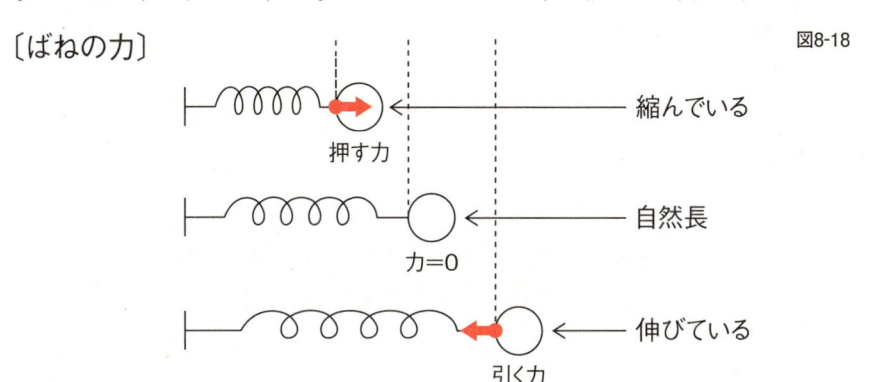

〔ばねの力〕

図8-18

縮んでいる
押す力

自然長
力＝0

伸びている
引く力

　物体がばねと結ばれているとします。このとき，一番上の図のように，ばねが自然長より縮んでいれば，ばねは物体を右に押します。二番目の図のように，自然長の位置にばねが戻ると力は0です。さらに一番下の図のように，ばねが伸びると，ばねは伸びた分だけ戻そうと左に引く力が働きます。ところが問題3では，物体自体はばねに結ばれていないのですから，ばねが物体を引くことはできません。いったん離れたら離れっぱなしのはずです。

　つまり，自然長でばねの力が0になるとき，この物体はばねにくっついているか，離れているのか（タッチしているか，していないか）の境目になるわけです。自然長からさらに伸びると，物体はばねから外れて，スーッと転がっていきます。

END

　ということで，**小球は自然長でばねから離れます**（図8-17(b)）。このときの小球の速さを$v$とします。はじめの力学的エネルギーは，ばねの位置エネルギーのみで$\frac{1}{2}kx^2$です。あとの力学的エネルギーは，運動エネルギーは$\frac{1}{2}mv^2$ですが，ばねの位置エネルギーは自然長が基準になりますから，0ですね（ばねの伸びが0ですからね）。

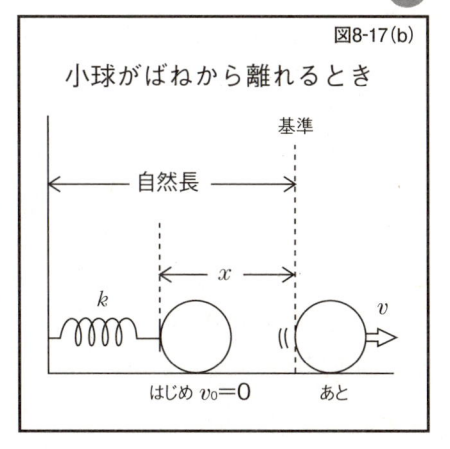

図8-17(b)

小球がばねから離れるとき

基準
自然長
$x$
$k$
$v$
はじめ $v_0=0$
あと

そこで**力学的エネルギー保存則**より,
$$\frac{1}{2}kx^2 = \frac{1}{2}mv^2$$
$$\therefore v = \sqrt{\frac{k}{m}}x \quad \cdots\cdots (1)の\;\boxed{答え}$$

(2) 小球がばねから離れたときをはじめとし,小球が斜面の最高点まで達した瞬間の水平面からの高さを $h$ とします(図8-19)。

この設問では,もはやばねの位置エネルギーは登場しません。かわりに,重力の位置エネルギーを考えることになりますね。

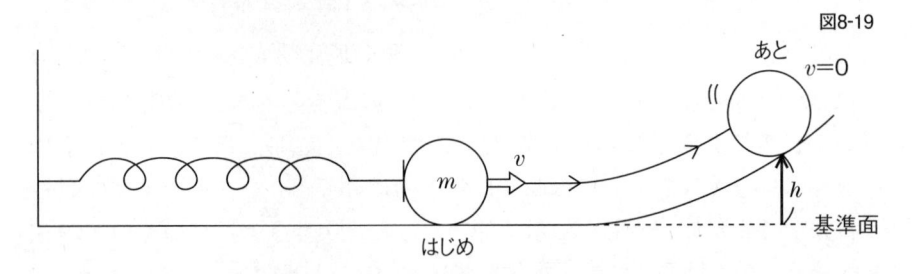

図8-19

小球は昇りながら,だんだん遅くなって,**最高点で一瞬止まりますから**,そのときの速さは0ということになるでしょう。もちろん,なめらかな斜面ですから,摩擦力はなく,垂直抗力は仕事をしませんね。はじめとあとで**力学的エネルギー保存則**が使えます。一番下(水平面)を重力の位置エネルギーの基準面として,力学的エネルギー保存則を書けば(はじめの重力の位置エネルギーは0,あとの運動エネルギーは0です),

$$\frac{1}{2}mv^2 + 0 = 0 + mgh$$
$$\therefore h = \frac{v^2}{2g}$$

$v = \sqrt{\dfrac{k}{m}}x$ を代入して,

$$h = \frac{kx^2}{2mg} \quad \cdots\cdots (2)の\;\boxed{答え}$$

この設問は,問題演習1と同様,ばねが縮んだ(1)のはじめの状態と,(2)のあとの状態とで力学的エネルギーが保存している,という式を立てれば,もっと簡単に解けますよ。

# Theme 3
# 力学的エネルギー保存則の応用編

ここまでくれば力学的エネルギー保存則も，もう卒業です。

ここからは，少しレベルの高い応用編です。といっても，基本をおさえておけば，難しくはありません。ぜひチャレンジしてください。

## Step 1 垂直抗力は仕事をしないとは限らない

物体 A の斜面上に物体 B があります（図8-20(a)）。もし，A が固定されていたら，垂直抗力は物体の移動方向に直角に働くので，仕事をしないことはすでに見たとおりで，力学的エネルギー保存則が使えるでしょう。ところが，図のように下の斜面に車輪がついていて，ゴロゴロと動くという場合はどうでしょうか？ こういう場合は物体 B の力学的エネルギーは保存しません。なぜでしょう？

**着目!** 作用・反作用で A は B から力 $N$ を受けます。床がなめらかであれば，A は右側にスーッと動くでしょう。そうすると，B は，動いている A の斜面をすべるので，赤い矢印のような運動をすることになります。

よって，垂直抗力 $N$ は物体 B の移動方向に対して直角ではなくなり，(負の)仕事をすることになります。おわかりいただけましたか？ だから，物体 B には力学的エネルギー保存力が使えないのです。A の方も同じように，B からの垂直抗力によって仕事をされますから，力学的エネルギーは保存しま

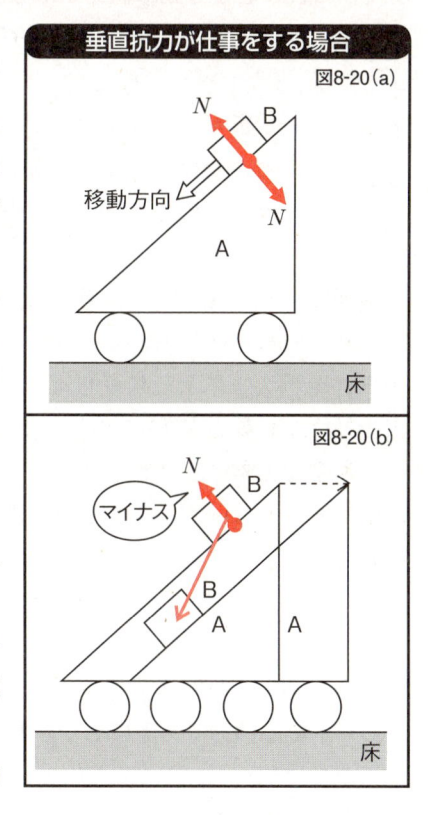

せん。

こういう問題は，結論から言いますと，A＋B全体を見るとさっきの滑車の問題と同じように，全体の力学的エネルギー保存則は使えるのです。もう1つの例をあげてみましょう。

## Step 2 正の仕事をする動摩擦力

前講で，動摩擦力はマイナスの仕事をするとお話をしましたね。ところが，**プラスの仕事をする動摩擦力がある**んです。紹介しておきましょう。

図8-21(a)を見てください。ある瞬間に物体AをカナヅチでたたBき，初速度を与えたとします。このときにA，Bそれぞれにどんな摩擦力が働くか考えてみましょう（下の床の面との摩擦力は考えないとします）。

**着目！** まずAはBに対して右にすべりますね（図8-21(b)）。ですからBから動摩擦力$\mu N$を左に受けます。逆にBはAに対して左にすべりますから，動摩擦力$\mu N$を先ほどの反対（右）に受けます。よってBはAと一緒に右向きに動きます。

このとき，Aに働く動摩擦力はこれまで学んできたようにマイナスの仕事をします。ところがBを見てください。Bを動かしている動摩擦力は，移動方向と同じではありませんか！ すなわち，**動摩擦力であるにもかかわらず，正の仕事をする**のです！

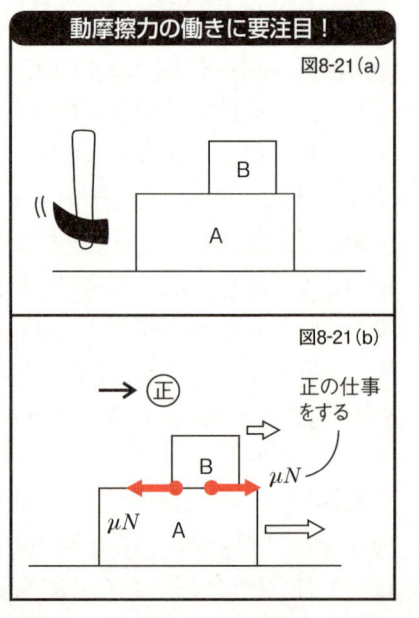

ここで作用・反作用の法則より，同じ大きさの摩擦力がそれぞれマイナスとプラスの仕事をしていることに気づきます。すると，A＋B全体で力学的エネルギー保存則が使えそうですが，この場合，力学的エネルギー保存はしないんです。なぜなら，**摩擦力は「熱エネルギー」に変わる**からです（手をこすると熱くなるでしょう？ それが熱エネルギーです）。ですから，動

摩擦力が働いている場合には，決して力学的エネルギーは保存しません。

しかし，図8-21(b)を見る限り，AとBに働く動摩擦力はマイナスとプラスで合計仕事0となるように見えます。不思議ですね。ちょっとそのナゾを解いてみましょう。

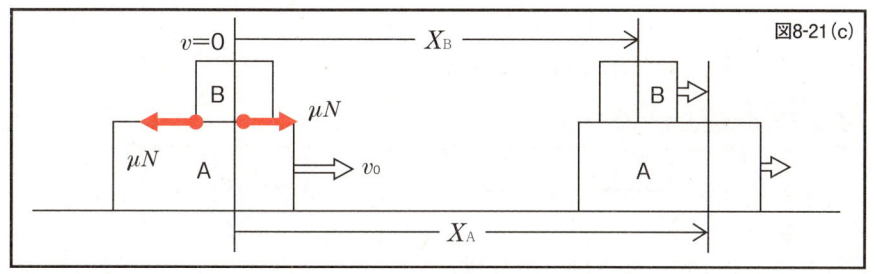

図8-21(c)

物体Aはカナヅチでたたかれ，初速度$v_0$で動きます。それに対し，Bは最初は動かず，初速度$v=0$です。Aの方が先に右に進み，Bはそれに引きずられるように右に動いていくわけです（図8-21(c)）。

そうすると，Bは最初，A上のまえ（右）の方にあっても，Aが先に動くから，しばらくすると，A上のうしろ（左）の方に移動するでしょう。そこで，AとBが進んだ距離を考えてみます。Aの進んだ距離$X_A$は，Bの進んだ距離$X_B$より長いですね。BはAほど進んでいませんね。この距離の差がポイントなんです。

さて，そこでA, Bそれぞれが動摩擦力によってされた仕事を見てみます。

$$\text{Aが摩擦力によってされた仕事} = -\mu N \times X_A$$

$$\text{Bが摩擦力によってされた仕事} = \mu N \times X_B$$

これを合計してみると，

$$-\mu N(X_A - X_B)$$

$X_A$は$X_B$よりも距離が長いので，$X_A - X_B$は正の値です。すると，$-\mu N(X_A - X_B)$は負の値になります。ですから，動摩擦力のする仕事はトータルで負になります。この差はどこに消えたかというと，「**熱エネルギー**」になったのです。力学的エネルギーが保存しないとき，この動摩擦力のマイナスの仕事は「熱エネルギー」となって逃げていくわけです。

## Theme 4

# どの解法を使うべきか？

　仕事とエネルギー，およびその特別の場合である**力学的エネルギー保存則**まで学んだところで，「物理基礎」の力学の問題に対して，どの解法を使うべきか，その見分けかたについてお話ししましょう。

### どの解法を使うべきか？

```
時間を求める？ ──Yes──→ 橋元流・力学解法ワンパターン（第3講）
      │ No
      ↓
力学的エネルギー保存則（第8講）
      │ No
      ↓
仕事とエネルギーの関係式（第7講）
```

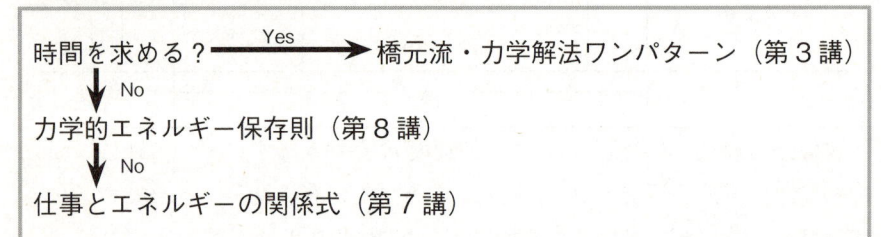

　便利な「**力学的エネルギー保存則**」にも弱点があるんです。それは**時間を求めることができない**ことです（仕事とエネルギーの関係式には，時間 $t$ が入っていません）。時間を求めるときは，「**力学解法ワンパターン**」を使いましょう。

　あとは力学的エネルギー保存則が使えるかどうか，慎重に考え，そしてダメならばあきらめずに，第7講でやった「**仕事とエネルギーの関係式**」を立てればいいのです。

　では，第8講はここまでにします。

# 第9講

# 熱と温度

熱

---

**Theme1**
熱と温度

**Theme2**
$-273℃$で何が起こる??

**問題演習**
エネルギー保存則の考えかたを生かそう！

## 講義のねらい

「熱」と「温度」の正体は分子の運動エネルギーだ！ 分子の運動エネルギーの合計が，その物質が持っている「熱」であり，各分子の平均の運動エネルギー，すなわち各分子の運動の激しさが「温度」である。

# Theme 1
## 熱と温度

　ここからは熱や温度について勉強していきます。この分野は「熱力学」とよばれますが，その名前からもわかるように，「力学」と関係しています。熱現象は力学の言葉で全て説明できるんですよ。

　ところで，「熱があるなあ…学校休もうかぁ…」と言うとき，キミが言っている「熱」とは，体温のことですね。そうすると，キミは「熱」と「温度」を，同じような意味で使っていることになります。しかし，「熱」と「温度」は本当に同じものなのでしょうか？

### Step 1　どちらが熱をたくさん持っているか

　図9-1を見てください。40℃のお湯が入ったコップと，90℃のお湯が入ったコップがあります。90℃の熱湯の方が熱をたくさん持っていることは一目瞭然です。

　では，図9-2(a)を見てください。大きな湯船に40℃のお湯がいっぱい入っています。かたや，小さなコップに90℃の熱湯が入っています。どちらがよりたくさんの熱を持っているでしょうか？

　温度が高いからコップの方がより熱を持っているように見えますね。しかし，コップの熱湯を湯船に移したらどうでしょうか？　湯船の中の温度はあまり変化しないでしょう（図9-2(b)）。

　どうやら，コップ一杯の熱湯は湯船のお湯ほど，熱を持っていないようですね。

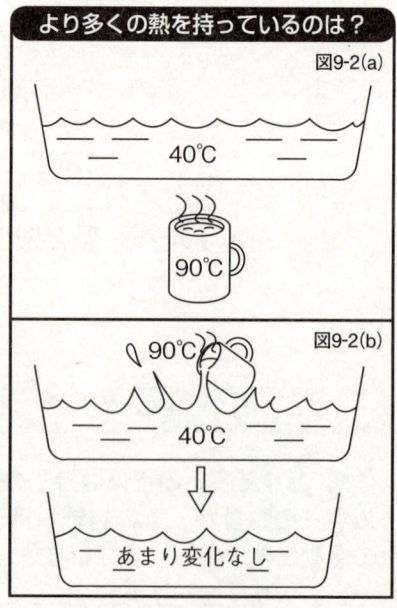

よって，このことから，熱（熱量）は，物質の量が多ければ多いけれど，温度は物質の多い，少ないによらないということがわかります。もちろん，物質の量が同じであれば，温度が高い方が熱量をたくさん持っていることは明らかです。まとめて，次のことが言えます。

### まとめ―14
### 温度と熱量の違い
- 温度：ものの量によらない。
- 熱量：ものの量に比例する（ものの量が多ければ，熱量も多い）。
  ものの温度に比例する（ものの温度が高ければ，熱量も多い）。

## Step 2　熱と温度と比熱

　図9-3を見てください。コップの中に温度20℃，100gの水が入っています。このとき，コップの水が持っている熱量について考えてみましょう。

20℃
100g

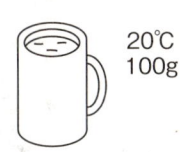

図9-3

　水の温度が上がっていくと，熱量は増えるでしょう。また，水の量が増えても，熱量は増えるでしょう。そこで，量を細かく刻んで，水1gが1℃あたりに持つ熱量をまず，決めましょう。そうすれば，100gのときはその100倍，20℃のときはその20倍の熱量だと考えることができますね。そこで，

### 水1gが1℃あたり持つ熱量を1calと決める。

　[cal]（カロリー）はみなさん，おなじみですね。しかし，最近物理では[cal]という単位は使わないんです。話をわかりやすくするために，紹介したんですが，知っておいて損はありません。今はどういう単位を使うことになっているのかは，あとで述べます。

　このように決めると，20℃，100gの水が持っている熱量は，
　　20×100＝2000〔cal〕
ということになります（正確には，「0℃の水を基準にして」ということですが，今はあまり気にする必要はありません）。

ところで，水以外の物質の熱量はどうでしょうか？　たとえば，大変天気のよい日に100gの水と一緒に，100gの鉄板を外に出しておきます（図9-4）。この場合は鉄板の方が早く熱くなりますね。また冷めやすいでしょう。

図9-4

つまり，鉄は水よりも熱しやすく冷めやすい。言いかえると，同じ100gでも，1℃温度を上げるのに鉄は水より少ない熱量ですむ。ということは，鉄の方が全体で持っている熱量が水より少ないということになります。人間でも器（うつわ）の大きい人はあまり，カーッとなりませんね。逆に器の小さい人はカーッとなりやすい。結局同じ1g，1℃でも持っている熱量は物質によって違うということです。

このことと，物質の持つ熱量は「物質の量が多いほど多い」，「温度が高いほど多い」をあわせて公式に表してみます。

$$Q = mct$$

物質が持つ熱量　　質量〔g〕　温度〔℃〕

$Q$は熱量〔cal〕，$m$は質量〔g〕，$t$は温度〔℃〕です。熱量は物質によって異なりますから，比例定数を設け，$c$としましょう（$c$が$m$と$t$の間に入っているのは，習慣的なことで別に意味はありません）。水は1g，1℃で1calとわかりやすいですね。つまり，水の場合，この公式における$c$は1です。それに対して，たとえば鉄の場合，$c$は約0.1となります。「水に比べてほかの物質は？」と考えることから，$c$をその物質の「比熱」とよびます。

> **まとめ—15**
>
> **熱量のポイント**
> ・水1gが1℃あたり持つ熱量を1calと決める。
> ・1g，1℃あたり持つ熱量は物質によって異なる。
> ・物質の持つ熱量の公式：$Q = mct$

(教科書には、温度の単位として、〔℃〕ではなく〔K〕（ケルビン）が使われていますが、それについては後ほど述べます。また、教科書では $\Delta Q = mc\Delta t$ を公式としていますが、本書では厳密性よりわかりやすさを優先して、$Q = mct$ としました。)

さあ、これで熱量のことがわかってもらえたと思います。しかし、まだ熱と温度の関係には、わからない点があります。

## Step 3 熱と温度の正体

図9-5を見てください。90℃の熱湯と20℃の水の入った2つのコップがありますが、90℃のお湯と20℃の水では、いったい何が違うのでしょう？ 昔は、熱い物質には熱素というものが含まれていると信じられていたのですが、90℃でも20℃でも水は水であって、熱素などというものが余計にあるわけではありません。つまりどちらも水の分子からできていることに変わりはないわけです。

では、熱の正体は何か。水の分子が見えるくらい小さくなって、コップの中に入ってみましょう。どちらのコップでも、水の分子は激しく運動していて、決して止まることはありません。互いに衝突しあいながら、右へ行ったり左へ行ったり、でたらめな運動をしています（図9-6(a)(b)）。しかしよく見ると、90℃のお湯の分子の方が、20℃の水の分子より、より激しく運動していることがわかります。

つまり、**温度が高いとは、分子の運動が激しい**ということなのです。力学で

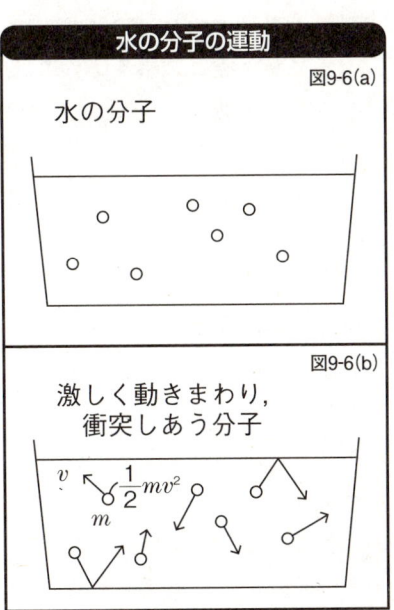

勉強したように、ものが動けば$\frac{1}{2}mv^2$という運動エネルギーを持ちますね。1個の分子の質量は非常に小さなものですから、1個の分子が持つ運動エネルギーは、われわれの感覚からいうと微々たるものですが、そうした分子が1兆の1兆倍くらい集まると（コップの中にはそれくらいの数の分子が入っています）、われわれはそれを「熱い」というふうに感じるのです。

つまり、物質が持っている熱量（熱エネルギー）とは、でたらめな方向にぶつかりあいながら運動している分子の運動エネルギーの合計ということです。1個1個の分子は運動していますが、方向がでたらめなため、物質全体としては、動いているようには見えません。そこでこのような**熱エネルギーとしての分子の運動エネルギーの合計のことを、その物質が持つ内部エネルギー**とよぶのです。

熱量：物質の分子が持っている
　　　運動エネルギーの合計
　　　　　↓
　　　熱エネルギー
　　　（内部エネルギー）

### 摩擦から熱エネルギーを探る

ここでちょっと、第4講の摩擦力を思い出してください。

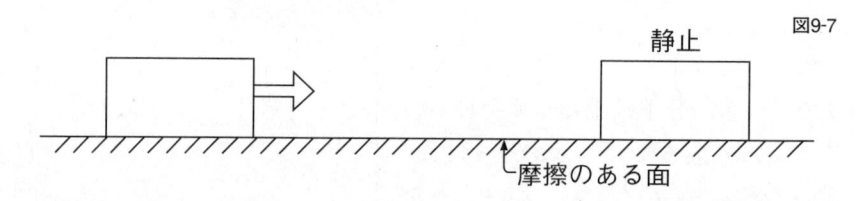

図9-7

静止

摩擦のある面

摩擦のある面では、すべっていく物体はやがて止まり、運動エネルギーを失います（図9-7）。では、その失われた運動エネルギーはどこへ行くのでしょうか？　それは、面上を構成している分子へと伝わって、乱雑に激しく動きまわる運動エネルギーになるのです。ですから、ものをこするとその表面が熱くなるんですよ。

これはまさしく、物体の力学的エネルギーが面との摩擦によって、熱エネルギーに変化した例ですね。

### 温度って何？

それでは，温度とは何なのでしょうか？

温度は，分子の数とは関係ありません。運動エネルギーの合計ではなく，1個の分子が持っているエネルギーが関係しているんです。分子によっては動きが速いものもあるし，遅いものもあるので，温度は次のように定義します。

温度：物質の分子が持っている平均の運動エネルギー

> **まとめ—16**
>
> **熱量と温度の定義**
> ・熱量〔J〕：物質の分子が持っている運動エネルギーの合計
> ・温度〔K〕：物質の分子が持っている平均の運動エネルギー
> 〔K〕については，次のThemeで説明します。）

このように考えればいいでしょう。1つ1つの分子が持つ平均の運動エネルギーに，分子の個数をかけると全体の熱エネルギーが出てくるわけです。しかし，平均の運動エネルギーと言われても，ぴんとこないかもしれませんね。温度については，次のThemeでもう少し深く探ってみましょう。

# Theme 2
# －273℃で何が起こる？？

　昔，シャルルという人が，容器に気体を閉じ込めていろんな実験をしました。その結果，温度が上がると気体は膨張し，温度が下がれば気体は収縮するということを発見したのです。餅をレンジに入れて暖めると膨れますし，冷えると膨らみは逆に縮みますから，そんなことは常識だと言えますが，シャルルはそれを厳密におこなって，とんでもないことを発見したのです。それは，「もし気体を－273℃まで冷やすと，気体の体積は0になる」ということです。

## Step 1 －273℃まで温度を下げると…

　これはどう理解したらいいのでしょう？　一見，とんでもないことのように思えますが，実は熱の正体が分子の運動エネルギーだという考えかたに立てば，難なく理解できるのです。

　気体の温度を下げるということは，分子の運動をゆっくりにしていくということです。今，図9-8のように，自由に動けるピストンのついたシリンダー容器に気体を閉じ込め，ピストンの右側には常温の空気があるとします。空気もまた，分子でできていますから，ピストンは右の空気の分子と左の気体の分子の両方から衝突されて，その力のつりあいでじっとしています。ここで，左の気体の温度を下げれば，気体の分子はゆっくり動くようになり，それだけピストンに衝突する回数が減ります。そこで，ピストンに働く力のつりあいが崩れて，ピストンは空気の分子に押されて左へ動くでしょう。つまり，気体の体積が収縮します。

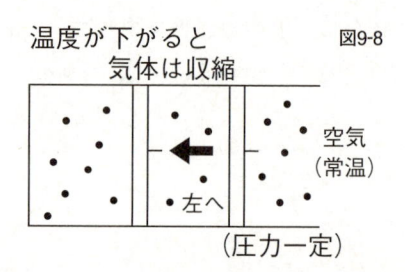

　ところで，どんどん左の気体の温度を下げていく，すなわち分子の運動を遅くしていくと，最後には気体は止まってしまい，ピストンに衝突できなくなります。このとき，ピストンに働く力は右側の空気だけになってしまい，

左の気体はぺしゃんこになるでしょう。つまり、体積0です。
　ということは、**−273℃という温度は、気体の分子が止まってしまい運動エネルギーが0となる温度**なのです。言いかえると、分子が止まってしまえば、それ以上、分子を遅くできませんから、それ以下の温度はない、ということです。「どんどん冷やせばいい。−1000℃にだってしようと思えばできる」などと言うのは、温度が何であるかをわかっていない議論です。**−273℃より低い温度は、この世には存在しないのです。**

> **絶対温度**

　そこで、−273℃を基準すなわち0として、温度を決めようという考えかたが生まれます。これこそが、絶対温度なのです。

分子の運動エネルギーが0となる−273℃が ⇒ 絶対0度

　絶対温度の単位は〔K〕と書いて、ケルビンと読みます。
　図9-9を見てください。まったく同じ温度計が2つあります。左の温度計の目盛りは摂氏です。右の温度計の目盛りは絶対温度です。摂氏の温度計に注目してください。上の方を0℃としましょう。下は−273℃です。絶対温度計では、この−273℃を0度とし、これを

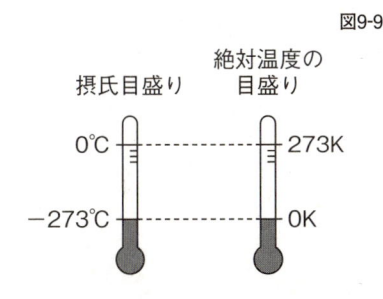

図9-9

摂氏目盛り　絶対温度の目盛り

0℃ ─── 273K

−273℃ ─── 0K

0Kと表します。そうすると摂氏0℃が273Kとなります。こんなふうにして、絶対温度を考えていきましょう。

## Step 2　ジュールとカロリー

　さて、〔cal〕という単位がありましたね。先ほど水1gが1℃あたり持っている熱量を1calとしましたが、これを同じくエネルギーの単位である〔J〕におきかえると、どうなるのでしょうか？　実は、

$$1\,[\mathrm{cal}] = 4.2\,[\mathrm{J}]$$

となります（正確には、およそ4.2〔J〕）。先ほどは、〔cal〕で考えて水の比

熱$c$を1としましたが、物理では〔cal〕を使わず〔J〕で表していこうと決めています。そこで水の比熱を〔J〕で表すと、約4.2となるのです。

　次に〔K〕について考えましょう。〔K〕は温度の単位であり、分子1個1個が持っている平均の運動エネルギー$\frac{1}{2}mv^2$を表します。運動エネルギーなんだから、当然〔J〕で表せます。しかし、分子1個を考えるわけですから、〔J〕だと大変小さな値になってしまいます。そこで、われわれが普段使えるような〔K〕で表すことにしたんです。要するに、全てエネルギーなんだということがわかってもらえれば、結構です。

## 問題演習

## エネルギー保存則の考えかたを生かそう！

**1** 断熱材で作られた容器の中に20℃の水400gが入っている。この中に90℃に熱した鉄塊300gを入れて全体が一様になったときの温度を求めよ。
ただし、水の比熱は4.2J/g・K、鉄の比熱は0.44J/g・Kとする。

こういう問題も、イメージをわかせるために絵を描くことが大事です。

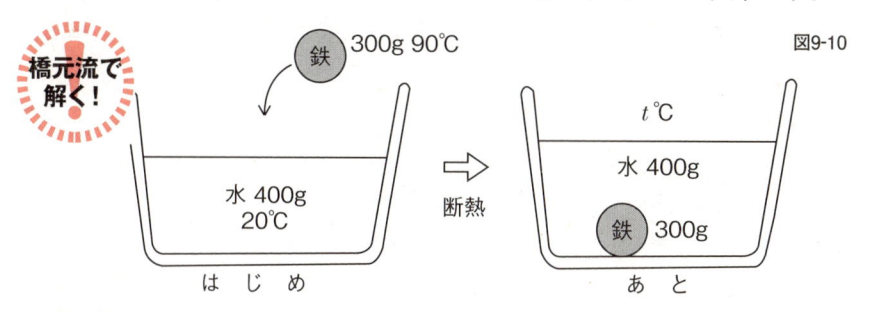

図9-10

**準備** はじめは20℃の水400gが容器の中に入っています。そこに90℃に熱した鉄300gを入れます。時間がたつと水の温度は20℃より少し高くなり、鉄は90℃よりずっと低くなるでしょう。そして、常識的に考えれば、水と鉄の温度は同じになりますね。（あたりまえのことですが、温度の違う2つのものを混ぜあわせれば、最終的にその2つは同じ温度になるというのは、熱力学の基本的な法則です）。その温度を $t$ ℃としましょう。

**着目！** 問題文の「断熱材で作られた」に下線を引いてください。断熱材で作られた容器は熱を外部から通しません。また、熱が逃げていくこともないでしょう。つまり、**はじめの状況とあとの状況を比べれば、全体の熱の出入りはない**ということです。ということは、**はじめの熱量とあとの熱量が等しいという式を立てればいい**ですね。

この「はじめとあとの熱エネルギーが変わらない」という考えかたは、第8講の「力学的エネルギー保存則」と同じですね。

では、 公式 $Q=mct$ を使って、はじめの水が持つ熱量を求めましょう。
公式 $Q=mct$ より、$m=400$, $c=4.2$, $t=20$ を代入して、

はじめに水が持つ熱量：400×4.2×20

**着目!**　ここで，みなさんの中には「そうすると，水の温度が 0℃ならば，熱量は 0 なのか？」と思う人がいるかもしれません。しかし，Theme2で見たように，0℃は絶対温度では273Kですから，分子は激しく運動していて，たくさんの熱量を持っています。

　すると今度は，「0℃は273Kに相当するんだから，温度は〔K〕に直さなければいけないんじゃないの？」とおっしゃるかもしれません。たしかに，正確に言えばそのとおりです。しかし，いちいち絶対温度に直して計算するのも大変です。そこで仮に0℃を基準（エネルギー＝0）としておいて，0℃に対する増減で計算をする。そんなふうにしても，結局同じ答えが出てくるんですね。だから，そのようなことを知っておいたうえで，〔K〕でなく〔℃〕で計算していいんですよ。

　次にはじめの鉄の熱量は，

　　はじめに鉄が持つ熱量：300×0.44×90

同様にあとの状態も式を立てて，はじめとあとが等しいとすればこのようになります。

$$\underbrace{\underbrace{400 \times 4.2 \times 20}_{水} + \underbrace{300 \times 0.44 \times 90}_{鉄}}_{はじめ} = \underbrace{\underbrace{400 \times 4.2 \times t}_{水} + \underbrace{300 \times 0.44 \times t}_{鉄}}_{あと}$$

　もう一度言いますが，断熱材の容器なので，外部からの熱の出入りがなく，はじめとあとで全体の熱量が変わらない，という点がポイントです。

　　$33600 + 11880 = 1680t + 132t$

　　$1812t = 45480$（約数6で両辺を割りましょう）

　　$302t = 7580$

　　$t ≒ 25$〔℃〕 ……… 答え

　（≒は，ほぼ等しいという，物理ではよく用いられる記号です。）

**2** 60℃の水300gの中に，0℃の氷50gを入れて全体が一様になったときの温度を求めよ。
ただし，氷の融解熱を336 J/g，水の比熱を4.2 J/g·Kとする。

**準備** 水をどんどん冷やして0℃まで下げます。そこからそのまま，さらに冷やしていくと温度は下がらず，だんだん固まって氷になります。ですから，同じ0℃でも水と氷では持っている熱量が，どうも違うようです。

図9-11

図9-11を見てください。0℃の氷に熱を加えましょう。すると，この氷は0℃のまま次第に溶けて，0℃の水になります。氷に熱を加えて水になるわけですから，同じ0℃でも氷は水よりも持っている熱量が少ないはずです。

**同じ0℃でも，氷は水より持っている熱量が少ない。**

どうしてそんなことになるんでしょうか？　図9-12を見てください。氷は結晶という構造をとっています。氷の分子が手をつなぎあってスクラムを組んでいるという状況をイメージしてください。それに比べて，水はパチンコ玉をぐちゃぐちゃに集めたような構造をしています。

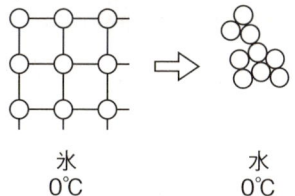

図9-12

◎平均の運動エネルギーが等しい

氷 0℃　　水 0℃

0℃の氷を0℃の水にするには，氷の分子のスクラムを崩してやらねばなりませんね。そのためにエネルギーが必要なんです。こんなふうに氷から水へと物質の形態が変わるときには，余分のエネルギーが必要なので，同じ0℃でも持っている熱量は違うということが起こるのです。

END

**橋元流で解く!**

では、水と氷の熱量の差はどれくらいなんでしょうか？ 図9-13を見てください。1gの氷を1gの水にするために、必要なエネルギーは336Jです。これが問題文に書いてある「氷の融解熱を336J/gとする」の意味です。要するに氷は水より1gあたり336Jだけ熱量が少ないと言えますね。水の持っている熱量を、(1gあたり)基準0J/gとすれば、氷の持っている熱量は (1gあたり) −336J/gになります。

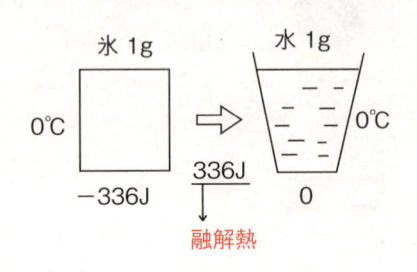

では、融解熱のことも考慮に入れて、はじめの状態とあとの状態で熱量が等しいという式を立てましょう。

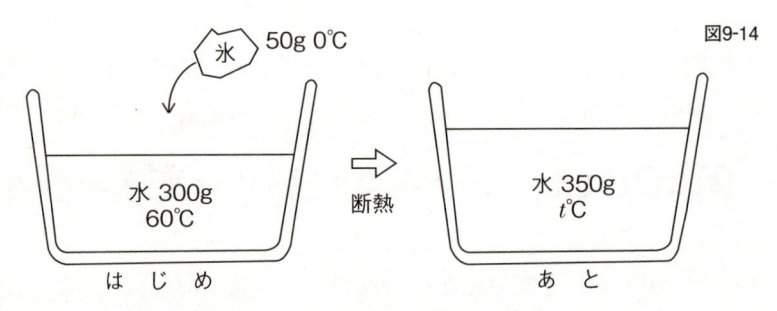

図9-14を見てください。60℃の水300gに0℃の氷50gを入れますから、あとの状態では水の量が350gになります。そして、そのときの温度を$t$℃とします。前問同様、断熱材があるから、はじめとあとでは熱の出入りがないと考えることが大切です。

そして、0℃の氷50gが持っている熱量は、0℃の水を基準（0）としたとき、$-336 \times 50$Jであるとするのがポイントです。

**公式 $Q = mct$** より、

$$300 \times 4.2 \times 60 + (-336 \times 50) = 350 \times 4.2 \times t$$

（左辺：水 + 氷 = はじめ、右辺：水 = あと）

$1470t = 58800$ （約数30で両辺を割りましょう）

$49t = 1960$

$t = 40$〔℃〕……… 答え

別解もあります。よく，みなさんが学校で教わる解法です。やってみましょう。

**別解** 橋元流で解く！

水に着目します。60℃の水は，氷を入れられたため，$t$℃に温度が下がります。水は熱エネルギーを失って，$t$℃まで下がったと考えられますね。熱は外へ逃げることはないから，氷が水の失った熱エネルギーを得たということになるでしょう。つまり，氷は336×50Jの熱をもらって溶け，0℃の水になり，そこからさらに $t$℃まで温度が上がったのです。

$$300 \times 4.2 \times (60-t) = 50 \times 336 + 50 \times 4.2 \times t$$

（左辺：水が失った熱量／右辺：氷が得た熱量）
（$(60-t)$ は水の温度の変化）

$49t = 1960$

$t = 40$〔℃〕……… 答え

ハッシー君は別解よりもエネルギー保存則の方が考えかたがわかりやすいと思っています。ただ計算は別解の方が楽かもしれません。どちらの解法でもかまいませんよ。

今回のポイントは，われわれが感じる熱の正体が，実は分子の運動エネルギーだった，ということです。では，第9講はここまでにいたしましょう。

# Coffee Time

## 冷たいのになぜ火傷する？

　お湯の入ったコップに指を突っ込んで熱いと感じるのは，コップの湯（熱い水）の分子が激しく運動しているからです。しかし，考えてみれば，突っ込んだ指の細胞の分子だって温度（体温）を持っているのですから，激しく運動しているのは同じことです。もし，体温と同じ36℃くらいのお湯だったら，熱いとも冷たいとも感じないでしょう。ということは，分子の運動の激しさに差があるからこそ，熱いと感じるわけです。その差が大きければ大きいほど，指の細胞の分子はいつもとは違った激しい運動の変化を強いられるので，そのときわれわれはそれを熱いと感じるわけです。そして，その差があまりに大きくなると，もはや指の分子はもとの状態に戻れなくなり，細胞が破壊され，それが火傷ということになるわけです。

　こんなふうに考えると，ドライアイスのような冷たいものを触ったときにも，火傷と同じような凍傷を受けるしくみもよくわかります。つまり，冷たいものは運動の激しさが弱いのですが，指の細胞の分子にとって，運動の変化という点では同じなのですね（時速60kmの車に乗って，時速120kmの車に追突されるのと，止まっている車に衝突するのと，ダメージとしては同じ）。これまで36℃で激しく運動していた分子が，突然，マイナス79℃のドライアイスの分子に接すると，温度変化という点では，100℃の熱湯に指を突っ込むのよりはるかに大きいダメージを受けるわけです。

# 第 10 講

# 理想気体の状態変化

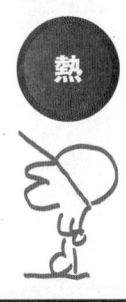

熱

**Theme1**
理想気体

**Theme2**
ボイルもシャルルも1つにまとめよう

**Theme3**
$P$–$V$図を読みとろう！

**Theme4**
気体だって仕事をする

**Theme5**
熱力学第1法則

**Theme6**
熱効率と不可逆過程

問題演習
$P$–$V$図を読みとろう！
気体の状態変化と熱力学第1法則をあわせて考える！

## 講義のねらい

気体のさまざまな状態変化を熱力学第1法則とあわせて考えてみよう！

## Theme 1

# 理想気体

　ここからTheme4までは，熱力学分野の中では入試最頻出の「理想気体の状態変化」を扱います。「物理基礎」の範囲を超えた「発展」のため，「物理基礎」のみでよい，という人は参考程度に読んでおいてください。

## Step 1　熱力学と気体

### エンジンの研究と熱力学

　熱力学では，気体を扱った問題が圧倒的に多いのですが，それは1つには，気体の変化がとても単純で，直感的にとらえやすいからです。もう1つの理由は，熱力学が発展してきた歴史的事情によります。産業革命当時，蒸気機関の発展のために，熱力学の研究がさかんにおこなわれていました。今でも，車のエンジンの研究をするには，まず熱力学の勉強からはじめなければなりません。このように，気体の状態の変化が熱力学の研究におおいに関わっていたので，熱力学といえば，「気体」ということになったんですね。

### 気体の分子を点のように考える

　ところで，今回のテーマである「理想気体」とは，どういう気体のことを言うのでしょう？

　空気の分子はとても小さいんですが，ある大きさは持っているわけですね。極端な話ですが，分子が野球のボールくらい大きかったとすると（図10-1），法則もそう単純にはならないでしょう。たとえば第9講で，−273℃になると気体の体積は0になると言いましたが，このように分子自体に大きさがあるならば，本当は0にはなりませんよね。

図10-1
分子の大きさをたとえる…
ボール　　質点のようなもの

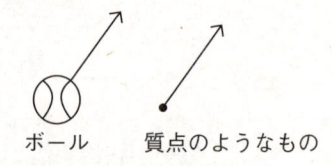

　しかし，分子を点（力学で言えば質点）のようなものと考えれば，気体の体積が0になるのも理屈の上ではありうるでしょう。分子をほとんど見えな

い点のように考えたときの気体を「理想気体」といいます。本当の分子は大きさがあるので，理想気体と同じ法則には従わないのですが，その差はわずかなものです。そこで，入試の世界では，気体も理想気体も同じようなものだと考えています。あまりこだわる必要はないということです。

## Step 2 気体の状態を表す4つの物理量

力学の世界にはさまざまな物理量がありましたね。熱力学でも，気体に関しての**4つの基本的な物理量**がありますので，見ていきましょう。

シリンダーの中に気体をつめておきます。この中では分子が激しく飛びまわっています。

この気体全体をいろいろな量で表そうということです。

### 体積

体積は，わかりやすくて説明するまでもないでしょう。英語でVolumeといいます。その頭文字をとって $V$ と表します。単位は〔m³〕ですね。

### 圧力

第6講で勉強したことの復習です。図10-2(a)のように気体を容器の中に閉じ込めておきますと，気体の分子はピストンに当たってきます。分子が当たる力があまりにも強いとピストンは右へ動き出すでしょう。しかし，ピストンを動かないように止めておくと，ピストンに圧力がかかりますね。

圧力は英語でPressureです。その頭文字をとって $P$ と表されます。圧力は力の一種です。しかし，力学ではある1点に働く力を考えてきましたが，気体のように広がりがあると，1点ではなくある広がり（たとえば1m×1mの面積）に働く力を考えた方が便利で

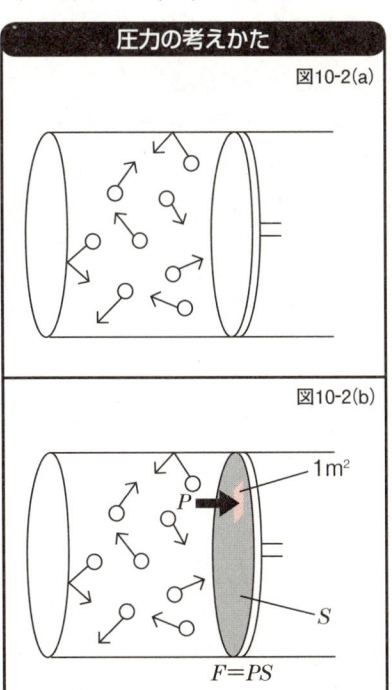

圧力の考えかた

図10-2(a)

図10-2(b)

$1m^2$

$P$

$S$

$F=PS$

しょう（図10-2(b)）。そこで，圧力は1 m²あたりにかかる力と考えます（第6講Theme1圧力を思い出してください）。単位は〔N/m²〕で，1 m²あたり何〔N〕の力が加わっているのかという意味です。

圧力とは ⇒ 1 m²あたりの力

というように定義しましょう。

では，このピストン全体に加わる力 $F$ とはどれくらいかと考えるときは，1 m²あたりの圧力にピストンの面積 $S$ をかければ出てきますね。よって，ピストン全体に加わる力 $F$ は式で表すと，

$$F = PS \quad (圧力 \times 面積)$$

となります。

### 絶対温度 $T$〔K〕

これは第9講で勉強しましたね。熱力学では摂氏よりも，絶対温度を用います。

絶対0度＝摂氏 $-273$℃ ということを忘れないでください。

### 気体の分子の個数

シリンダーの中に気体の分子がたくさん飛びまわっています。何個ぐらいの分子があるんでしょうか？ 実は1兆×1兆ぐらいなんです！ それを1つずつなんて，数えられるわけはありません。大きなカタマリを作ってそれを1つとして数えていきます。その数える大きなカタマリの単位を〔mol〕といい，$n$ で表します。1 mol はおよそ $6 \times 10^{23}$ 個です。

$$1 \text{ mol} \fallingdotseq 6 \times 10^{23}$$

以上4つが気体を表す基本的な物理量です。

> **まとめ—17**
> ## 熱力学の4つの物理量
> ・体積 $V$ 〔m³〕
> ・圧力 $P$ 〔N/m²〕
> ・温度 $T$ 〔K〕
> ・分子の個数 $n$ 〔mol〕

## Step 3 ボイルの法則・シャルルの法則

　本講の目的は，後ほど出てくる「理想気体の状態方程式」を理解して，覚えていただくことです。ボイルの法則とシャルルの法則は，あくまでそこに到るまでの通過点に過ぎません。ですから，覚えようとするのではなく，直感的なイメージさえつかめればいいのです。そんなつもりで聞いてくださいね。

**ボイルの法則とは？**

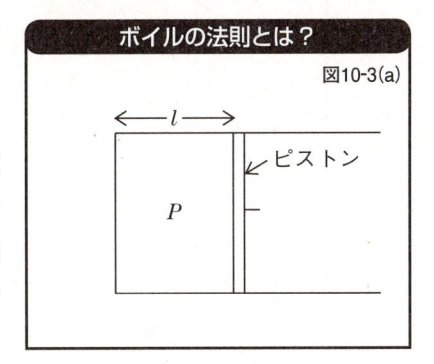

図10-3(a)

　図10-3(a)を見てください。気体を閉じ込めた容器があり，ピストンは左右に自由に動けるものとします。また，容器の底面からピストンまでの距離を $l$，中の気体の圧力を $P$ としておきます。

　さあ，ここからはイメージですよ！　では，ピストンを左に動かし，気体を半分に圧縮させましょう（図10-3(b)）（ただし，気体の温度は変わらないとしておきます）。

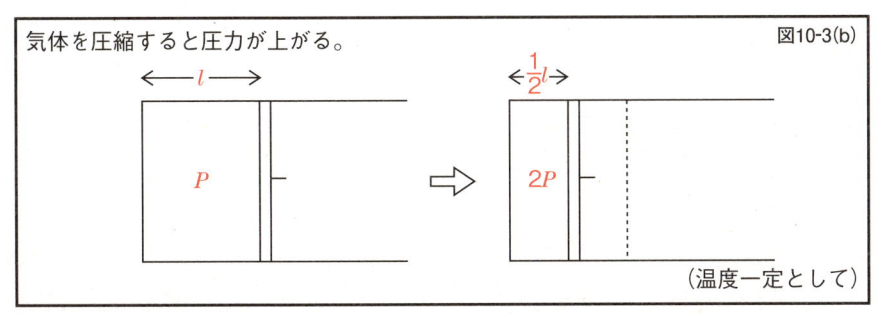

気体を圧縮すると圧力が上がる。

図10-3(b)

（温度一定として）

容器の底面からピストンまでの距離を $l \to \frac{1}{2}l$ に短くしたとしましょう。すると，このときピストンを右に動かそうとする力（圧力）が2倍に上がるんです。体積を $\frac{1}{2}$ に圧縮すれば，圧力は2倍に上がる。直感的にとてもわかりやすいですね。これがボイルの法則の全てです。もちろん，逆に体積を $2l$ と2倍にすれば，圧力は $P$ から $\frac{1}{2}P$ に下がります（図10-3(c)）。

これらの変化を数学の言葉で表現すれば，「圧力と体積は反比例」と言えますね。これを**ボイルの法則**といいます。

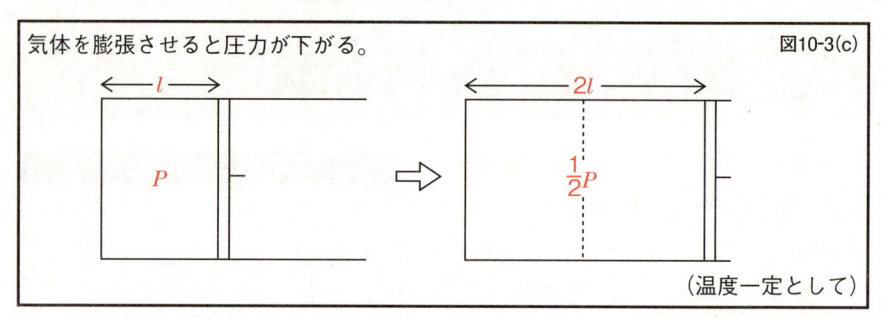

**気体を膨張させると圧力が下がる。** 　図10-3(c)

（温度一定として）

次に，同じ気体の入ったピストンつきの容器を使って，温度を変化させてみます。さあ，またイメージしてください！

ピストンを自由に動けるようにしておいて，気体に熱を加えて温度を上げていきます。すると直感的に，気体が膨張するのがわかるでしょう。電子レンジの熱で餅が膨らむようなものです。このとき，（絶対）温度を2倍に上げると，体積が2倍になるのです（ただし，気体の圧力はこのとき変わりません）（図10-4）。これを**シャルルの法則**といいます。数学の言葉で表現すれば，「絶対温度と体積は比例」ということですね。

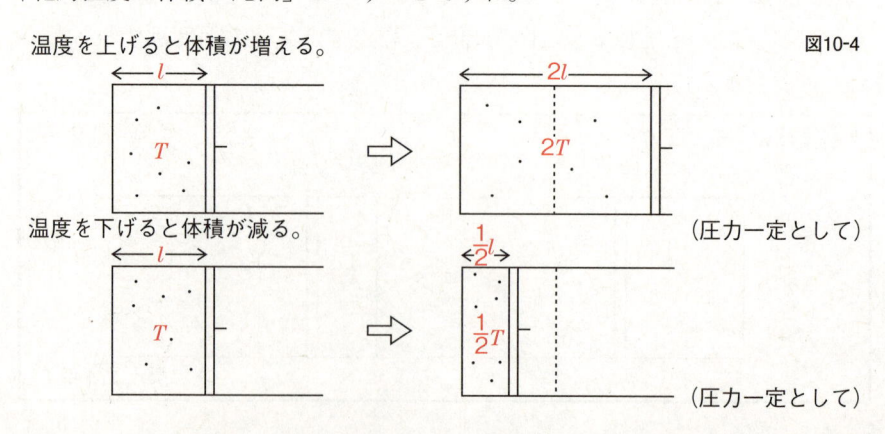

**温度を上げると体積が増える。** 　図10-4

（圧力一定として）

**温度を下げると体積が減る。**

（圧力一定として）

### まとめ─18

**ボイルの法則**……………………………………………………
（温度一定として）
気体を $\frac{1}{2}$ に圧縮すると，圧力が 2 倍に上がる．

**シャルルの法則**…………………………………………………
（圧力一定として）
気体の（絶対）温度を 2 倍にすると，体積が 2 倍になる．

# Theme 2
# ボイルもシャルルも1つにまとめよう

　ふつうは熱力学を勉強するのに，ボイルの法則とシャルルの法則を別々にしっかりと学ぶんですが，ハッシー君はあまりオススメしません。ここでは「ボイルもシャルルもいいけれど，これ1つでOK！」という解法を紹介しましょう。

## Step 1　状態方程式への考えかた

　ボイルの法則とシャルルの法則を1つにまとめた式を作ってみましょう。そこで，ボイルの法則の性質をもう一度確認しておきます。

　気体を半分に圧縮すると圧力が2倍に上がるんですね。ただし，これは気体の温度が一定という場合に限ります。そこで次のようなことが言えます。圧力$P$と気体の体積$V$は反比例しているから，

　　$PV = $一定　………①

　右辺には一定の数がくるので，体積$V$を半分にすると，圧力$P$が2倍になるということは①式より，はっきりしていますね。まさしく$P$と$V$は反比例の関係ですね。

　シャルルの法則はどうでしょう？　温度$T$が2倍に上がれば，気体の体積$V$は2倍に膨張しますね。ただし，これは圧力が一定という場合です。式を考えましょう。体積が2倍になれば絶対温度$T$も2倍に上がるはずですから，$T$は右辺にくるべきですね。

　　$\bigcirc V = T$　………②　（○は比例定数）

　さあ，①式と②式を組みあわせてみましょう。体積$V$を中心に考えると，圧力$P$とでは反比例の関係，絶対温度$T$とでは比例の関係なので，$P$と$V$と$T$の関係式は，

　　$PV = T$

　しかし，この式には先ほど紹介した4つの物理量のうち，まだ登場していない物理量がありますね。それは分子の数です。分子の数が2倍になれば，体積も2倍になるのはあたりまえですね。そこで分子の数$n$も体積$V$に比

例するので，

　　$PV = nT$

となります。しかし，まだこれで式ができあがったわけではありません。左辺と右辺では単位があっていませんので，それをあわせる比例定数が必要です。それを $R$ とでも書いておきましょう。

　　$PV = RnT$

## Step 2　（理想）気体の状態方程式

　今Step1でお話しした関係をまとめて，たった1つの関係式に表します。その式を「(理想) 気体の状態方程式」といいます。$R$ の位置を少し変えていますが，これはたんなる習慣上のことで意味はありません。

$$PV = nRT$$

　比例定数 $R$ は，「気体定数」といいます。これは具体的には 8.3 [J/K・mol] という値です。

　この式にはボイルの法則の意味もシャルルの法則の意味も入っているんです！　これさえ覚えておけば，ボイルの法則か？それともシャルルの法則を適用するのか？と考えずにすみます。しかも機械的に簡単な計算で解くことができるんですよ。ハッシー君はこの状態方程式をオススメします。

---

**橋元流●ボイルもシャルルもいいけれど（気体の状態方程式）**

ボイルもシャルルもいいが，気体の状態方程式さえ覚えると問題が楽に解ける。

　　$PV = nRT$

は，ボイルの法則とシャルルの法則を1つにまとめたような式である。

---

　式に注目してください。$P$（圧力），$V$（体積），$n$（分子の個数），$T$（絶対温度），この4つはむすびついているんですね。4つの量はバラバラではなく，どれか3つを決めると残りの1つは自動的に決まります。

## Theme 3

# *P–V*図を読みとろう！

　横軸が体積 *V*，縦軸が圧力 *P* を表しているグラフを「***P–V*図**」といいます。どうしてそんなグラフを描くのかというと，いちいち容器の絵を描いたりしなくても，グラフを見るだけで気体の状態の変化が一目でわかるからなんです。熱力学の問題では，この*P–V*図がしばしば出てきます。
　気体の状態変化はいろいろとありますが，典型的な変化を3つ紹介しますよ。それを*P–V*図で表してみましょう。

### Step 1　定積変化（体積一定）

　これは文字どおり，体積が変わらない変化です。図10-5(a)を見てください。今までは，ピストンが自由に動けるという条件でしたが，今回はピストンをくぎで止めておきましょう。気体がどんなに暴れてもピストンは動きません。

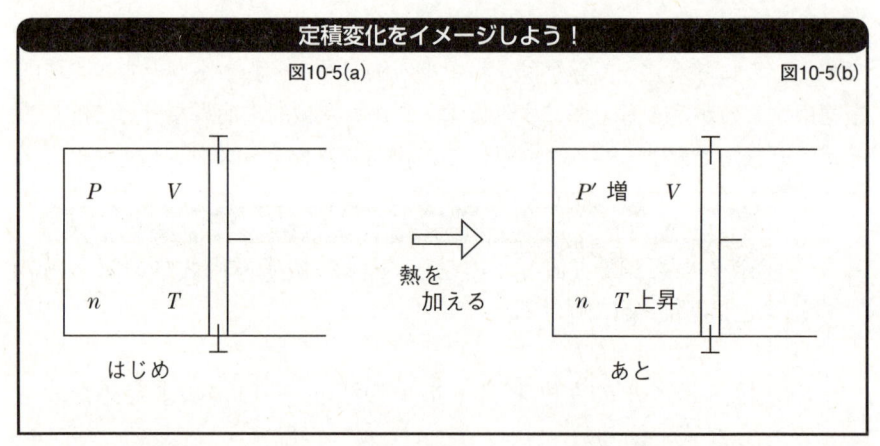

**定積変化をイメージしよう！**

図10-5(a)　　　　　　　　　　　　　　　　　図10-5(b)

| *P*　*V* |　→熱を加える　| *P′*増　*V* |
| *n*　*T* | | *n*　*T*上昇 |
| はじめ | | あと |

　はじめの状況から熱を加えたとします。あとの図10-5(b)を見てください。気体がどんな状況に変わったのか，イメージすることが大切ですよ。当然，圧力は高まっていきますね。体積は変わりません。熱を加えますから温度は上昇します。いいですか？　いちいちこの絵を描いているのはめんどうなので，グラフに表してしまいましょう。

縦軸を圧力 $P$，横軸を体積 $V$ とします。グラフ化すると，圧力と体積を読みとることができます。体積が変わらず，圧力がぐんぐん高まるからグラフは図10-5(c)のように，上向きの矢印になりますね。圧力は $P \to P'$ になりました。はじめの状況から圧力がぐんぐんと上に上がっていく変化がこのグラフの特徴です。

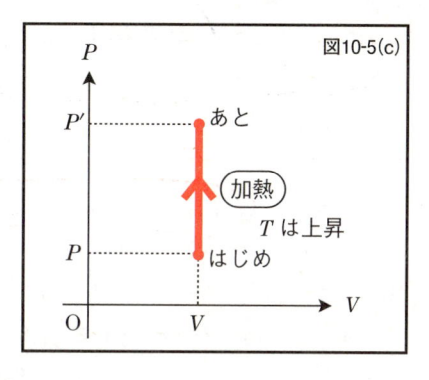

さらに，グラフには表されていない情報まで読みとれるようになりましょう。図10-5の定積変化の様子がイメージできれば，$P$–$V$図には直接現れませんが，このようにグラフの下から上へ状態が変化する場合は，温度 $T$ も上昇していることがわかります。さらに温度上昇ということは，気体は加熱されるということも読みとれます。言いかえれば，気体は熱を吸収しているんですね。

また，もし $P'$ から $P$ へ圧力が下がったとなれば，気体から熱が逃げてどんどん温度が下がっていることを意味します。

## Step 2 定圧変化（圧力一定）

今度は圧力が一定の変化です。その様子を図に表してみましょう（図10-6(a)）。

**次に定圧変化をイメージ！**

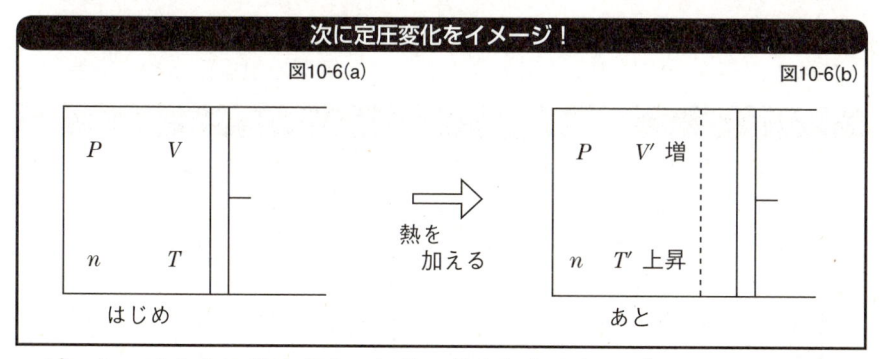

図10-6(a) ／ 図10-6(b)　熱を加える
はじめ：$P$　$V$　$n$　$T$
あと：$P$　$V'$ 増　$n$　$T'$ 上昇

ピストンは自由に動けます。気体に熱を加えると，ピストンが右に動き，体積は増えますね（図10-6(b)）。しかし，このようにピストンが自由に動け

☆ 重要!!

るようにしておくと，外気圧が一定である限り，はじめの圧力とあとの圧力は変わりません。これが「定圧変化」です。定圧変化はほとんどの場合，ピストンが自由に動けるという条件になっているはずです。

体積は当然，膨張するわけですから，$V \to V'$ に変化しますね。分子の数はそのまんま。温度は熱を加えられたため上昇し，$T'$ になります。

では，$P$–$V$図で表してみましょう（図10-6(c)）。はじめ圧力は$P$で体積は$V$です。圧力$P$が一定のまま，体積が$V'$に増えますから図のように，横向きの矢印になります。このグラフが定圧変化がたどる道筋です。点が左から右へ動いていくときに，熱を加えられ，温度が上昇していることに注意してください。

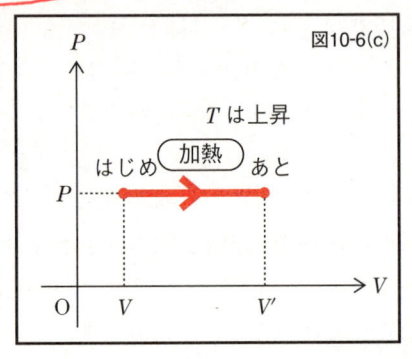

もちろん，これが逆になれば，温度は下がって体積はしぼんでいくイメージです。

## Step 3　等温変化（温度一定）

等温変化とは，温度を一定に保って気体の状態を変化させるという意味です。この変化を説明するために，次のような準備をしましょう（図10-7(a)）。

気体の温度を一定にする一番簡単な方法は，容器を熱を伝えやすい金属に

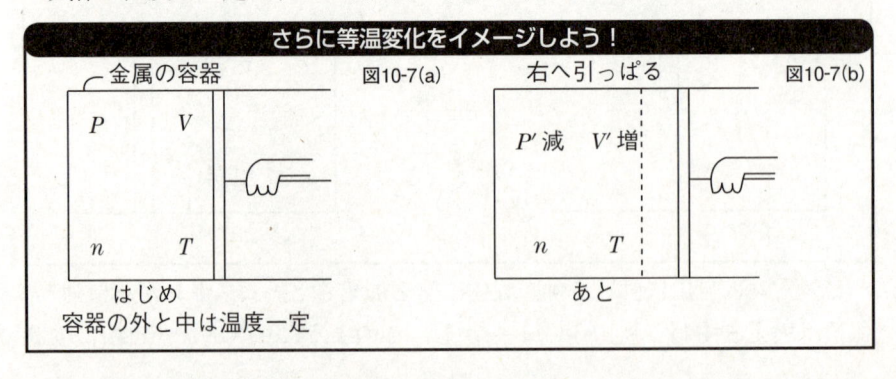

しておいて，外側に温度が変わらない大きな熱源を用意します。こうすると容器の中の気体の圧力や体積が変化しても，温度だけは外の熱源と同じ温度に保つことができますね。

さて，はじめの圧力を$P$，体積を$V$，温度を$T$とおきます。

このままほうっておいてもピストンは動きそうにありませんから，わざとピストンを右に引いてみます（図10-7(b)）。そうすると気体の体積が増え，$V'$に変化しました。

ここで，気体の状態方程式$PV=nRT$の中で，何が変わって，何が変わらないのか調べてみましょう。$n$と$R$は比例定数ですから，変わりません。そして先ほどから温度$T$は変化していませんね。右辺は一定です。変化したのは，体積$V$でしょう。左辺の$V$が増えたのだから，当然同じ左辺の$P$は減少するべきですね。$P'$とします。ここで，次のようなことが言えます。

$$PV = nRT$$
において，右辺が一定だから
$$PV = 一定$$

これは，まさにボイルの法則にほかならないのですが，それはともかく，この変化を$P$–$V$図に表してみましょう（図10-7(c)）。双曲線のグラフになりますね。気体の体積は$V \to V'$に増加し，圧力は$P \to P'$に減少しています。

さて，この等温変化では気体は熱を吸収しているのか，放出しているのかを考えてみましょう。温度が変わらないので，一見，熱の出入りはないように見えます。たしかに，気体自身が持っている熱（内部エネルギー）は，等温変化では不変です。しかし，Theme4で述べますが，気体は膨張しながらピストンを動かすので，そのためのエネルギーが必要となり，結局体積の増える等温変化では，気体は外から熱を吸収していることになるのです。ちょっと難しいと感じられたかもしれませんね。実は，この話はこのあと勉強する熱力学第1法則に関係しているのです。いずれにしても，以上が，等温変

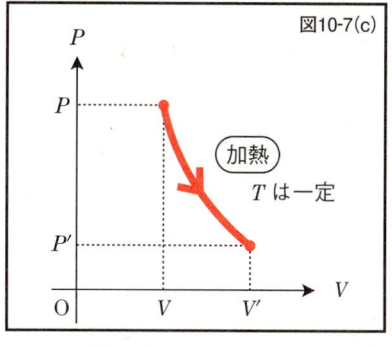

化のP–V図から読みとる大事なポイントです！

ここで学んだ3つの変化のパターンをまとめてみましょう。

### まとめ—19

**気体の変化**
この講で学んだ気体の変化はこの3つ。
1. **定積変化**（体積一定）
2. **定圧変化**（圧力一定）
3. **等温変化**（温度一定）

## Theme 4

# 気体だって仕事をする

　第9講で気体全体が持っている内部エネルギーについて勉強しましたね。覚えていますか？　内部エネルギーとは熱エネルギーのことでした。すなわち、気体の分子が持っている運動エネルギーの合計ですね。

### Step 1　内部エネルギー＝温度

　では、等温変化のとき、どのように内部エネルギーが変化するのかもう少し詳しく調べてみましょう。実は、この問題は入試では頻出なんです。

　問題では「気体の内部エネルギーが増加する（減少する）のはどの過程か」と聞いてくることが多いんです。「内部エネルギー」という言葉に多くの受験生は惑わされるようですが、今までの説明が頭の中でスッキリ整理できていれば、何も難しいことはないんですよ。

　温度が一定であるならば、「分子の持つ平均の運動エネルギー」が変わりません。そして、分子の個数がはじめとあとで変わらないならば、全体のエネルギーも変わらないわけですね。

　ここで、「分子の個数×分子の運動エネルギー」が、「気体全体の分子の運動エネルギーの合計」です。すなわち、「気体の熱エネルギー（内部エネルギー）」ですね。

　よって温度一定から導かれる結論は、内部エネルギーが一定ということです。すなわち、**内部エネルギー＝温度**と考えてもいいでしょうね。

　　温度一定 →分子が持つ運動エネルギー（の平均）が一定
　　　　　　 →分子の個数×分子の運動エネルギーも一定
　　　↓　　　　　　気体全体の 分子の運動エネルギーの合計
　　内部エネルギー一定
　　　　　　　　　「熱エネルギー（内部エネルギー）」

## Step 2 気体がする仕事

　仕事は第7講でやりましたね。なぜ，熱力学で仕事が出てくるのでしょう？　熱力学だって，分子の運動の力学だからです。分子が仕事をすることだって，当然ありますよ。

　図10-8(a)(b)を見てください。定圧変化として，圧力$P$によってピストンが動かされるとしましょう。ピストンが動かされた距離を$\Delta x$としておきます。気体がピストンを押す力が右向きで，ピストンが右に動いたのならば，この力はプラスの仕事をしていることになりますね。

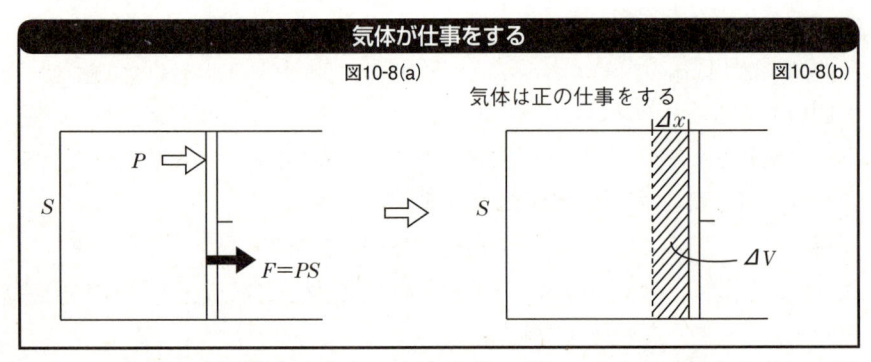

**気体が仕事をする**

図10-8(a) 　　　　　　　　　　　　　　図10-8(b)
気体は正の仕事をする

　さて，容器の底面積を$S$としておきましょう。Theme1で見たように，圧力$P$は1平方メートルあたりの力ですから，このピストン全体にかかる力$F$は$P \times S$でいいでしょう。そこで気体がする仕事は，力学の言葉のとおり，力×移動距離とすれば，

$$気体がする仕事：\\ W = F \cdot \Delta x = PS \cdot \Delta x \\ = P \Delta V$$

ですね。$P$は圧力，$S \cdot \Delta x$とははじめの状況から増えた分の気体の体積を表していますね。体積の増加分ですから$S \cdot \Delta x$を$\Delta V$としています。

　つまりこの場合，気体は正の仕事をしています。逆に気体が収縮する場合は負の仕事となりますね。

## P–V図を読みとろう！

**1** 一定質量の気体をピストンのついた容器に閉じ込め，図のように変化させる。

(1) 気体が外部に仕事をするのはどの過程か。
(2) 気体の温度が上昇するのはどの過程か。
(3) 気体の内部エネルギーが増加するのはどの過程か。
(4) 気体が外部から熱を吸収するのはどの過程か。

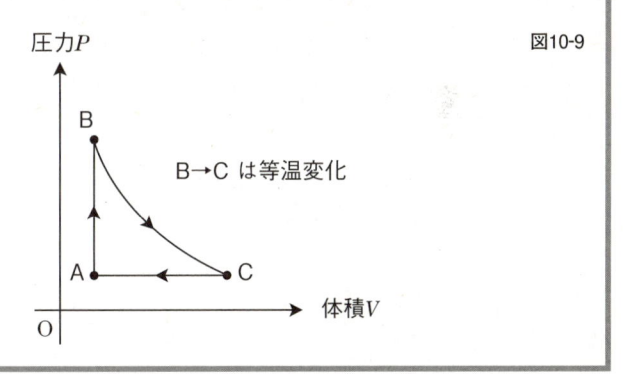

図10-9

B→C は等温変化

**橋元流で解く！**　P–V図の意味をとらえることがポイントです。この変化はぐるぐる回りますので，「サイクル」とよばれています。

### A→Bの変化

**準備**　A→Bの変化を見てください（図10-10(a)）。この変化は定積変化ですね。体積一定でぐんぐん圧力が高まっていますから，熱を加えて温度が上昇している過程です。

### B→Cの変化

B→Cの変化は「等温変化」と問題文に書かれていますね。しかし，もし等温変化とはっきり書かれていない場合

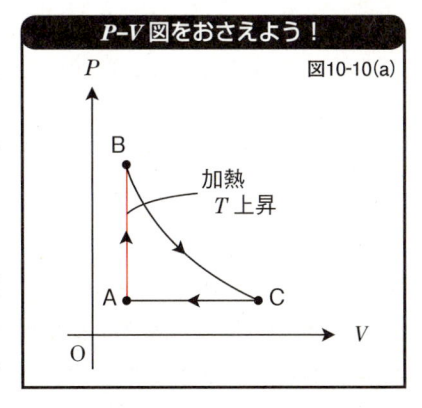

**P–V図をおさえよう！**

図10-10(a)

加熱
$T$ 上昇

は注意をしてください。実は先ほど言いました3つの変化以外にもう1つだけ、変化があるんです。これは「断熱変化」といい、気体に熱を入れもせず、逃しもしないという変化です。実は、この変化はグラフ上では双曲線に似ているのです。ですから、双曲線らしきグラフが出ても、何でも等温変化とは限らないんですね。

B→Cの等温変化は気体の体積が増えるので、加熱されています（Theme3 -Step3）。温度 $T$ は不変です。大事なのは圧力は減っていますが、体積が増えていることですね。

図10-10(b)を見てください。体積が増えたのでピストンが右に動いたと考えてください。これはプラスの仕事をしていることですね。

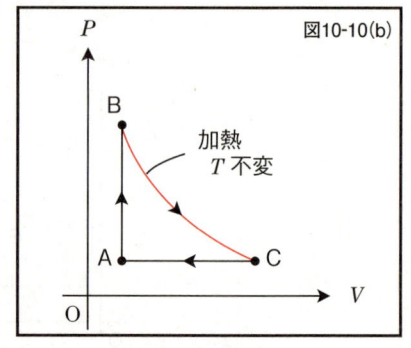

気体が膨張するときは、必ず仕事はプラスになります。逆に収縮しているときには外から仕事をされていることになりますね。負の仕事です。ともかく、問題に戻ると、気体は膨張しているんですから正の仕事をしています。

膨張 ⇒ 正の仕事

### C→Aの変化

図10-10(c)を見てください。C→Aの変化は気体の体積がだんだん小さくなっていく変化ですから、放熱で温度 $T$ は下降、さらに言えば負の仕事をしています。さあ、これだけのことがわかっていれば、あとは答えを書くだけですよ。

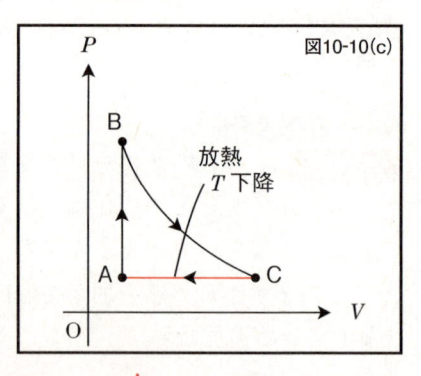

収縮 ⇒ 負の仕事

(1) 「気体が外部に仕事をする」ということは、プラスの仕事のことですね。定積変化は体積が不変ですから、仕事はしません。また、C→Aは負の仕事

ですから,
　　　B→C………(1)の 答え
(2)　これはわかりますね。A→Bでは温度は上昇しています。B→Cは温度一定ですし，C→Aは温度は下降しています。ですから，
　　　A→B………(2)の 答え
(3)　内部エネルギーが問われていますね。次のように考えましょう。「内部エネルギーが増加」ということは，温度が上昇するということです。ちなみに，B→Cはどうですか？　等温変化ですから，温度は一定。すなわち内部エネルギーは変わりません。C→Aは内部エネルギーは下がります。
　　　A→B………(3)の 答え
(4)「熱を吸収する」ということは言いかえれば外から熱を加熱されていることですね。C→Aは放熱していますが，それ以外は熱を吸収しています。ですから，
　　　A→B，B→C………(4)の 答え

# Theme 5
# 熱力学第1法則

　力学分野で，力学的エネルギー保存則は非常に重要な法則であることを学びました。物体が摩擦のある面を動く場合などは，力学的エネルギー保存則は成立しませんが，失われた力学的エネルギーは熱エネルギーに変わるのです。つまり，全体として，エネルギー保存則はどんな場合にも成立する物理学の根本法則であるといえるでしょう。

　熱力学の分野では，エネルギー保存則は熱力学第1法則という形で表されます。つまり熱力学第1法則は，熱力学分野で最も重要な法則といってよいでしょう。

## Step 1　当たった宝くじをどう使う？

　熱力学第1法則は非常に単純な法則です。それを「当たった宝くじ」というたとえ話で説明してみましょう。

　今，あなたが宝くじで1億円当たったとしましょう。この1億円を何に使いますか。車だとかホームシアターだとかいろいろな物を買いたくなりますが，そういう物品は買わないことにして，1億円の使い道を2つに絞ります。まず1つは，何も買わないで貯金するという選択肢です。

　それからもう1つ，今，住んでいる家の土地の隣に空き地があるので，その土地を購入して，自分の土地を拡げるという大きな使いかたがあります。

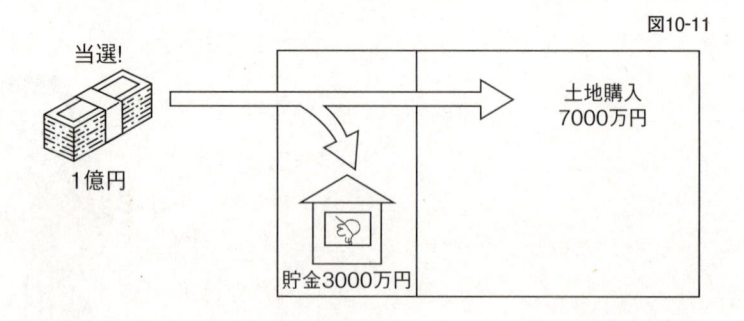

図10-11

当選！
1億円

土地購入
7000万円

貯金3000万円

そこで，1億円のうち3000万円は貯金して，残りの7000万円で隣の土地を買うとしましょう。そうすると，そのときの収入と支出の収支決算は，

収入1億円 ＝ 貯金3000万円 ＋ 土地購入7000万円

となります。熱力学第1法則は，まさにこれと同じようなエネルギーの収支決算なのです。

　熱力学第1法則はどんな物質についても成立するのですが，わかりやすくするため，これまで学んできた理想気体を考えましょう。ピストンのついたシリンダーに閉じ込められた理想気体を想像してください（図10-12）。

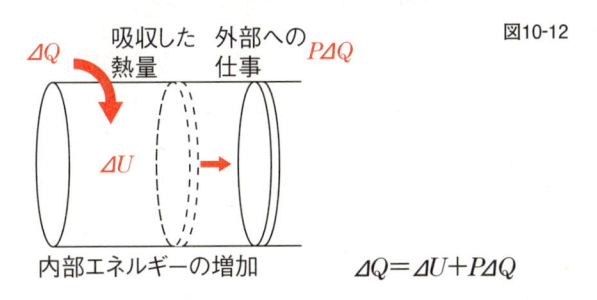

図10-12

吸収した熱量 $\Delta Q$
外部への仕事 $P\Delta Q$
$\Delta U$
内部エネルギーの増加

$\Delta Q = \Delta U + P\Delta Q$

　この理想気体に外から熱を加えます。気体に加えられる熱量を $\Delta Q$ とします。単位はエネルギーですから，ジュール〔J〕です。気体は $\Delta Q$ の熱量を吸収するわけですが，これが当たった宝くじ1億円に相当します。

　気体に熱が加えられれば，一般に気体の温度が上がりますね（温度が変化しないという特別の場合もあります）。温度が上がるとは，Theme4で学んだように内部エネルギーが増えるということです。これは貯金を増やすということに相当します。貯金が増えればふところ具合が暖まります。これは「内部エネルギーが増えれば温度が上がる」ということによく似ています。

　次に，気体に $\Delta Q$ の熱を加えると，一般に気体は膨張します（ただし，ピストンを固定して膨張しないということもあります）。これは「隣の土地を買って地所を拡げる」ということに似ていませんか。気体は加えられた熱エネルギーを利用して膨張する，すなわち**外部に仕事をする**わけです。

　そこで，気体のエネルギー収支の式は次のようになるはずです。

**気体が吸収した熱量 $\Delta Q$ ＝気体の内部エネルギーの増加 $\Delta U$**
　　　　　　　　　　　　**＋気体が外部にした仕事 $P\Delta V$**

これが熱力学第1法則の全てです。簡単ですね。

もちろん，宝くじが当たるとお金が増えるという良いことばかりではありません。税金を払うなど，支出をしないといけないこともあります。そのときは，貯金を崩し，あるいは土地を売って，支払いにあてる必要があります。

同じように，気体も外部に熱を放出することがあります。そのときには，内部エネルギーは小さくなり，また体積は収縮します（外部から仕事をされます）。

## Step 2 熱力学第1法則と定積変化

Theme3の$P$–$V$図のところで，気体の3つの状態変化を学びました。これらの変化が熱力学第1法則とどのように関係するか見てみましょう。

まず**定積変化**です。

シリンダーについているピストンを固定すると，気体に外部から熱を加えても気体は膨張しません。このとき，気体に加えられた熱量$\varDelta Q$は全て気体の内部エネルギーの増加$\varDelta U$に使われます。

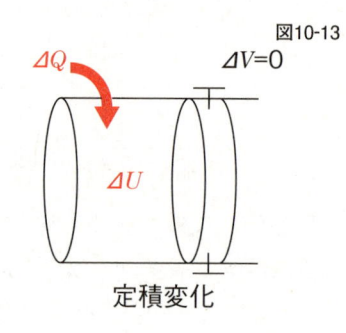

図10-13

定積変化：$\varDelta Q = \varDelta U + 0$

これは「当たった宝くじで土地を買わずに全て貯金する」というのと同じです。定積変化は$\varDelta Q = \varDelta U$と覚えるのではなく，収支決算をいつもイメージしてください。覚えることは，熱力学第1法則，

$$\varDelta Q = \varDelta U + P\varDelta V$$

だけでいいのです。あとは，定積変化が何であるかを理解すれば，ひとりでに導けるのです。

## Step 3　熱力学第１法則と定圧変化

**定圧変化**では，気体に加えられた熱量 $\varDelta Q$ は，内部エネルギーの増加にも外部への仕事にも，両方に使われます。つまり，

$$\varDelta Q = \varDelta U + P\varDelta V$$

で，どこも０になりません。

　もちろん，気体が熱を放出する定圧変化もあります。そのときには，内部エネルギーは減少し（$\varDelta U<0$），外部にする仕事も負です（$\varDelta V<0$）。

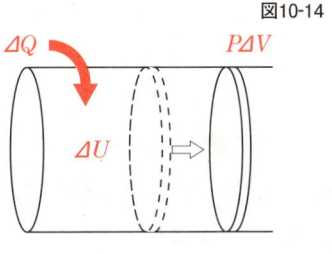

図10-14

定圧変化

## Step 4　熱力学第１法則と等温変化

　温度が一定の**等温変化**では，気体の内部エネルギーも変化しません。つまり，$\varDelta U=0$ です。そこで，この場合の熱力学第１法則は，

$$\varDelta Q = 0 + P\varDelta V$$

となります。

　これは「当たった宝くじ１億円を一銭も貯金せず，全て土地購入に使う」という場合ですね。

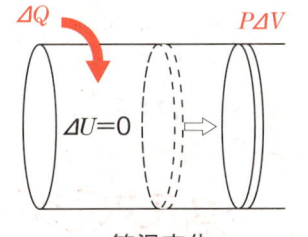

図10-15

等温変化

## Step 5　熱力学第１法則と断熱変化

　ここで，もう１つの変化を学んでおきましょう。それは，たとえ話でいうと「宝くじが当たらない」という想定です。そして，税金も払わない。つまり，外部とのお金のやりとりがない場合です。

　この場合，土地を買おうと思えば貯金を崩すしかないですね。逆に，土地を売れば，売り上げ代金は貯金の増加になります。

気体の場合，外部からの熱の出入りのない変化を**断熱変化**と呼びます。それを式で書けば，外から吸収する熱$\Delta Q$が0ですから，

$$0 = \Delta U + P\Delta V$$

です。気体の体積が膨張すれば$\Delta V>0$で，外へする仕事$P\Delta V$が正ですから，必然的に$\Delta U<0$とならなければなりません。

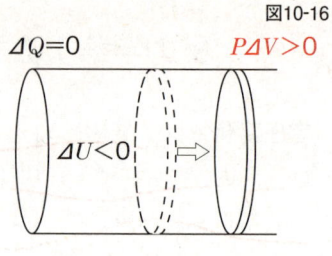

図10-16
$\Delta Q=0$　　　$P\Delta V>0$

$\Delta U<0$

断熱変化（膨張のとき）

つまり，気体が断熱膨張すると，温度が下がるわけです。

ほとんど使い切ったスプレー缶を捨てるときに，キリで穴を開けることがありますね。このときプシューと音がして，残っていた気体が外に出てきます。これが断熱膨張なのですが，このときスプレー缶を触ってみると冷たくなっています。

このように，気体のさまざまな状態変化を熱力学第1法則とあわせて考えてみると，いろいろなことがわかるのです。

圧力が変わらない（ただし、定圧変化は除く）
⇒ 外部エネルギーが 0

↓ ピストンが熱量によって自動的に動く場合

温度が変わらない
⇒ 内部エネルギーが 0

## 問題演習

### 気体の状態変化と熱力学第1法則をあわせて考える！

**2** 体積が一定の容器に気体を閉じ込め，100Jの熱量を加えた。このとき，気体の内部エネルギーの増加はいくらか。

**着目！** 気体の体積が変わらないので，気体は外部に仕事をしません。

そこで，熱力学第1法則，

$$\Delta Q = \Delta U + P\Delta V$$

において，$\Delta V = 0$ ですから，

$\Delta U = \Delta Q = 100$ 〔J〕　…… 答え

図10-17

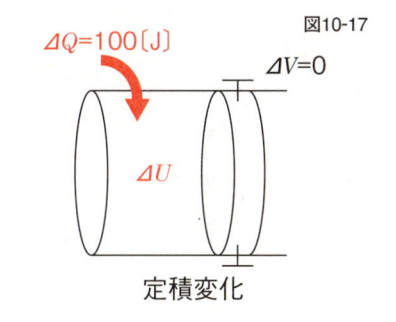

$\Delta Q = 100$〔J〕
$\Delta V = 0$
$\Delta U$
定積変化

**❸** 自由に動けるピストンのついたシリンダー容器に気体を閉じ込め，温度を一定に保ったまま，気体に100Jの熱量を加えた。このとき，気体の内部エネルギーの増加はいくらか。また，気体が外部にした仕事はいくらか。

**橋元流で解く！**

**着目！** 温度が一定であるということは，内部エネルギーが一定であるということです。温度と内部エネルギーの違いは，温度が物質の量によらない物理量であるのにたいして，内部エネルギーは物質の量に比例するという点だけです。ですから，気体の量が変われば，同じ温度でも内部エネルギーは変わりますが，気体の量が不変である限り，温度と内部エネルギーは比例しているわけですね。

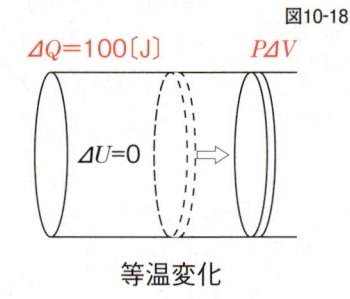

図10-18

$\Delta Q = 100$〔J〕　　$P\Delta V$

$\Delta U = 0$

等温変化

この場合，内部エネルギーの増加$\Delta U$はありませんから，

　　$\Delta U = 0$〔J〕　……　答え

熱力学第1法則，

　　$\Delta Q = \Delta U + P\Delta V$

において，$\Delta U = 0$ですから，気体が外部にした仕事は，

　　$P\Delta V = \Delta Q = 100$〔J〕　……　答え

**❹** 自由に動けるピストンのついたシリンダー容器がある。容器とピストンは断熱材でできている。この容器に気体を閉じ込め膨張させたところ，気体は外部に100Jの仕事をした。このとき，気体の内部エネルギーの変化はいくらか。

**着目！** 容器とピストンは断熱材でできていて，気体には外部から熱の出入りがありません。つまり，このときの変化は断熱変化（$\Delta Q = 0$）です。

そこで，熱力学第1法則，

$$\Delta Q = \Delta U + P\Delta V$$

において，$\Delta Q = 0$ ですから，

$$\Delta U = -P\Delta V = -100 \text{ [J]} \quad \cdots\cdots \boxed{答え}$$

気体が断熱膨張で外に仕事をしたため，気体の温度が下がったわけですね。

図10-19

$\Delta Q = 0$　　$P\Delta V > 0$

$\Delta U < 0$

断熱変化（膨張）

# Theme 6

# 熱効率と不可逆過程

　熱力学の発展が蒸気機関の発明とともに進んできたことをTheme1のところで述べました。熱機関（エンジン）の実際的な研究の目的は，いかに効率の良いエンジンを作るかということに集約されます。今でも燃費の良い車を作るということが，自動車会社の1つの目的になっていますね。

　そして，効率のよい熱機関の開発というところから，新しい熱力学の法則がわかってきたのです。

## Step 1 熱効率とは何か

　熱機関の仕組みは，水を熱して蒸気としたり，あるいはガソリンを気化して爆発させるなどして，熱エネルギーでピストンを動かし，それを動力にすることです。一言で言えば，熱エネルギーを力学的な仕事に変える装置が熱機関です。

　熱力学第1法則は，物質に加えられた熱エネルギーが仕事に変わりうることを示していますが，実際の研究では，それがどの程度の効率でできるのかということが問題になります。

　熱効率とは，**熱機関に加えられた熱エネルギーのうち何パーセントが力学的な仕事に変換されたか**という指標です。

　このことをもう少し詳しく見てみましょう。

　まず，熱機関の目的は熱エネルギーを車輪の回転など力学的な仕事に変換することです。車輪を回転させるためには，シリンダー内のピストンを往復運動させなければなりません。つまり，通常，熱機関は周期的なサイクルとして動きます。ですから，熱効率を考えるときは，熱機関が1サイクル稼働する間にどれだけの熱エネルギーを加え，そのうちどれだけが仕事に変換されたかを求めれ

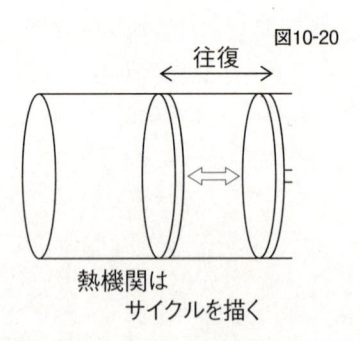

図10-20

熱機関はサイクルを描く

ばよいわけです。

　たとえば，1サイクルの間に熱機関に100Jの熱エネルギーを加え，そのうち20Jが仕事に変換されたとしましょう。そうすると，この熱機関の熱効率$e$は，

$$e = \frac{20}{100} = 0.2$$

すなわち，効率20パーセントということになります。

　ところで，100Jの熱量を加えてそのうち20Jが仕事に変わったとすると，残りの80Jの熱量はどこへ消えたのでしょうか。

　エネルギー保存則は常に成立していますから，80Jがこの世界から消えてなくなるはずはありませんね。残りの80Jはそのまま熱として熱機関から放出されてしまうのです。

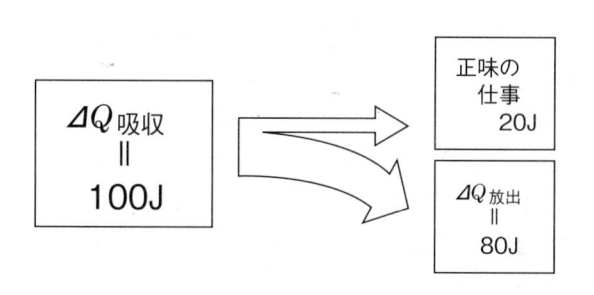

図10-21

　蒸気機関にしろ自動車にしろ，熱機関というのは稼働させると必ず熱くなります。熱くなるということは，外部に熱を放出しているということです。このとき放出される熱量は80Jで，

　　**（熱機関が）吸収した熱量100J**
　　　**＝（熱機関がした）正味の仕事20J**
　　　　**＋（熱機関が）放出した熱量80J**

というエネルギー保存則が成立します。

　それに対して熱効率の式は（単位〔J〕は以下，略します），

$$熱効率\, e = \frac{正味の仕事20}{吸収した熱量100}$$

となりますが，

　　正味の仕事20 ＝ 吸収した熱量100 － 放出した熱量80

ですから，

$$熱効率 e = \frac{吸収した熱量100 - 放出した熱量80}{吸収した熱量100}$$
$$= 1 - \frac{放出した熱量80}{吸収した熱量100}$$

と書くこともできます。

　これらの式は丸暗記するのではなく，熱効率の意味とエネルギー保存則のことを知っていれば，簡単に書けるはずです。

$$熱効率\ e = \frac{正味の仕事\ (正負込み)}{吸収した熱量\ (放出は含まない)}$$

　熱効率の計算をするうえで気をつけるべきことが2つあります。

　1つは，上で見たように式の分母にくるのは吸収した熱量であって，放出した熱量を加えてはいけません。あたりまえのことですが，「80Jを放出するとは-80Jを吸収することだ」などとして，分母を100-80にすると，熱効率としての意味をなさないことになります（もう少し言及すると，熱効率というのは人間の都合で勝手に定義した便宜上の量であって，エネルギー保存則のような自然法則ではないのです）。

　もう1つ注意すべき点は，分子の仕事は正味の仕事であるということです。その意味は，プラスの仕事だけを考えるのではなく，マイナスの仕事はマイナスとして加えなければならないということです。

　ピストンは往復運動をするので，内部の気体（水蒸気やガソリン）は膨張したり収縮したりします。つまり，気体が膨張しているときはプラスの仕事をしますが，気体が収縮しているときはマイナスの仕事になります。このマイナスの仕事をマイナスとしてきちんと計上しなければならないということです。

## Step 2　熱効率100パーセントの熱機関を作ることは不可能である

　テクノロジーが目指す理想の熱機関は，もちろん熱効率100パーセントの熱機関でしょう。19世紀の物理学者たちは，必死で熱効率100パーセントの熱機関が作れないか努力したのです。

　しかし，結論は「熱効率100パーセントの熱機関を作ることは不可能である」というものでした。これは技術的に無理ということではなく，原理的に無理なのです。車のエンジンルームは必ず熱くなりますね。熱効率100パーセントの熱機関があるとすると，それは決して熱くなりません。吸収した熱量が全て力学的な仕事に変わるのですから，熱の放出がまったくないわけです。われわれは，理屈はわかりませんが，熱を加えてもまったく熱くならず，その熱が全て力学的な仕事に変わるような装置など作れそうにないと直感的に思います。そして，その直感は正しいのです。

## Step 3　不可逆過程

　熱効率100パーセントの熱機関が作れない理由は，**不可逆過程**という現象に関係しています。

　ニュートンの力学は，物体の運動は全て時間を逆向きにしても可能だと主張します。というのも，運動方程式を解けば物体の運動が全て予測できるのですが，それは未来の予測をしているだけでなく，過去の運動も記述しているからです。このような時間反転可能な運動は，**可逆過程**と呼ばれます。

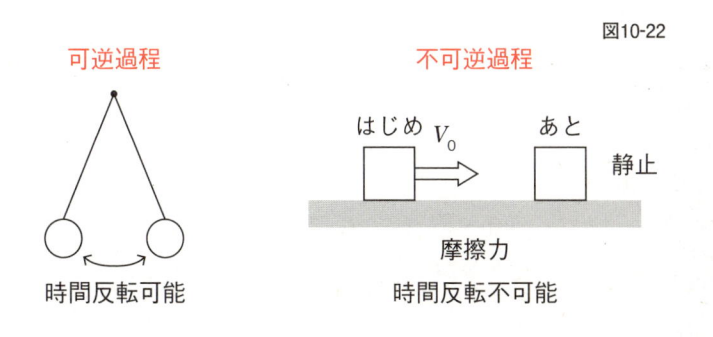

図10-22

可逆過程　　　　　　　　不可逆過程

はじめ　$v_0$　　　あと

静止

摩擦力

時間反転可能　　　　　時間反転不可能

しかし，たとえば摩擦のある面をすべる物体の運動を考えてみましょう。物体は摩擦力によって減速し，ほかに力がなければやがて静止します。これは，物体の持つ力学的エネルギーが摩擦によるジュール熱に変換されるからです。

　しかし，この物体と逆の運動は決して起こりません。面に静止していた物体が，面からのジュール熱を力学的エネルギーに変換して，突然動き出すなどということは，どう考えても絶対に起こらないでしょう。このような変化が，不可逆過程です。

　熱現象には，必ずこのような不可逆過程が存在します。熱機関から逃げていった熱は，摩擦によって発生したジュール熱と同じで，それらの熱が再び集まって力学的エネルギーに変わることはないのです。

　このような熱現象を物理学的に説明することは，なかなか難しいのですが，われわれは不可逆過程というものを経験的によく知っているわけですね。このあたりから，熱力学は大変面白いものになっていくのですが，残念ながら高校物理の範囲を越えますので，熱現象のお話はこれくらいにしておきましょう。

**5** 一定量の理想気体をピストンのついた容器に閉じ込め，図のグラフのように圧力と体積を変化させた。

A→Bの過程では，気体の体積を一定に保ったまま1500Jの熱量を加える。B→Cの過程では，気体の温度を一定に保ったまま 1500Jの熱量を加える。C→Aの過程では，気体の圧力を一定に保ったままピストンをAの状態まで戻し，外部から1000Jの仕事をされた。

このようなサイクルを描く熱機関の熱効率はいくらか。

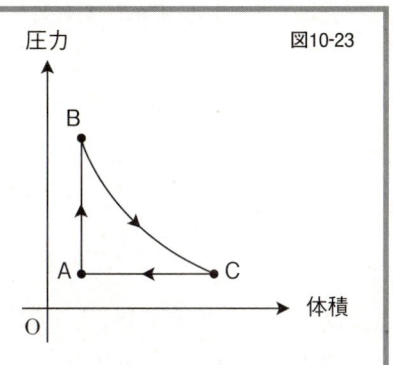

図10-23

**着目！** $P$–$V$図を見てもわかるように，このサイクルで気体が熱を吸収する過程は，A→BとB→Cです。一方，C→Aは外から仕事をされ，温度も下がり，熱を放出する過程です。

そこで，熱効率の分母にくる気体の吸収した熱量は，A→BとB→Cの2つの過程で吸収した熱量を足せばよいですね。それを$\Delta Q_{吸収}$として，

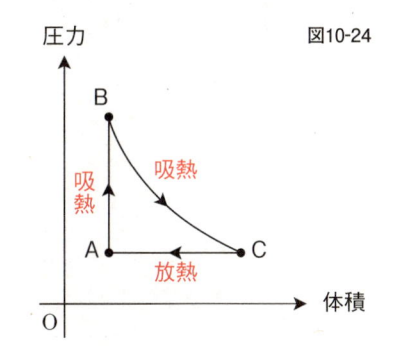

$$\Delta Q_{吸収} = 1500 + 1500 = 3000 \text{ [J]}$$

次にこのサイクルで気体が外部にした正味の仕事を求めましょう。

A→Bは定積変化ですから，気体は外部に仕事をしません。

B→Cは等温変化ですので，気体の内部エネルギーの増加$\Delta U$は0です。

そこで，熱力学第1法則，

$$\Delta Q = \Delta U + P\Delta V$$

で，$\Delta U = 0$ですから，

図10-24

$$P \varDelta V_{B \to C} = \varDelta Q_{B \to C} = 1500 \text{ (J)}$$

となります。しかし，これだけが熱効率の式の分子（正味の仕事）ではありません。

　C→Aで気体は収縮するので，外部から仕事をされる，すなわち気体は外部に負の仕事をすることになります。その値は，

$$P \varDelta V_{C \to A} = -1000 \text{ (J)}$$

です。

　以上より，1サイクルでの正味の仕事 $P \varDelta V_{正味}$ は，

$$\begin{aligned} P \varDelta V_{正味} &= P \varDelta V_{B \to C} + P \varDelta V_{C \to A} \\ &= 1500 - 1000 \\ &= 500 \text{ (J)} \end{aligned}$$

よって，この熱機関の熱効率 $e$ は，

$$e = \frac{P \varDelta V_{正味}}{\varDelta Q_{吸収}} = \frac{500}{3000} \fallingdotseq 0.17 \quad \cdots\cdots \boxed{答え}$$

# 第11講

## 正弦波

波動

**Theme1**
波は動くものなり

**Theme2**
反射波の作りかた

**Theme3**
定常波の考えかた

問題演習
まずは自由端反射波を描こう！
定常波の特徴を押さえよう！

### 講義のねらい

波は動くとイメージすれば，ヤヤコシクナイ。反射波の作りかたと定常波の特徴を押さえよう！

# Theme 1
# 波は動くものなり

　今回から,「波動」の分野に入ります。「物理基礎」における波動には,「音波」というメイン・テーマがあります。第11講はこのメイン・テーマに入るまえに,波動の基本について勉強しましょう。

　昔から「波動は苦手だ」という受験生が大勢いますが,その原因の1つが「波の式」のヤヤコシサにあります。フクザツに見えるんですね。しかし,慣れてしまえば何も難しいことはありません。本講の最大の目的は,波の式を簡単に作ることです。

## Step 1　波は動く

　受験生の諸君が波動を苦手とする理由の1つには,静止した波の絵だけで波をとらえてしまっていることがあると思います。しかし,「波は動く」のです。「あたりまえじゃないか」と思うでしょう。でもみなさんが使っている教科書には,動いた波なんて描かれていませんね。そういう動かない図を見ているから,イメージができなくなるんです。

　そこでこちらを見てください。こんなふうに動いていくんですよ。右にも左にも動きますね。

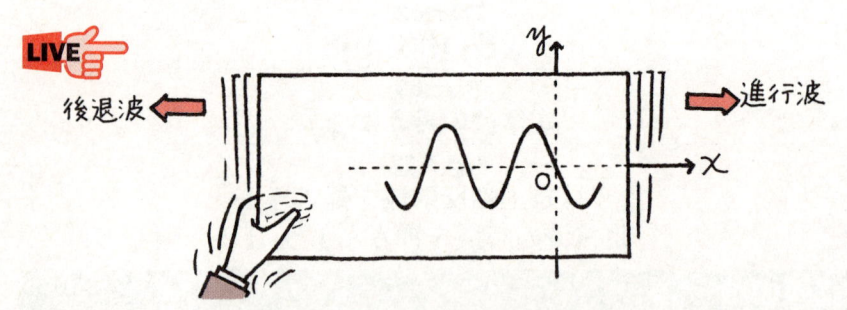

　$x$軸（プラス）方向に動いていく波を「**進行波**」といいます。また,$x$軸と反対（マイナス）方向に動いていく波を「**後退波**」といいます。いずれにせよ,いつも意識しておいてもらいたいことは,波は動いているということです。

## Step 2 波の3つの物理量

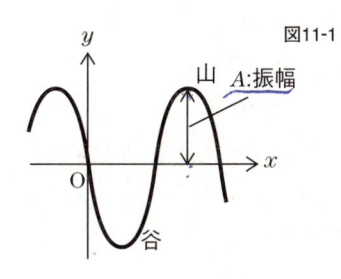

では、波動の物理量について説明しましょう。波動にはまず、山と谷があり、その高さと深さを波の「振幅」といいます。ふつう記号 $A$ で表します（図11-1）。しかし、これは簡単にわかることなので、重要な3つの物理量には入れません。波の重要な物理量は次の3つです。

① **速さ** $v$ 〔m/s〕
② **波長** $\lambda$ 〔m〕
③ **振動数** $f$ 〔Hz〕

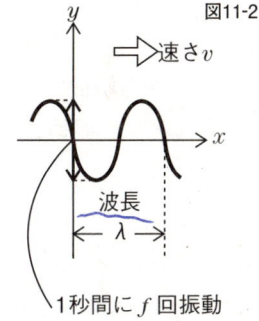

図11-2を見てください。まず、①、波は動くのですから、当然、速さがあります。波の動く速さを記号 $v$ で表し、単位はもちろん〔m/s〕です。

②は（山と谷をあわせた）波1個分の長さです。これを「波長」とよんで、$\lambda$（ラムダ）と表します。単位は〔m〕です。

ここまでは、簡単にイメージできますね。

③は波が動くというイメージができているかどうかがポイントです。波が通り過ぎるとき、ある場所、たとえば原点をじっと見つめていると、その場所で波は上がったり下がったりしますね（図11-3）。

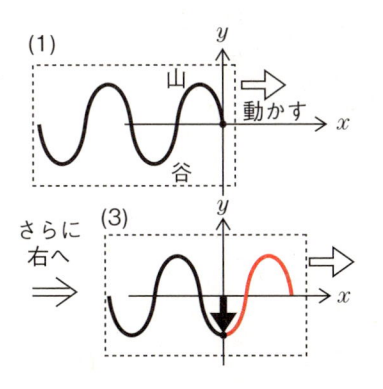

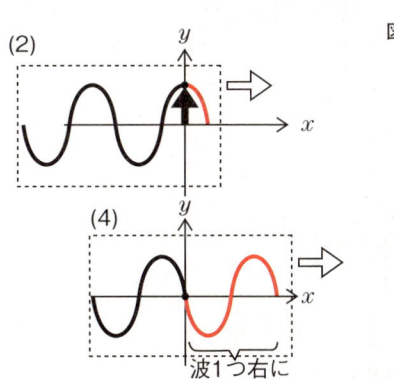

山と谷の1組が通過するとき，原点における波の高さは，$y=0$から上がって下がって，また$y=0$に戻るという動き（振動）をします。この振動が1秒間あたりに何回起こったかというのが，波の振動数です。振動数は$f$と表し，単位は〔Hz〕（ヘルツ）です。

### 波の周期って？

　補助的にもう1つ覚えておいてほしい物理量があります。そのために，振動数を違う視点で見てみましょう。たとえば，振動数$f=10$の波の場合，1秒間に10回振動しますが，では，1回振動するのに何秒かかるでしょうか？計算するまでもありませんが，

$$\frac{1}{10}=0.1$$

で，振動1回につき0.1秒かかることは明らかですね。この波が1回振動するのにかかる時間（ここでは0.1秒）を，波の「**周期**」といいます。周期は$T$で表します。振動数$f$と周期$T$はちょうど逆数の関係になっていますね。

$$T=\frac{1}{f} \qquad f=\frac{1}{T}$$

と表せます。

---

**まとめ—20**

### 波の3つの物理量

① **速さ** $v$〔m/s〕
② **波長** $\lambda$〔m〕
③ **振動数** $f$〔Hz〕
・周期$T$と振動数$f$の関係　$T=\frac{1}{f}$, $f=\frac{1}{T}$

## Step 3 波の基本公式

3つの物理量を知ったうえで，波動において最も基本的，かつ重要な公式を勉強していきます。その公式は，音波をはじめ，波動現象のあらゆることに通じる公式です。

たとえば，$x$軸正の向きに秒速$v$で進む進行波が，時刻0で図11-4(a)のような状態にあるとします。原点から1秒間だけ右へ進むと，進んだ時間が1秒ですから，動いた距離は$v$です（波は1秒で$v$進むから）。すると，図11-4(b)のようになったとしましょう。1秒で$v$だけ進んだ中に波が（たまたまですが）2つ入っています。波1つ分の長さは$\lambda$なので，この1秒で進む長さ（$v$）は，$2\lambda$に等しいことになりますね。

### 原点では何回振動が起こった？

次に原点における波の振動の様子を見てみましょう。1秒間で原点では何回振動があったのでしょうか。

時刻0から1秒後までに2つの波が原点を通過しています。原点に注目すれば，原点では1秒間に2回振動が起こったのがわかります。ですから，この波の振動数は2です（ここでは話をわかりやすくするために，たまたま振動数が2になったことにしています）。振動数は$f$で表すのでこの場合は$f=2$ですね。

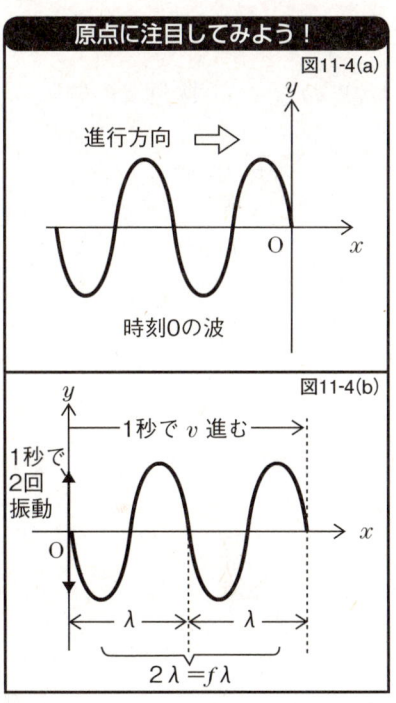

つまり，1秒間で$f$回振動するとしたら，原点の右側に$f$個の波の山と谷が出ていくことになります。ですから，波が進んだ距離は$\lambda \times f$ということになりますね。一方，この1秒間で波が進んだ距離は$v$です。よって波の基本公式は，

$$v\,(\text{波の速さ}) = f\,(\text{振動数}) \times \lambda\,(\text{波長})$$

これまで紹介した波の3つの重要な物理量（速さ，振動数，波長）の間には，常に $v=f\lambda$ の関係があるんですね。これが波の基本公式です。このあと何度も出てくる公式ですから，頭によく入れておいてください。

---

**まとめ―21**

### これが波の基本公式！

波の3つの物理量（速さ $v$，振動数 $f$，波長 $\lambda$）の間には，
$$v=f\lambda$$
という関係が成立する。

# 反射波の作りかた

光が鏡で反射するように、波は壁に当たると反射します。反射した波はどのような形になるのか、その作図の方法を伝授します。

## Step 1　自由端反射と固定端反射

図11-5

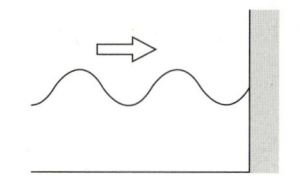

水の波＝自由端反射　　　ロープの波＝固定端反射

波が壁に当たって反射する仕方は2通りあります（図11-5）。

プールの水面に生じた波が壁に当たる場合を想像してみましょう。このとき、壁の位置で水面は上がったり下がったりしますね。媒質である水は、当然のことですが、壁の位置で自由に動けます。このような状態での反射を、**自由端反射**と呼びます。

水の波だけを考えれば、自由端反射以外の反射は考えられないのですが、今度はロープの一端を壁に結びつけて、もう一端を持って振ってみましょう。このときロープの振動は波となって伝わっていきます。そして壁まで来ると反射するのですが、壁の位置ではどの瞬間を見ても、ロープは壁に結びつけられていますから動けません。このような状態で生じる反射波を、**固定端反射**と呼びます。

固定端反射の例としては、壁に結んだロープ以外に音波があります。音波がなぜ固定端反射をするのかについては、Theme4でお話しすることにします。

## Step 2 反射波の考えかた

　図11-6のように，鏡の前にロウソクを置きます。そうすると，ロウソクの像が鏡の中にできますね。まるでロウソクが鏡の中にあるかのように見えるのですが，なぜそう見えるのかといえば，ロウソクから出た光が鏡に当たり，反射してわれわれの目に届くからです。われわれは鏡によって反射した光を見ているのですが，それがあたかも鏡の中からやってくるかのように見えるわけです。

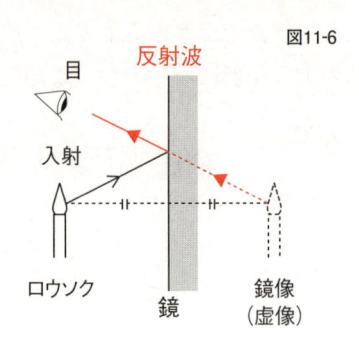

　ロウソクから出て目に届く光の経路を作図するには，まず鏡の面を対称面として，実際のロウソクと対称な位置にロウソクの像を描きます（虚像）。そして，この虚像からまっすぐ目に向かって光が出ているように線を引けばよいのです。このとき，ロウソクの虚像から出て鏡の面まで届く光線は実際には存在しませんが，鏡の面から出て目に届くまでの光線は存在します。つまりこれが反射波です。

　そこで，反射波の作図法は，「ロウソクの虚像を鏡面に対して対称点に描き，その虚像から目に向かって線を引く」でよいわけです。

　反射波の描きかたにはいろいろな方法があり，そのどれを使ってもよいのですが，ここでは以上の説明に従った作図法を紹介することにします。

## Step 3 自由端反射波の作りかた

　まず自由端反射波の作図法を紹介します。この作図法を知っておけば，固定端反射波についてもそこからすぐに描くことができます。

　ある瞬間における形が図11-7のような進行波（$x$軸正の向きに進む波）を考えます。$x=l$の地点に壁があり，そこで波は反射するものとします。図に描かれた波は，壁に向かってぶつかる波で，これを入射波と呼びます。

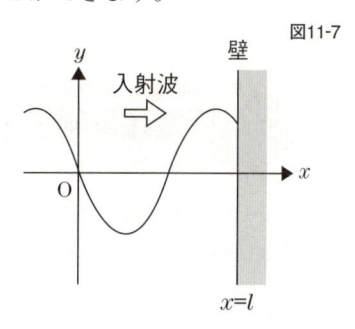

　反射波は壁にぶつかって跳ね返る波ですから，当然進行方向は$x$軸負の向きの後退波になります。波の速さと波長は入射波と同じとします。また，ふつうは壁にぶつかって減衰することもありますが，反射波の振幅は入射波と同じであるとしておきます。

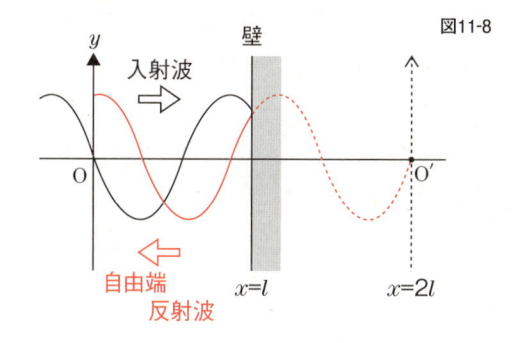

　壁を鏡と同様に考えて，入射波の鏡像を描きます。確実な方法は，$x=2l$の地点に原点O（$x=0$）の鏡像O'をとり，そこから入射波と対称的な波が$x$軸負の向きに出ている図を描きます（赤色点線）。そうすると，$x=l$の壁の位置では，この鏡像である波の変位（$x$軸からのずれ）は入射波の変位と同じになりますね。この鏡の中で負の向きに進む波を，そのまま壁の位置から伸ばして負の向きに波を描けば（赤色実線），これが自由端反射波にほかなりません。ロウソクの光が目に届くときの反射波と比べてみてください。まったく同じ描きかたをしているのです。

われわれが実際に観察する波は，入射波と反射波が別々に見えるわけではありません。2つの波があわさった形を見るのです。そこで，壁の位置では，たとえば入射波の変位が10cmであったとすれば，反射波の変位も10cmで，足しあわせると20cmになります。これが，壁ぎわで波がパシャッと高く変位する理由です。自由端反射ではこのように，壁の位置で波の振幅が2倍になって見えるわけです。

## Step 4 固定端反射波の作りかた

次に，固定端反射の反射波はどのようになるか考えてみましょう。

基本的な考えかたは，固定端反射も自由端反射も同じです。ただ，固定端反射が自由端反射と異なる点は，壁の位置で波（媒質）が変位しない（$x$軸からのずれがない）という点です。われわれが見る波は入射波と反射波をあわせたものですから，それが変位しないということは，たとえば入射波の変位が10cmであれば，反射波の変位は−10cmでなければなりません。このような打ち消しがどの瞬間にでも成り立つためには，入射波の変位に対して反射波の変位の符号がいつも逆になっていればよいでしょう。

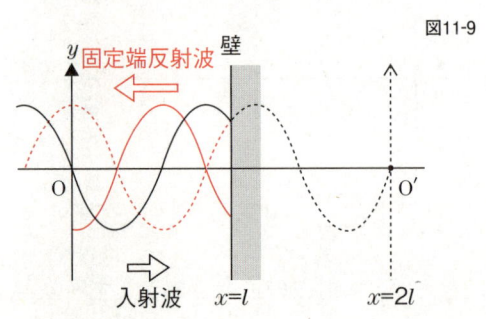

図11-9

そこで，まず自由端反射波を描いて，その波の形を上下に逆転させてやれば，入射波＋反射波の変位が壁の位置でつねに0となるはずです。つまり，固定端反射波は自由端反射波の形を上下逆転させたもの（変位の符号を逆にしたもの）ということです。

変位の符号を逆転させるということは，波の形を半波長だけずらしたものと同じですから，これを位相を180°（$\pi$）ずらしたものと言っても同じです。

## まずは自由端反射波を描こう！

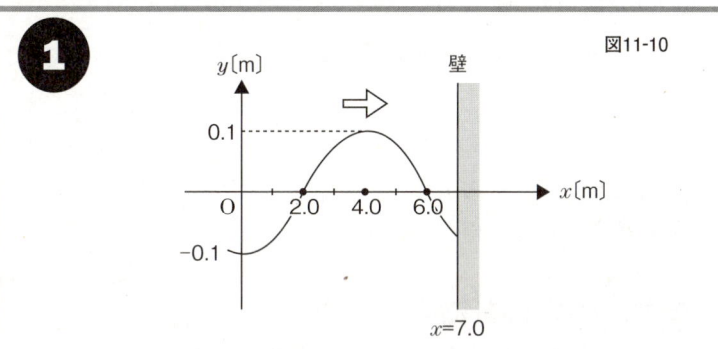

**①**

図11-10

図は $x$ 軸正の向きに進む波長8.0mの波のある瞬間の形である。$x=7.0$〔m〕に壁があり，この壁で波は減衰することなく固定端反射するものとする。この瞬間における反射波の形を作図せよ。

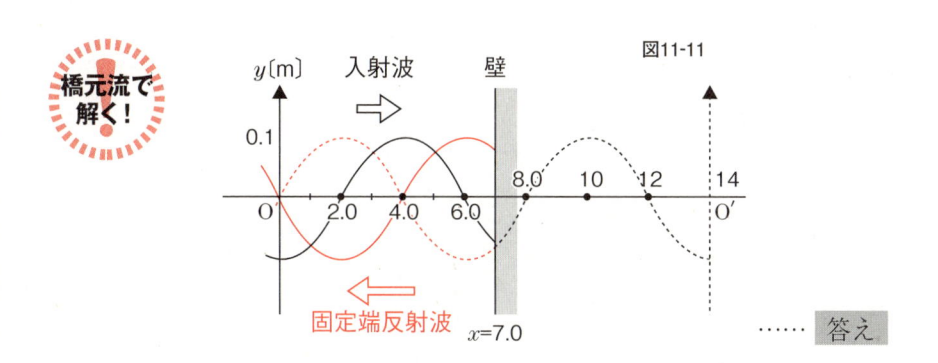

**橋元流で解く！**

図11-11

……答え

$x=14$〔m〕の位置に原点Oの壁に対する鏡像点O'をとります。そして，与えられた入射波の鏡像を，O'から負の向きに出ていく波として描きます（図の黒色破線）。この負の向きに進む波を壁からそのまま出して描いた波（図の赤色破線）が，自由端反射波になります。

固定端反射波を描くには，自由端反射波を上下逆転するだけでよいので，図の赤色実線が，求める固定端反射波になります。

# Theme 3
# 定常波の考えかた

　プールの壁や防波堤などの波打ち際をよく観察していると，壁の近くでは波がどちらの方向にも進まず，チャポチャポと上下方向にだけ揺れているような状況を見ることができます。これは，壁に入射する波と反射する波が重ねあわされて生じる現象で，そのような波を**定常波**と呼びます。定常波とはどんな特徴を持った波なのかを見ていきましょう。

## Step 1　定常波の生じる理由

　入射波と反射波という関係に限らず，波長 $\lambda$ と振幅 $A$ が等しい進行波と後退波が重なる状況を考えてみます。媒質が同じですから，この2つの波は速さも同じです。

図11-12

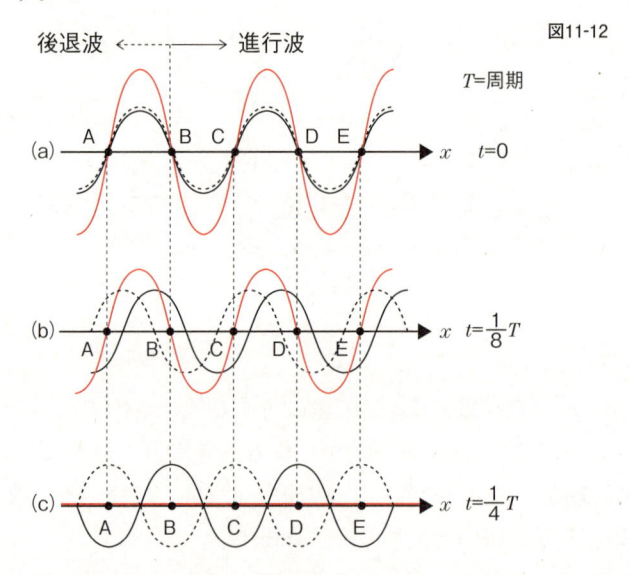

$T$＝周期

(a) $t=0$

(b) $t=\dfrac{1}{8}T$

(c) $t=\dfrac{1}{4}T$

　図(a)の瞬間は，進行波（実線）と後退波（破線）がちょうどぴったりと同じ変位で重なった状態です。波が2つあることを示すために図は上下に少しずらして描いてありますが，実際にはぴったりと重なっていると思ってください。

このとき，われわれの目には進行波と後退波の変位を足したものが見えますから，この瞬間，図の赤色の波が見えているはずです。

点A，B，C，D，Eはいずれも変位0です。また，点Aと点Bの中点では変位が$2A$，点Bと点Cの中点では変位が$-2A$で，2つの波の合計の変位の絶対値が$2A$を超えるはずはありませんから，この瞬間には，それらの点は最大変位になっています。

さて，図(a)の瞬間から，ほんの少し時間がたった状況を想像してみましょう（図11-13）。点B（あるいは点D）に目を固定してみてください。進行波（実線）をわずかに正の向き（右向き）へ動かすと，変位は0から正の向きへと動きます。一方，後退波（破線）をわずかに負の向き（左向き）へ動かすと，変位は0から負の向きへと動きます。波長と振幅が同じで速さも同じであるなら，進行波の正の向きへの動きと後退波の負の向きへの動きはまったく対称的ですから，点Bでの進行波と後退波の変位の合計は，いつでも0となるはずです。

点A，B，C，D，Eでは，いずれもこのような状況になっていますから，進行波と後退波はそれぞれ右と左に動いているにもかかわらず，これらの点はどの瞬間においても，変位が0となり，まるで波がこれらの点で縛られているように見えるのです。図(b)は図(a)から$\frac{1}{8}$周期後，図(c)は$\frac{1}{4}$周期後の様子で，点A，B，C，D，Eで変位が0になっていることがわかります。

## Step 2 定常波の特徴

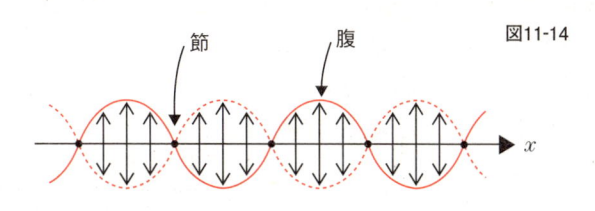

定常波では，どの瞬間においても変位が0の点が半波長ごとに現れます。これらの点を定常波の**節**と呼びます。

それに対して，点Aと点Bの中間点では，最大変位が$2A$の振動が起こります。節と節の中間点は，このように波が最も大きく振動します。このような点を定常波の**腹**と呼びます。

　半波長ごとに節があって，そこがまるで縛られたように動かず，その間で波が振動する。また，図11-12(c)のように，あらゆる場所の変位が0となる瞬間が，半周期ごとに現れる。これらが定常波の特徴です。

　定常波は一見，難しそうな波ですが，その特徴として知っておくべきことは，以上だけなのです。

## Step 3　反射波と定常波

　波長，速さ，振幅の等しい進行波と後退波がぶつかるところに定常波ができるわけですが，壁に当たって波が跳ね返る，つまり入射波と反射波が存在するところは，その条件を満たしています。ですから（波の減衰ということがないとすれば），波が壁に当たって跳ね返っている場所には，必ず定常波が現れます。それでは，自由端反射と固定端反射で，定常波の生じ方はどのように違うのでしょうか。

　それは直感的に明らかで，自由端の場合は壁の位置で波が最大2倍の振幅になりますから，壁の位置が定常波の腹になり，壁から半波長離れるごとに腹が現れることになります。

図11-15
自由端反射で生じる定常波

　それに対して，固定端反射の場合は，壁の位置で媒質は決して動きませんから，壁の位置が定常波の節になります。そして，壁から半波長離れるごとに節が現れることになります。次講で学ぶ弦と気柱の振動は，定常波の典型的な例と言えるでしょう。

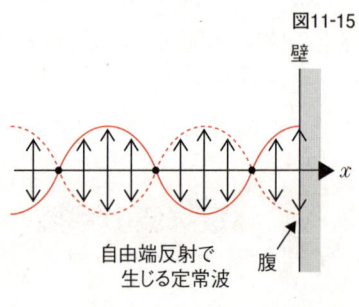

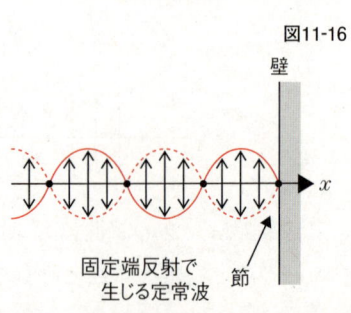

図11-16
固定端反射で生じる定常波

## 定常波の特徴を押さえよう！

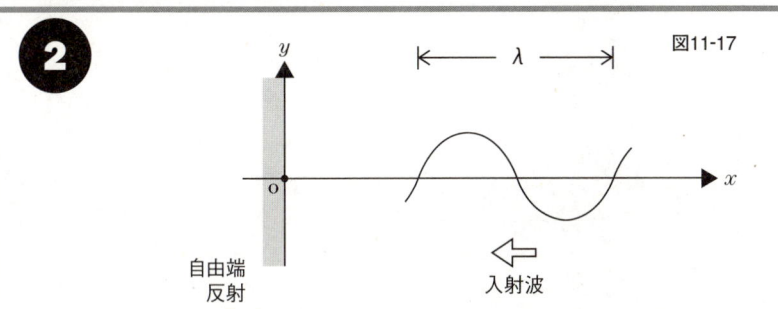

**❷**

図11-17

$x=0$ の位置に壁があり，$x$ 軸上を正方向から壁に向かって入射してくる波長 $\lambda$ の正弦波がある。この波が壁で減衰することなく自由端反射をするとき生じる定常波の節の位置座標を，正の整数 $n$ を用いて表せ。

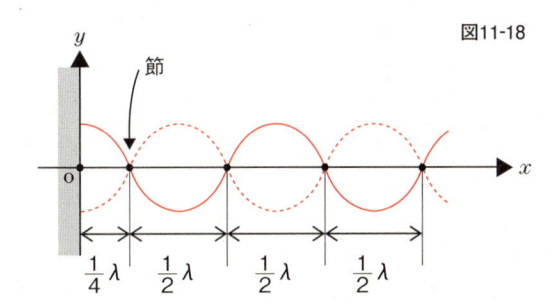

**橋元流で解く！**

図11-18

自由端反射ですから，壁の位置は定常波の腹になります。よって，壁に最も近い定常波の節の位置座標は，

$$x = \frac{1}{4}\lambda$$

です。そして，その位置から正方向へ $\frac{1}{2}$ 波長ごとに節が現れますから，これらの節の位置を，適当な整数を $m$ として表せば，

$$x = \frac{1}{4}\lambda + \frac{1}{2}m\lambda$$

ただし，壁に最も近い節の位置は $\frac{1}{4}\lambda$ ですから，このとき上の式の $m$ は $0$ でなくてはなりません。つまり，上の式が解答となるためには，

$$m = 0, 1, 2, \cdots\cdots$$

でなければなりません。

問題では，正の整数を$n$とせよとありますから，

$m = n - 1$

とすれば，$n = 1, 2, 3,$ を満たすでしょう。

よって，

$x = \dfrac{1}{4}\lambda + \dfrac{1}{2}(n-1)\lambda$

$= \dfrac{2n-1}{4}\lambda$ …… 答え

# 第12講

# 弦と気柱の振動

**波動**

---

**Theme1**
身近にある弦と気柱の振動

**Theme2**
弦の振動

**Theme3**
気柱の振動

**Theme4**
タテ波とヨコ波

問題演習
波なら，何はともあれ $v = f\lambda$

## 講義のねらい

弦の振動も気柱の振動も波の基本公式 $v = f\lambda$ を使って考えよう。$v$, $f$, $\lambda$ のうち，何が変わらず，何が変わったのかをチェックすることが重要だ！

# Theme 1

# 身近にある弦と気柱の振動

第12講では,「弦と気柱の振動」について勉強しましょう。

弦と気柱の振動は,とっつきにくい問題ではありません。基本的な法則をおさえていけば,非常に簡単に解けるのです。気楽に勉強していただければと思います。

## Step 1 弦も気柱も楽器だ!

物理で言う「弦の振動」とはどう言うものでしょうか? 図12-1を見てください。ヴァイオリンやギターを弾いたことがある方なら,イメージしやすいと思います。弦楽器の弦をはじいてみると,弦がブルブルと振動しますよね。あの現象が物理の「弦の振動」なんです。

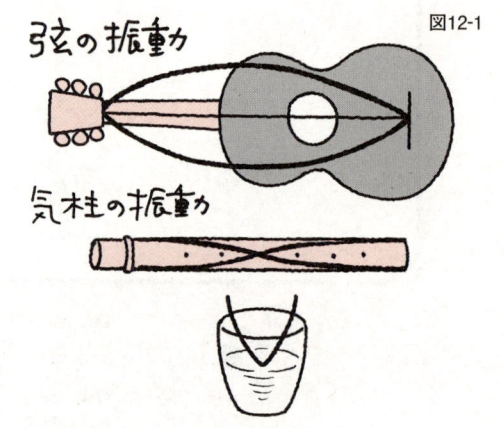

図12-1

また,「気柱の振動」って何でしょう? 気柱とは空気の柱のことです。笛のような管楽器をイメージしてください。笛を吹くとボーって音が鳴りますね。そのとき筒の中では,空気が振動しているんです。また,笛は筒の両側が開いていますが,コップみたいに片側が閉じているものでも,空気を振動させて音が出せます。こういった空気の振動が,物理の「気柱の振動」なんですよ。

## Theme 2

# 弦の振動

それでは，弦の振動から考えてみましょう。

### Step 1 固定端での反射

ある長さ（$L$としておきましょう）の弦があったとします。図12-2に注目してください。弦の両側が止められていますね。この押さえられているところを「**固定端**」といいます。

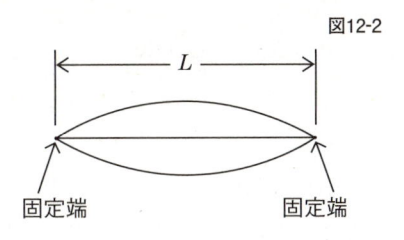

図12-2

たとえば，ギターの弦はこのように両側がしっかりと押さえられています。両側が押さえられていないと，よい音が出ないのです。ギターを弾くと，図のように弦は振動するでしょう。

#### 共鳴

ギターの弦が大きく振動して大きな音が聞こえる現象を「**共鳴**」といいます。これは，弦の上を伝わる波が固定端で反射し，反対方向へ進む波となり，また反対側の固定端で反射し，…ということが繰りかえされ，それらが重なって非常に大きな振幅となる現象です。

弦や気柱に現れる振動は，全てこの「共鳴」によるものなんですよ。

### Step 2 倍振動

では，ここで重要なポイントをおさえていきますよ。第11講で波の基本公式を勉強しましたね。覚えていますか？　【⇒P. 221】

$$v = f\lambda$$

$v$は波の速さ，$f$は振動数，$\lambda$は波長ですね。まさに，弦の振動についてはこの基本公式が全てなんです。それをふまえて，弦の振動における3つの物理量を調べてみましょうか。

図12-3(a)の弦（長さを$L$とします）の振動の波長はいくらでしょうか？ 弦の長さは$L$で，振動は弦の両端で折りかえされるから波長$\lambda$は$2L$ですね。

$$\lambda = 2L$$

振動数はこのままでは決まりませんが，とりあえず$f_0$としておきましょう。

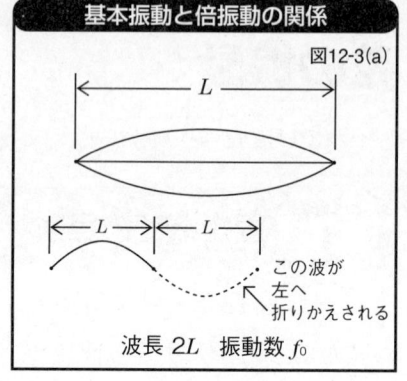

このように，弦の真ん中が膨らんだ振動は，一番よくありそうな振動ですね。そこで，この振動を弦の「**基本振動**」といいます。

**基本振動と倍振動の関係**

図12-3(a)

波長 $2L$　振動数 $f_0$

この波が左へ折りかえされる

しかし，弦の振動は基本振動だけではありません。弦楽器をよく練習している人はご存知だと思いますが，弦のはじきかたを工夫すると1オクターブ高い音が出るでしょう？ どうしてそんな音が出せるのでしょうか？

図12-3(b)のように弦が1回ねじれている場合もあるんです。この場合も両側が固定端ですが，その真ん中に「**節**」（振幅が0で振動しない点）ができる振動です。ついでに言いますと，ちょうど固定端と節の真ん中の一番よく振動する点を波の「**腹**」といいます。この場合，波長は基本振動の半分で，ちょうど1波長（$=L$）ですね。基本振動の波長$2L$を基準に考えると，

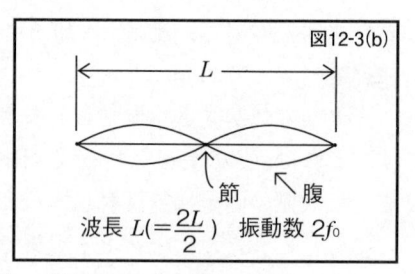

図12-3(b)

節　腹

波長 $L(=\dfrac{2L}{2})$　振動数 $2f_0$

$$L = \frac{2L}{2}$$

と書いてもいいでしょう。ところで，この場合の振動数はいったいいくらでしょうか？ 基本公式（$v=f\lambda$）をよく見てください。波の速さ$v$は常に同じだとすると，波長$\lambda$が半分になれば，当然振動数は2倍になりますね。ですから，波長$L$の振動数は，基本振動$2L$の2倍の振動数，すなわち$2f_0$となるでしょう。こういう振動のことを「**基本振動**」に対して，「**2倍振動**」といいます。振動数が2倍になることは，音楽の言葉で言うと，1オクターブ高い音ということですね。

さらに、こんな振動もあります。両側の固定端の間に節が2つできました（図12-3(c)）。腹が3つになりましたね。このときの波長は $\frac{2L}{3}$ ですね（基本振動の波長 $2L$ を3で割ったと考えてください）。ですから振動数は $3f_0$ ですね。「**3倍振動**」といいます。

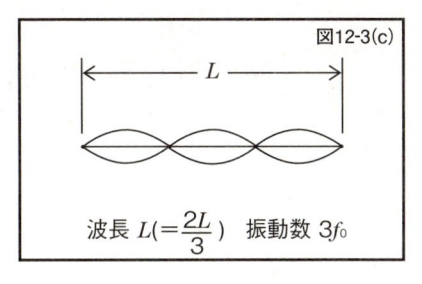

図12-3(c)
波長 $L(=\frac{2L}{3})$　振動数 $3f_0$

こんなふうにして、論理的にはいくらでも振動を作っていくことができるんです。ポイントは基本振動と倍振動の関係なんです。図にまとめておきます（図12-4）。イメージできるようにしてくださいね。

◎弦の振動

図12-4

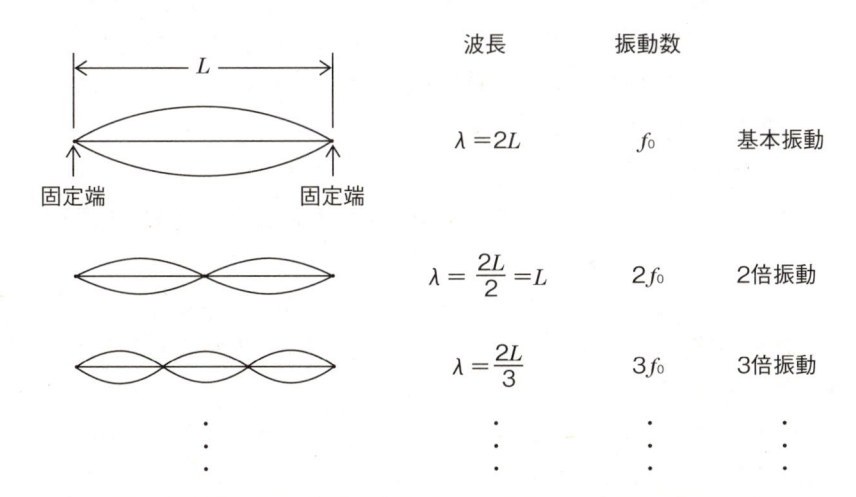

| | 波長 | 振動数 | |
|---|---|---|---|
| 固定端 $L$ 固定端 | $\lambda = 2L$ | $f_0$ | 基本振動 |
| | $\lambda = \frac{2L}{2} = L$ | $2f_0$ | 2倍振動 |
| | $\lambda = \frac{2L}{3}$ | $3f_0$ | 3倍振動 |
| ⋮ | ⋮ | ⋮ | ⋮ |

---

**まとめ─22**

## 弦の振動における倍振動

弦の振動は振動数が大きくなるに従い、基本振動、2倍振動、3倍振動、…、と増える。2倍振動以上の振動を総称して「倍振動」とよぶ。

## Step 3 弦を伝わる波の速さ

弦の振動であと1つ，重要なことがあります。それは，弦を伝わる波の速さです。そこでみなさんに，1つの公式を覚えてもらわなければいけません。結果から示すと，

$$v = \sqrt{\frac{T}{\rho}}$$

弦の張力→強く張るほど高い音
弦の線密度＝1mあたりの質量→弦が太いと低い音

弦を伝わる波の速さ $v$ は，2つの物理量 $T$ と $\rho$ で表されます。どうしてこの公式が成り立つのか説明していきましょう。ただし，なぜこの式に $\sqrt{\phantom{x}}$ がつくのかを説明するのは，「物理基礎」の範囲外ですから，今回は省略します。

### 張れば張るほど速くなる

式に注目してください。$T$ は張っている弦の張力です（力学でやった糸の張力と同じです）。この式の意味は**弦を強く張れば張るほど波の速度 $v$ は速くなる**ということです（$T$ は分子にありますから）。

イメージしてください。たれている糸を震わせても，振動はあまり速く伝わりませんね。一方，強く張っている糸を震わせると振動は速く伝わりますね。

たとえばギターを演奏するとき，強く弦を張っておけば高い音を出すことができます。なぜでしょう？

基本公式 $v = f\lambda$ に注目してください。今，弦が基本振動を起こしているとすると，波長 $\lambda$ は一定ですね。このとき公式より，速さ $v$ が大きくなればなるほど，振動数 $f$ は大きくなりますね。つまり，

弦を伝わる波の速さが速い → 振動数が大きい → 高い音

張力 $T$ が大きくなれば，速度が増すのだから，張力 $T$ は公式で分子にあるべきです。このように考えれば，どちらが分子か分母か，わからなくなることもありませんね。

### 太ければ遅くなる

次は分母に注目してください。ギリシャ文字の $\rho$（「ロー」と読む）がありますね。これは弦の「**線密度**」を表しています。線密度とは，この弦の中にどれくらいの質量がつまっているか，ということなんです。要するに弦が重いか軽いかということですね。正確に言っておきますと，「1mあたりの弦の質量」なんですよ。この弦の線密度が大きいということは，太くて重い弦だということができます。

再び，ギターを演奏するときをイメージしましょう。高い音を出す弦は細く，低い音を出す弦は太いと思いませんか？　つまり，

**弦を伝わる波の速さが遅い → 振動数が小さい → 低い音**

線密度 $\rho$ が大きくなれば，公式の左辺の速さ $v$ は小さくなるから $\rho$ は分母であるべきですね。また，基本公式（$v=f\lambda$）においては $\lambda$ は一定だから，速度 $v$ が小さくなれば振動数 $f$ も小さくなります。

こんなことをイメージしておけば，弦を伝わる波の速さの公式はひとりでに覚えられるようになるでしょう。

#### まとめ―23

**弦を伝わる波の速さの公式**

$$v=\sqrt{\frac{T}{\rho}}$$

- 弦の張力 $T$ が大きいほど波の速さ $v$ は大きい。
- 弦の線密度 $\rho$ が大きいほど波の速さ $v$ は小さい。

ここで問題を解くときのコツを教えたいと思います。

#### 橋元流●波なら，何はともあれ $v=f\lambda$

問題を解くときはとにかく基本公式を書く。
$$v=f\lambda$$
速さ＝振動数×波長
$v,\ f,\ \lambda$ のうち何が変わり，何が変わらないのかをしっかりつかむこと。

結局，弦の振動も気柱の振動も，この基本公式を使って考えるんです。このことをしっかり頭に入れておいてくださいね。問題ではいろいろ設定が変わってきますが，その度に公式の中で何が変わったのかをチェックすると，簡単に答えを導くことができます。

## 問題演習

## 波なら，何はともあれ $v = f\lambda$

**1** 図のような装置を作って弦を振動させる。AB 間の長さは最初 $L$ に設定されていて，弦の線密度は $\rho$ であるとする。重力加速度の大きさを $g$ として，以下の設問に答えよ。

図12-5

(1) おもりの質量を $M$ としたとき，AB 間に腹が 2 個ある定常波が観測された。このとき，振動装置が発している振動数はいくらか。

(2) (1)の状態から，おもりを取りかえると，AB 間に基本振動が生じた。おもりの質量はいくらか。

(3) (2)の状態から，振動装置の振動数を少しだけ大きい $f'$ にした。AB 間に基本振動を生じさせるためには，AB 間の長さをいくらにしないといけないか。また，その長さは $L$ より長いか，短いか。

(4) (3)の状態から，線密度 $\rho'$ の弦に取りかえたところ，AB 間に腹が 2 個ある定常波が観測された。$\rho'$ は $\rho$ の何倍か。

**準備** (1)の「腹が 2 個」とは図12-6のような波になりますね。本来なら波は右や左へ（進行波や後退波）動くものですが，この場合は，固定端で弦が固定されているので，動いているように見えません。弦の振動では，いったいどんなことが起こっているのでしょうか？

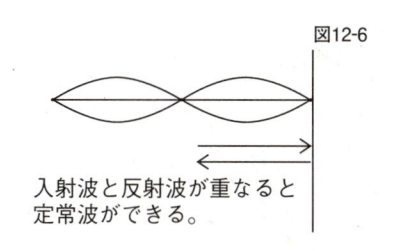

図12-6
入射波と反射波が重なると定常波ができる。

第11講で学習したプールの壁際にできる波を思い出してください。壁際では，波が右にも左にも動かないで，ただ上下にゆれている現象が見られます。このように固定端に限らず，波が反射する壁があると，壁に向かってくる波と壁で反射する波が重なって，右にも左にも進まない波が生じ，こういう波のことを「定常波」とよぶのでしたね。要するに，「腹が2個の定常波」とは，2倍振動ができたということなんですね。

(1) 図12-7(a)を見てください。AB間に2倍振動ができていますね。AB間の距離は $L$ です。波の速さを $v$ とし，$v=\sqrt{\dfrac{T}{\rho}}$ から波の速さ $v$ を求めましょう。

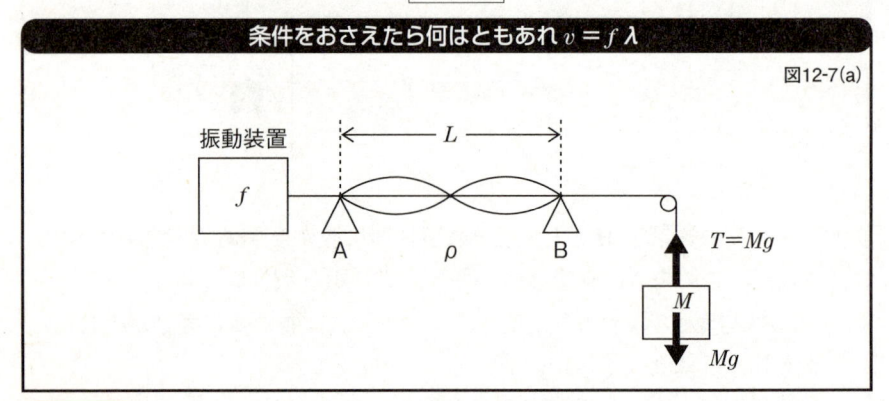

**条件をおさえたら何はともあれ $v=f\lambda$**

図12-7(a)

振動装置 $f$ ── $L$ ── A $\rho$ B $T=Mg$ $M$ $Mg$

**準備** まず弦の張力 $T$ を求めます。問題文で線密度 $\rho$ は与えられていますが，弦の張力 $T$ は与えられていませんね。

力学の力のつりあいを思い出してください。おもりの重力は $Mg$ ですね。弦の張力 $T$ はおもりが静止しているので，重力 $Mg$ とつりあっているはずですね。ですから，$T=Mg$ です。よって，

$$v=\sqrt{\frac{T}{\rho}}=\sqrt{\frac{Mg}{\rho}}$$

振動数を $f$ とします。波長 $\lambda$ は，2倍振動で，図から明らかなように $L$ ですね。ここで「橋元流・波なら，何はともあれ $v=f\lambda$」ですよ。

公式 $v=f\lambda$ より，

$$v=\sqrt{\frac{Mg}{\rho}}=f\times L \cdots\cdots\text{①} \quad (あとの問題と関係しますので①式とします)$$

$$\therefore\ f=\frac{1}{L}\sqrt{\frac{Mg}{\rho}} \cdots\cdots(1)の\ \boxed{答え}$$

(2) おもりを取りかえたことによって，AB間の振動は2倍振動から基本振動になりました。

基本振動なので波は図12-7(b)のようになります。おもりの質量は $M'$ に変わったとしておきましょう。よって，このおもりに働く重力は $M'g$ ですね。線密度 $\rho$ と振動数 $f$ は変わりませんね。弦の長さ $L$ は変わりませんが，基本振動に変わっていますから，波長は $2L$ に変わっています。

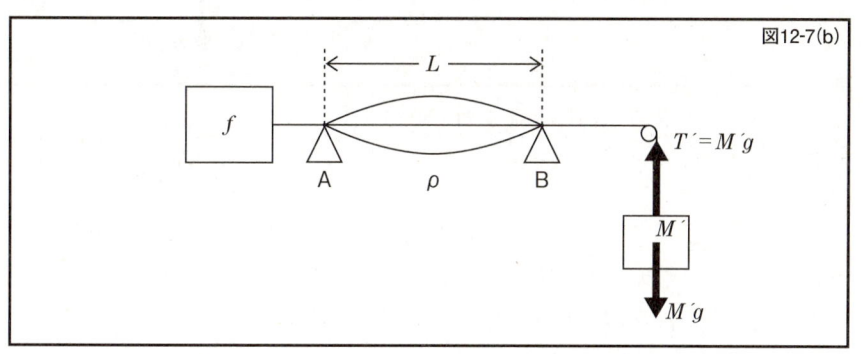

図12-7(b)

以上，**変わったもの，変わらないものをきちんと整理したうえで**，慌てず，公式 $v=f\lambda$ に値を当てはめていきます。

公式 $v=f\lambda$ において，$v=\sqrt{\dfrac{M'g}{\rho}}$，$\lambda=2L$ として，

$$\sqrt{\dfrac{M'g}{\rho}}=f\times 2L \cdots\cdots ②\quad（この式は(3)で使います）$$

$M'$ を求めましょう。設問(1)の①式を使って，②÷①とするのがコツです。

$$\dfrac{\sqrt{\dfrac{M'g}{\rho}}}{\sqrt{\dfrac{Mg}{\rho}}}=\dfrac{f\times 2L}{f\times L}$$

$$\sqrt{\dfrac{M'}{M}}=2$$

∴ $M'=4M \cdots\cdots$ (2)の 答え

こんなふうに，$v=f\lambda$ の式①，②を割り算するだけで，自動的に答えが出てきます。

(3) さあ，再度変わった条件を見直しましょう。振動数が $f'$ に変わりましたね（図12-7(c)）。この問題のおもりの質量は(2)と変わっていません。また，AB間の長さは変わったので，それを $L'$ とします。

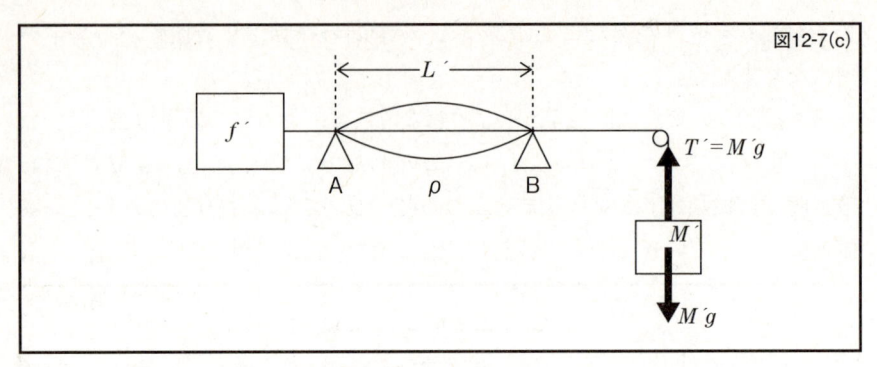

図12-7(c)

それでは「**波なら，何はともあれ $v=f\lambda$**」に当てはめましょう。

$$\sqrt{\frac{M'g}{\rho}} = f' \times 2L' \cdots\cdots\cdots ③$$

②式と比べてみましょう。③÷②としてもよし，左辺どうしが等しいですから，右辺どうしが等しいとしてもかまいません。

②，③より，$f' \times 2L' = f \times 2L$

$$L' = \frac{f}{f'}L$$

$f < f'$ なので，この値から $L'$ は $L$ より短いことがわかりますね。

この式に(1)の答えの $f = \frac{1}{L}\sqrt{\frac{Mg}{\rho}}$ を代入して，

∴ $L' = \frac{1}{f'}\sqrt{\frac{Mg}{\rho}}$　　$L$ より短い………(3)の 答え

(4) もうおわかりだとは思いますが，今までと解きかたは同じです。「腹が2個ある定常波」ですから，弦の振動は2倍振動になるわけです（図12-7(d)）。弦の長さは変わらないので(3)で求めた $L'$ と同じです。しかし弦を取りかえたので線密度は $\rho'$ に変わりました。

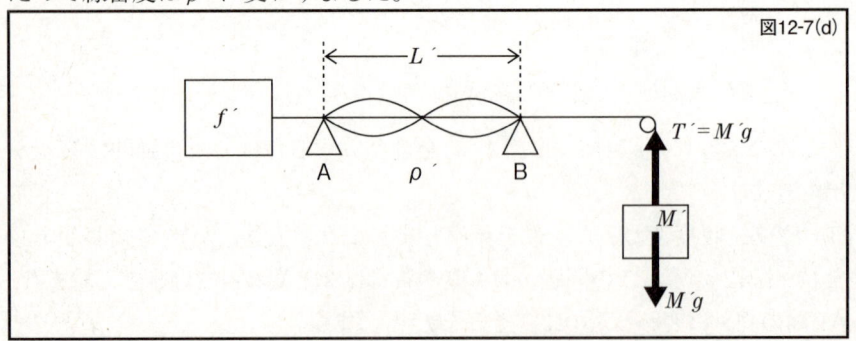

図12-7(d)

さあ，また「**波なら，何はともあれ $v=f\lambda$**」です。

$$\sqrt{\frac{M'g}{\rho'}}=f'\times L' \cdots\cdots\cdots ④$$

③式と比較し，③÷④としましょう．するとほとんどの記号は消えて，

$$\sqrt{\frac{\rho'}{\rho}}=2$$

∴　$\rho'=\underline{4\rho}$　$\underline{4倍}$………(4)の 答え

試行錯誤で式をいろいろ変形させても答えは出てきますが，このように「**波なら，何はともあれ $v=f\lambda$**」に値を当てはめれば，大変見通しがよくなり，ひとりでに答えが出てきますよ．

# Theme 3
# 気柱の振動

次は気柱の振動について考えていきましょう。気柱の振動も，その考えかたの基本は，弦の振動と同じです。ただ，少しだけ違う点もあるのです。

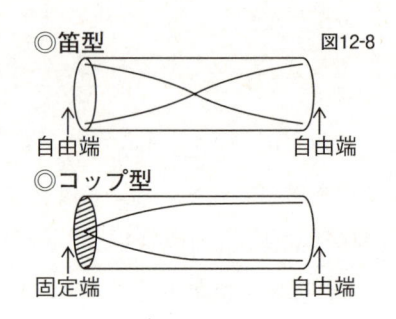

気柱の振動にはタイプが2種類あります。ボクが勝手に名づけているのですが笛型とコップ型です。図12-8を見てください。笛型は両端が開いていて，中の空気は自由に振動できます。その端のことを「**自由端**」，あるいは「**開放端**」ともいいます。

一方，コップ型は片方が閉じられていますね。音波が突き抜けるということはないんです。閉じられている部分は音波にとって壁であり，固定されていますから，「固定端」です。試験によく出題されるのはこのコップ型なんです。笛型は波長や振動数の関係が弦の振動とほとんど変わらないので，出題者の側から見ると，面白味がないんですね。

## Step 1 コップ型の気柱の振動

ここではコップ型の気柱の振動について，説明していきます。図12-9(a)を見てください。これが片側固定端の気柱です。片側が壁になっていますね。空気が動けない部分を「固定端」といい，逆に開いていて，空気が自由に動ける部分のことを「自由端」といいます。

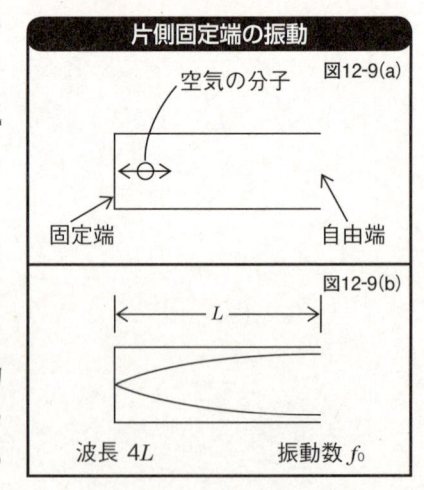

では，片側固定端の振動はどのようなものでしょうか。空気の分子の振動は図のようになりますが，この実際の振動ではイメージしにくいので，弦の

振動と同じような図を描きます（図12-9(b)）。コップの長さを $L$ とします。図からわかるように，壁の部分は節，コップの口の部分は自由端だから腹になりますから，波長はコップの長さの4倍で $4L$ になります。振動数は，この図からは何もわかりませんが，一応 $f_0$ としておきます。

この波の速さは弦の振動の波の速さとは違います。振動しているのは空気の分子，つまり音波ですから，音の速さと同じです。だいたい340m/sですね。そして図12-9(b)のような振動が，コップ型（片側固定端）では一番起こりやすい振動なので，これを「**基本振動**」といいます。

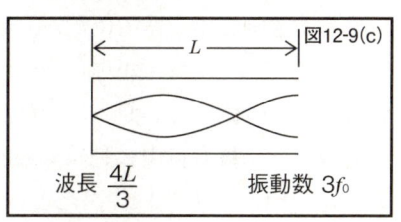

次に基本振動以外にどのような振動が可能なのか考えてみます。次に起こる振動は波長が1回ひねられた状態でしょう（図12-9(c)）。このときの波長は $\frac{4L}{3}$（$4L$ を3で割る）で，基本振動の $\frac{1}{3}$ 倍になります。だから，振動数は基本振動の3倍になりますね（振動数は $3f_0$）。つまり3倍振動です。

「基本振動のあとは2倍振動じゃないの？」と，みなさんは疑問に思われるかもしれませんが，片方が固定端，もう片方が自由端になっている場合は，どうやっても2倍振動は起きません。片側固定端の気柱の振動は，基本振動の次は3倍振動になるんですね。

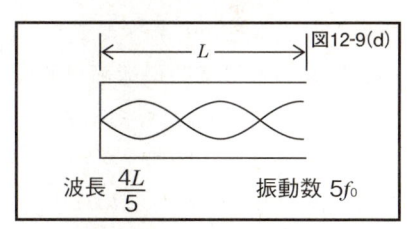

次に3倍振動よりさらにもう1回ねじると，図12-9(d)のようになりますね。この波長は $\frac{4L}{5}$ で（$4L$ を5で割るから），振動数は $5f_0$，5倍振動になります。もう，おわかりですね。次の振動は7倍振動です。すなわち，**片側固定端の振動は，奇数倍の振動しか存在しない**のです。これが，ポイントです。

### まとめ—24

#### 片側固定端の気柱の振動

振動数が大きくなるに従い基本振動，3倍振動，5倍振動，…，となる。片側固定端の気柱の振動は，奇数倍の振動しか存在しない。

## Step 2 開口端補正

　弦の振動と気柱の振動は，少し違うものだということがわかってきたと思います。気柱の中で振動しているものは空気です。厳密に言えば，空気は弦と同じように振動しているわけではありません。

**分子の動きに注目！**

　図12-10(a)を見てください。これは気柱の基本振動です。壁の位置が固定端。自由端の方にある一番振動の大きい部分（腹）の位置に注目してください。空気の分子が最も自由に動ける場所は，実は管の口から少し外に出たところなんです。つまり，波長を管の長さの4倍としておくことは，厳密に言えば誤差が生じるということなんです。この誤差をなくして，きっちり示すことを**「開口端補正」**といいます（図12-10(b)）。

　問題文の中には「開口端補正を無視せよ」とするものもあります。しかし，場合によっては「開口端補正値はいくらか？」と問う問題もあるんですよ。ですから，知っておいた方がいいんです。また，何も問題に書いていない場合は，開口端補正があるものとして考えなければならないからです。

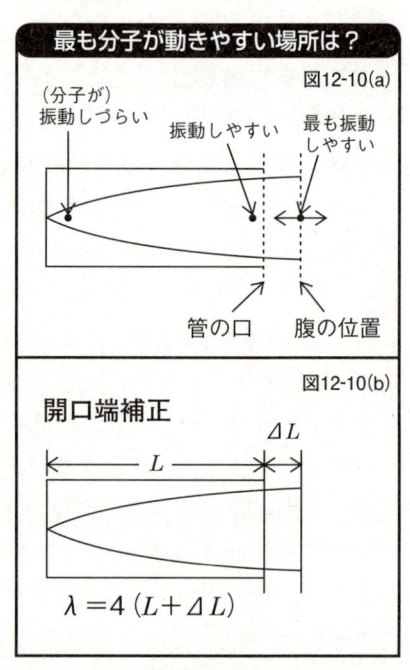

　それでは，問題演習に行きましょう。

図12-10(a) 最も分子が動きやすい場所は？
（分子が）振動しづらい／振動しやすい／最も振動しやすい
管の口／腹の位置

図12-10(b) 開口端補正
$\lambda = 4(L + \Delta L)$

## 2

振動数を自由に変えられる音源を，図のようにガラス管の上に設置する。ガラス管内には水が入っていて，水面の高さを自由に変えられるよう工夫されている。音波の速さを340m/sとして，以下の設問に答えよ。

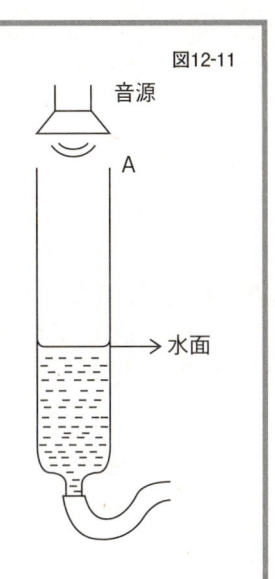

(1) はじめ，水面を管の口の位置（図のA）よりわずか下にしておき，そこから水面をゆっくりと下げていくと，水面の高さがAから9.5cmなったとき，音が大きくなった。さらに水面を下げ，Aから29.5cmになったとき，再び音が大きくなった。音源の振動数はいくらか。

(2) 開口端補正の値はいくらか。

(3) 水面をAから29.5cmの高さに固定し，音源の振動数を次第に小さくしていくと，再び音が大きくなった。このときの音源の振動数はいくらか。

図12-11

### 橋元流で解く！

(1) 図を描いて，どんな振動が起こるのか考えましょう。図12-12(a)を見てください。まず9.5cmで最初の共鳴が，次に29.5cmのところで2回目の共鳴が起こりました。最初の共鳴は基本振動ですね。では，次の共鳴のときはどんな振動でしょうか？

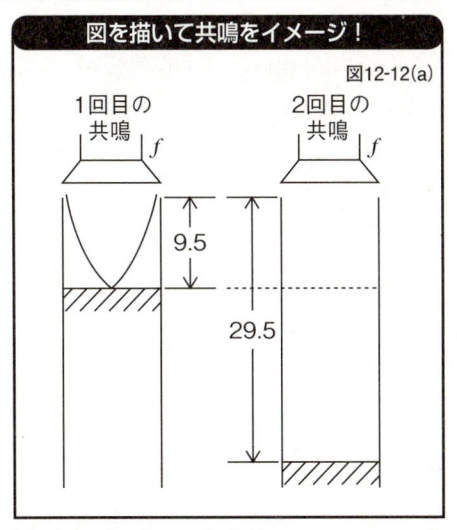

**着目!**「波なら，何はともあれ $v = f\lambda$ 」の基本公式の $v$, $f$, $\lambda$ のうちで変わった条件は何だろうかと常に考えることが大切です。$v$（音波の速度）は基本的に340m/sで変

化はありませんね。振動数 $f$ も問題文より一定です。

ですから，水面の高さが9.5cmのときも，29.5cmのときも，ともに振動数を $f$ としておきましょう。さらに，$v$，$f$ それぞれが一定ならば，波長 $\lambda$ も一定ですね。波長が変わらず，水面の高さが変わったときに音が大きくなったので，図から明らかなように2回目の共鳴は3倍振動ですね（図12-12(b)）。

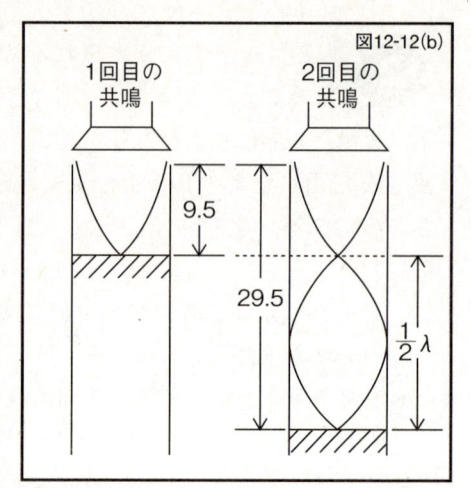

図12-12(b)

1回目の共鳴　2回目の共鳴

9.5

29.5

$\frac{1}{2}\lambda$

では 公式 $v=f\lambda$ から振動数 $f$ を求めるために，図12-12(b)から $\lambda$ の値を求めましょう。ここで注意。安易に9.5（$\frac{1}{4}$波長）の4倍としないでください。なぜなら開口端補正があるからです。こういう場合は1回目の共鳴と2回目の共鳴の図を比べて，29.5から9.5を引いた部分を考えてください。この部分ならちょうど $\frac{1}{2}$ 波長になりますよね。

図12-12(b)より，

$\frac{1}{2}\lambda = 29.5 - 9.5$

∴　$\lambda = 40$ 〔cm〕

　　　 $= 0.4$ 〔m〕（単位をメートルに直しましょう。）

さて，波長が求められたので，公式 $v=f\lambda$ を使って $f$ を求めます。

公式 $v=f\lambda$ より，$\lambda = 0.4$ として，

$f = \dfrac{v}{\lambda} = \dfrac{340}{0.4} = 850$ 〔Hz〕　………(1)の 答え

(2)　開口端補正は次のように考えましょう（図12-13）。管のふちをAとします。腹の位置は図のようにAから $\Delta L$ だけ上に出たところだとしておきます。これが開口端補正値です。最初に共鳴が起こったのは9.5cmのときなので，9.5に開口端補正値 $\Delta L$ を加えた長さの4倍が正しい波長になるはずです。

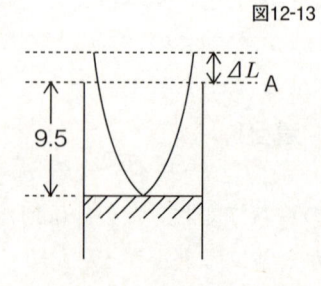

図12-13

$\Delta L$　A

9.5

図12-13より，

  $(9.5 + \Delta L) \times 4 = \lambda \quad (= 40)$

  $9.5 + \Delta L = 10$

  ∴　$\Delta L = 0.5$〔cm〕………(2)の 答え

(3)　図12-14を見てください。(1)では，29.5cmのときに3倍振動が起こりました。そのあと，振動数が変化したので，新たに振動数を$f'$としましょう($f' < f$)。振動数が変わるということは波長も変わりますね。

　こういうときも 公式$v = f\lambda$ から考えてみましょう。

着目!　まず，音速$v$は一定ですね。$f$は小さくなります。$f$と$\lambda$は反比例の関係になるので，波長$\lambda$が長くならないといけないでしょう。ですからはじめできている3倍振動よりも波長が長くなるのは，基本振動しかないことがわかりますね。この関係がわかれば，一発で答えが出ます。

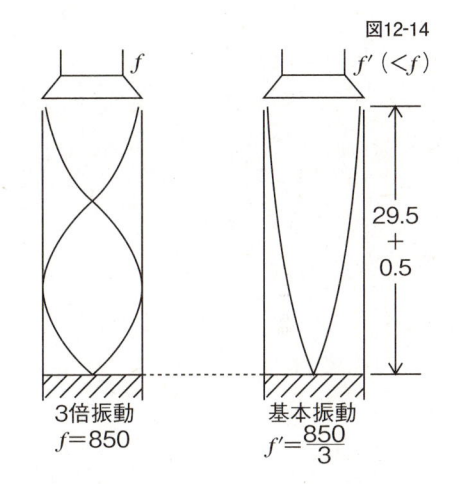

　3倍振動の振動数は(1)より$f = 850$でした。ですから基本振動$f'$は850の$\frac{1}{3}$になるということです。これで答えが出ているのですが，ちょっとわかりづらい人のためにも計算式を書いてみましょう。

　図12-14において，右の状況の波長を$\lambda'$としておきます。

　左の状態：$v = f\lambda, \quad \lambda = 0.4$………①
　右の状態：$v = f'\lambda', \quad \lambda' = 1.2$………②　($\lambda'$の値は29.5＋0.5の4倍)
　①式と②式より，

  $f'\lambda' = f\lambda$

  $f' = \dfrac{\lambda}{\lambda'}f = \dfrac{0.4}{1.2} \times 850$

  　$= \dfrac{1}{3} \times 850 ≒ 283$〔Hz〕………(3)の 答え

どうですか。うまく解くには「橋元流・波なら，何はともあれ$v = f\lambda$」ですよ。

弦と気柱の振動は，よく似ています。しかし，振動しているものは弦と空気なので，本質的には違うんです。同じ式で扱えるんだけど，起きている現象は別なんですね。

第 12 講 弦と気柱の振動　253

# Theme 4

# タテ波とヨコ波

　たとえば，水の波を思い浮かべてください。伝わっていく方向に対して，直角に振動しています（図12-15）。これを，波が伝わる方向に対して，振動が横向きだという意味で「**ヨコ波**」といいます。

　一方，音波は空気の分子が伝わっていく方向と平行に振動します。波が伝わる方向と振動する方向が同じ波を「**タテ波**」といいます。

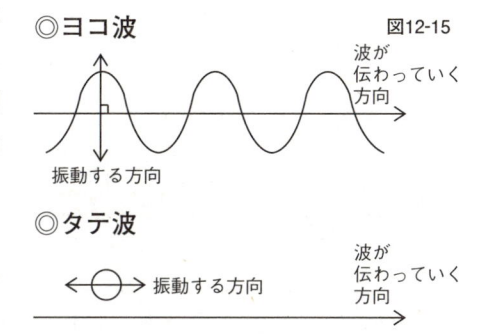

◎ヨコ波　　　　　　　　　　　図12-15

◎タテ波

タテ波

## Step 1 密と疎

　図12-16(a)はヨコ波の表現で描いた，ある瞬間の波の形です。では，このヨコ波の表現を実際のタテ波にかえてみましょう。

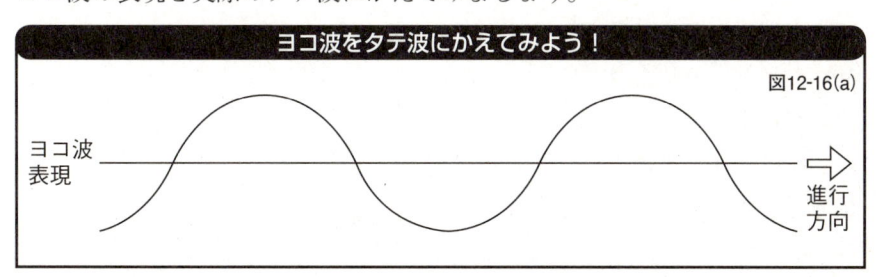

ヨコ波をタテ波にかえてみよう！

図12-16(a)

ヨコ波表現　　　　　　　　　　　　　　　　　進行方向

図12-16(b)に注目しましょう。

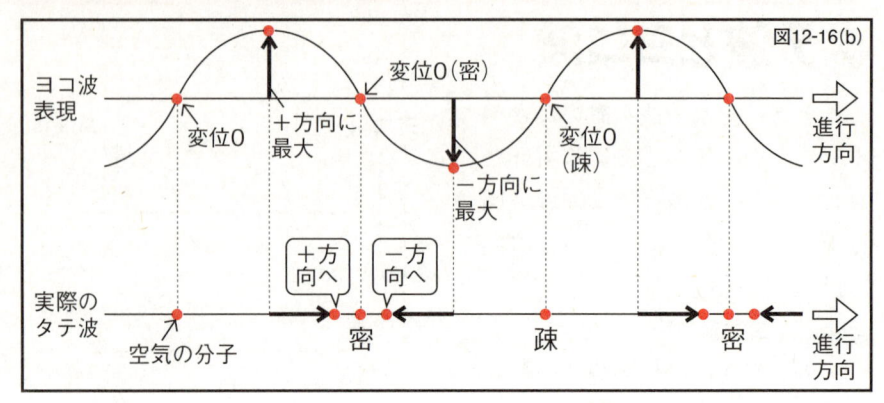

**図12-16(b)**

ヨコ波で，波が上に膨らんでいるところは，プラス方向に最大変位ということですね。ですから，タテ波でもプラス方向（右）に空気の分子は移動します。それに対して，波がマイナス方向に変位しているとき，分子はマイナス方向（左）に移動します。

図12-16(b)をよく見てください。タテ波で，分子が密集しているところがありますね。ここを「**密**」といいます。逆に分子が離れているところは「**疎**」といいます。

このようにヨコ波の表現をタテ波に直すことによって，「空気の疎密」というものが見えてくるわけです。再び図に注目すると，ヨコ波表現で描かれた図においては，いつでも**変位０の部分が密か疎**になりますね。最大変位になっているところは，密でも疎でもないその中間ですね。

## Step 2 イメージは満員電車

「気柱のどの場所で空気が密や疎になるのか」という問題も出題されます。図12-17(a)を見てください。

この図はヨコ波の表現です。矢印の方向に振動が起こっているように描いてあります。壁の位置が変位０ですから，ここが密か疎になるはずですね。

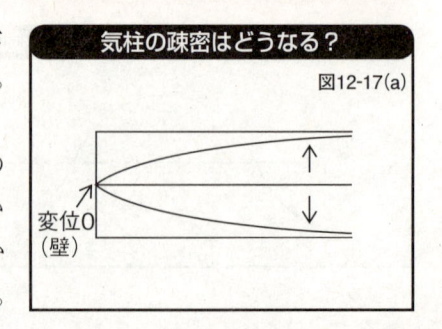

**気柱の疎密はどうなる？**

**図12-17(a)**

では，図12-17(a)をタテ波の表現にしてみましょう。

図12-17(b)を見てください。波が上へ振動するとプラス変位ですから，分子は壁の位置から遠ざかる方向へ進んでいることがわかります。壁の位置では空気が疎になっているんです。

また，逆に波が下へ振動するとマイナス変位で，分子はマイナス方向（左）へ移動します（図12-17(c)）。このとき分子は壁に近づいて，壁際は密になっています。

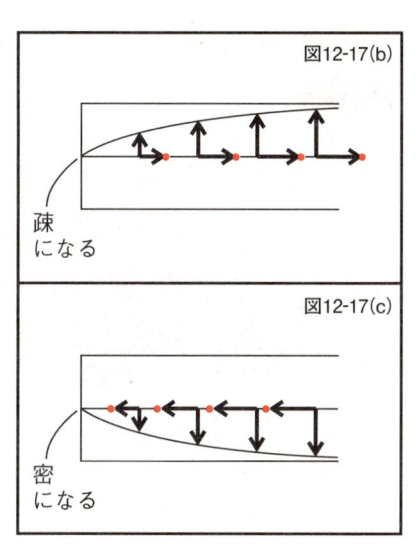

このように，壁（変位0）では空気が疎になったり，密になったりするのです。要するに壁の位置では疎密の変化が一番起こり，反対に腹の方はあまり変化が起こらないということなんです。ここまで，わかりますか？

### 端に乗るとタイヘン

わかりづらい人はこのようにイメージしましょう。キミは満員電車に乗っています。壁側に乗るとタイヘンですね。ギューギュー押されてとっても苦しい。ところが電車が減速したりすると，動けはしないんですが，圧迫感が急になくなります。圧迫されたり，急に楽になったりの繰りかえしです。

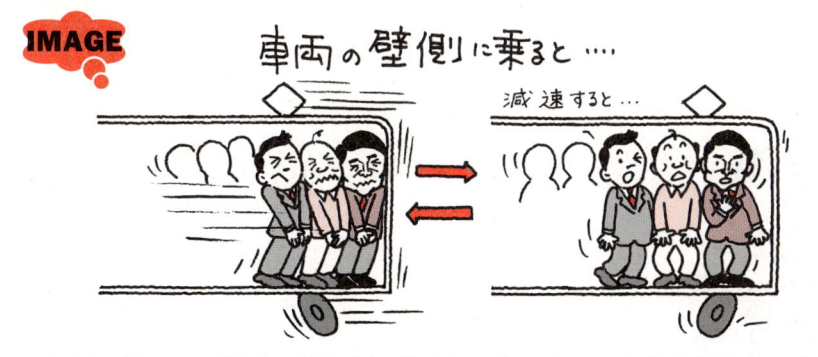

それに対して，車両の真ん中に乗ると，右へ左へと大きな動きをしなければなりませんが，圧迫感を感じることはあまりないですね。空気の密と疎は

そういうリクツと同じです。

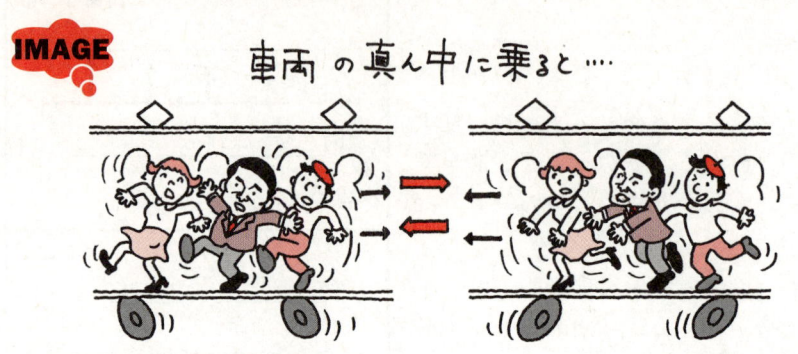

車両の真ん中に乗ると……

　これで「弦と気柱の振動」の授業は終わりです。第12講はここまでにしましょう。

# 第13講

# 電界と電位

電磁気

**Theme1**
キミのまわりは電気がいっぱい

**Theme2**
電位も電界も力学が基本

## 講義のねらい

電位や電界を理解するにも力学のイメージが大切。電位は「高さ」，電界は「傾き」と理解しよう！

## Theme 1
# キミのまわりは電気がいっぱい

　この世界に自然法則として存在し，われわれの生活に直接関係する力は，実は2つしかありません。それは，重力と電気力です。

　われわれの宇宙は，120億年も昔にビッグバンという大爆発によって生まれたのですが，その瞬間，重力も電気力もまったく同じ力だったんです。だから，今でも重力の法則と電気力の法則はよく似た形をしています。

　しかし，宇宙がはじまって1秒もたたないうちに，重力と電気力は異なる2つの力に分かれてしまいました。その結果，重力と電気力の法則には，まったく異なるところもあります。

　まず，重力は少なくとも片方が地球や太陽といった巨大な天体でないと感じられないほど小さな力なのに対し，電気力は，落雷などに見られるように，ほんのちょっとした量でも大きな力を生じます。

　電気はテレビやコンピュータなどテクノロジーに欠かせないものですが，そればかりでなく，化学反応や生命現象もつきつめれば全て電気力によるものなのです。

　それほど巨大でわれわれの周囲に満ち溢れている力なのに，われわれが日常，電気をあまり意識せずに暮らせるのは，電気にはプラスとマイナスがあって，全体として打ち消しあっていることが多いからです。

## Step 1 電気ってこんなもの

　もう，ご存知でしょうが，電気には＋と－があり，お互いに引っぱりあいます（図13-1）。これを「**引力**」といいますね。また，＋どうし，－どうしだとしりぞけあいます（図13-2）。反発しあう力のことを「**斥力（せきりょく）**」とよんでいます。

　ところで，「電気なんて見たことないよ」とみなさんは言うかもしれませんね。そん

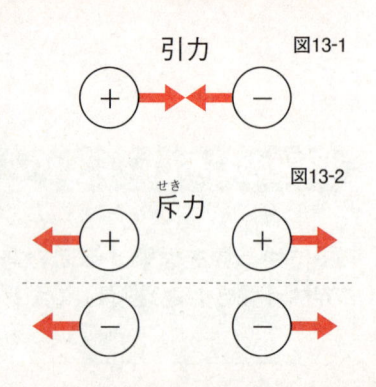

図13-1 引力

図13-2 斥力

なとき，みなさんがイメージしている電気は，電線の中を流れている何か得体のしれないしろもの，といったものでしょう。しかし，電気とはれっきとした物質であり，電線の中だけでなく，あらゆる物体は電気からできているのです。教卓もボクもみなさんもですよ。

### 全ての物質は電気からできている

どんな物質も細かく一番最後まで分けると，「原子」とよばれるものになり，その原子は，電気そのものからなっているんです。つまり，物質は全て電気からできていると言っていいわけです。図13-3を見てください。図13-3は，原子の大まかな構造を示しています。どんな原子も，中心に原子核というプラスの電気を持った芯があり，そのまわりをマイナスの電気を持った軽い電子が回っています。この原子核の持つプラスの電気量と電子の持つマイナスの電気量がぴったり同じなので，原子全体では電気は0となるのです。

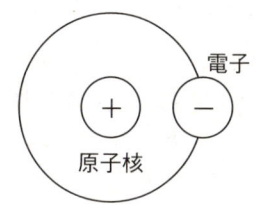

図13-3

⊕と⊖で打ち消しあう

ここで電気を通す，通さない，ということの意味を考えてみましょう。まず，電気を通さない物質（プラスチックや紙やガラスといった金属以外の物質），これを「**絶縁体**」（あるいは「**誘電体**」）といいますが，これらの物質では，原子を構成している原子核と電子がしっかりとむすびついていて，互いに離れあうということがないんです。つまり，プラスやマイナスの電気が単独で動くということがないので，電気を通す，あるいは電気が流れる，ということにならないわけです。

それでは，電気を通す，あるいは電気が流れるとはどういうことなのでしょうか。

## Step 2 電気を通す導体

電気を通す物質を「**導体**」といいます。たとえば金や銀，銅といった金属ですね。導体と絶縁体の決定的な違いは，原子核のまわりを回っている電子の動きにあります。絶縁体では，電子は決して原子核から離れることはできませんが，導体の場合，原子核から離れることができる電子があるのです。

こういう電子を**自由電子**といいます。

　ふつうの場合、導体は図13-4(a)のような状態になっています。自由電子は文字どおりふらふらと自由に動いていますが、プラスの電気を持つ原子核は、結晶構造をしているため、（振動はしていますが）位置を変えることはありません。ここで、この導体の外の両側に＋と－の電気を置いてみましょう（図13-4(b)）。すると、金属の中の自由電子は、＋の電気には引かれ、－の電気からは反発を受けますから、＋の電気の方へといっせいに動きはじめるでしょう。これがまさに、電気が流れる、電流が流れる、ということなのです。

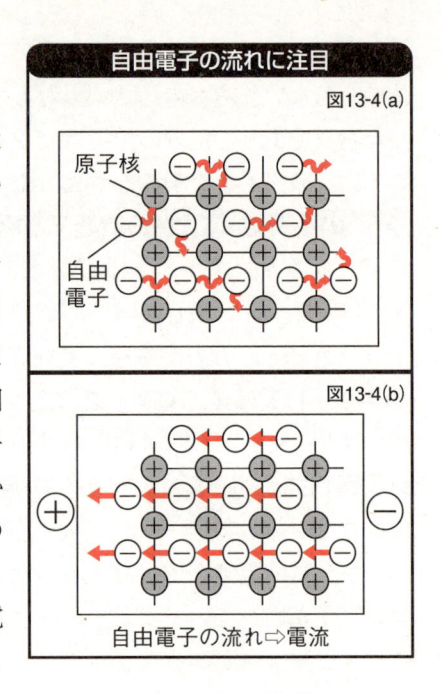

**自由電子の流れに注目**

図13-4(a)

原子核
自由電子

図13-4(b)

自由電子の流れ⇨電流

### 自由に動いてアンバランス解消

　導体の内部で動いている自由電子は、－の電気ですね。つまり、実際には電流とは－の電気の流れです。でも、－の電気が左向きに流れているとき、外から見ていると、＋の電気が右向きに流れているのと区別がつかないのです。ですから、回路の問題などを解くときは、－の電気も＋の電気も一緒に動いている、あるいは、＋の電気だけが動いていると考えていいんです。

　導体の内部では、電気はさらさらと液体のように動けます。この電気の動きをボクはよく車にたとえて説明します。導体を高速道路だとイメージすると、電気の動きはまさに高速道路をぱーっと走りぬく車のようですね。

　ここで重要なポイントを言います。導体の内部では電気が自由に動けるので、少しでも＋と－の数の偏りが起こると、それを解消しようと電気が流れます。＋は－に、－は＋に引き寄せられ偏りがなくなります。＋と－のアンバランスができると、電気の流れがそれを打ち消しあうんですね。

　このようなイメージを持っておけば、問題が非常に解きやすくなりますよ。

## Theme 2

# 電位も電界も力学が基本

　Theme2では電気力について、もう少し詳しく勉強していきます。また少し「発展」の内容に踏み込んだお話をしますが、数式よりも「性質」を理解できるようにしましょう。電気力の法則を理解するには、力学のイメージが大切になってくるんです。

### Step 1　クーロンの法則

　図13-5(a)を見てください。電気を持った物体があります。これを電気の点だと思ってください。「**点電荷**」といいます。その電気量の単位を「クーロン」といいます。力学にはなかった新しい物理量ですね。覚えてください。たとえば、図のように $+q_1$ クーロンと $+q_2$ クーロンという点電荷があります。お互いに＋なので斥力でしりぞけあいますね。要するに、同じ大きさの力 $F$ で反発しあいます。

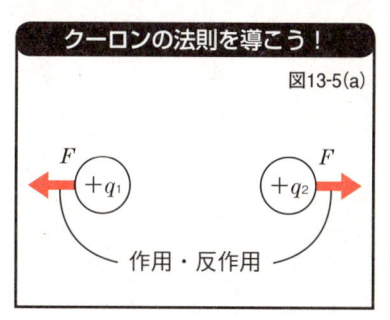

　このような現象を第2講でやりましたね。「**作用・反作用の法則**」です。作用・反作用の法則は、何も力学だけとは限りません。あらゆるところで使えますよ。この力 $F$ の値を導く法則があります。それが「**クーロンの法則**」です。

　$+q_1$ クーロンの点電荷と $+q_2$ クーロンの点電荷が $r$ 〔m〕だけ離れています（図13-5(b)）。このとき、お互いに反発しあう力の単位を力学の力の単位と同じ〔N〕（ニュートン）で表してみましょう。

　さて、$+q_1$ クーロン、および $+q_2$ クーロンの電気量が大きければ大きいほど、力 $F$ は強くなるはずですね。力 $F$ は $+q_1$ クーロン、$+q_2$ クーロンの点電荷の電気量に比例するということです。

また，距離 $r$ が長くなると力 $F$ は弱くなるでしょう。逆に，距離 $r$ が近くなればしりぞけあう力 $F$ は強くなるはずですね。ですから $r$ は分母にきますね。分母は $r^2$ です。なぜ，2 乗なのかは，ここではあまり考えないことにしましょう。よって，

$$F = \frac{q_1 q_2}{r^2} \text{?}$$

しかし，このままで式を立てることにすると，単位がバラバラですね。$r$ の単位は [m]，2 つの点電荷の単位はクーロンです。力 $F$ の単位 [N] とはあいません。そこで，力の単位が [N] になるように，比例定数 $k$ を左側につけてできあがりです。

$$F = k \frac{q_1 q_2}{r^2}$$

それでは，クーロンの法則をまとめましょう。

### まとめ—25

#### クーロンの法則

距離 $r$ だけ離れた 2 つの点電荷 $q_1$，$q_2$ に働く力の大きさ $F$ は，

$$F = k \frac{q_1 q_2}{r^2}$$

### 電気力はとてつもなく大きい！

比例定数 $k$ はある数値なんですが，どれくらいの量なんでしょうか？ もし 1 クーロンと 1 クーロンの点電荷が 1 メートル離れている場合，何ニュートンの力で反発しているのかというと，$r$ に 1 [m]，$q_1$，$q_2$ に 1 [C]（クーロン）を代入して，$k$ ニュートンですね。ところで，実際のこの $k$ の値はいくらなのかといえば，

　$k = 9.0 \times 10^9 =$ 90 億ニュートン！！！

1 クーロンとは，非常に小さな電気量だと思ってたでしょう？ しかし，1 メートル離れた 1 クーロンの点電荷どうしに働く力は，90 億ニュートンというとてつもなく大きな値なんです。1 kg の物体に地球が及ぼす重力が約 10 ニュートンですから，それのなんと 10 億倍だと考えられますね。ですか

ら，ほんのわずかでも＋の数と－の数のアンバランスが起きると，カミナリなどの電気現象が見えてくるんです。すなわち，電気の力は重力に比べてとてつもなく大きいんですね。

　電気力に関する法則は，実のところクーロンの法則しかないと言っていいんです。しかし，実際に問題を解いていくときには，これだけでは不便なことが多いのです。そこで次に，もう少し進んだことを勉強しましょう。力学では使っていなかった新しい考えかたを，電気では使います。

## Step 2　電界とは？

　図13-6(a)を見てください。$+q$クーロンの点電荷があります。これに対して＋1クーロンを持ってきます。これは＋どうしですから，反発しあいますね。このときに働く力を$E$とします。さらに，離れている距離を$r$としましょう。$E$はいくらかというと，クーロンの法則から，

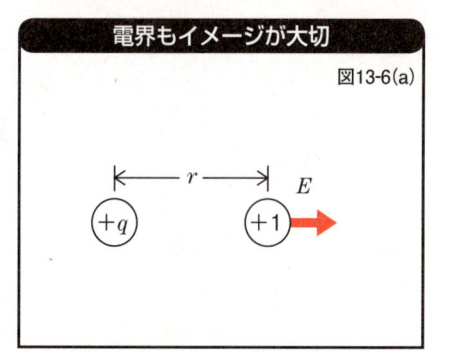

**電界もイメージが大切**

図13-6(a)

$$E = k\frac{q}{r^2}$$

　これは$q$クーロンの点電荷に対し，相手方に＋1クーロンの点電荷を持ってきたときに働く力です。これを「**電界（電場）**」といいます。

　それにしても，どうして「電界」などというものを考えるのでしょうか？

**電界は目に見えなくても存在する**

　電気には＋と－があります。たとえば，図13-6(a)で相手方が－1クーロンならば，引きあいますね。こんなふうに，＋$q$クーロンの点電荷であっても，相手方に持ってきたものによって力の大きさや向きが変わると，そのつどクーロンの法則を適用して計算しなければなりません。それでいいじゃないか，と言ってしまえばそれまでなんですが，もっとすっきりした考えかたはできないのか，というところから「電界」という考えかたは生まれてきたの

です。つまり、いつもまず+1クーロンの点電荷に働く力を考えよう、個別の計算はそのあと、と2段構えにするんですね。それがなぜすっきりした考えかたなんだ？と思われるでしょうが、だんだん慣れてくると、この電界というのが「ありありと」見えてくるんですよ。

　たとえば、図13-6(b)のように、+$q$クーロンの点電荷だけを置いて、$r$の距離に何も置かないでおきます。それでも、この地点に$E$という電界がある、というふうに考えるんですね。はじめての方は、そんなこと言われると、ますますわからないということになるでしょう。そこで、こんなイメージをしてみましょう。

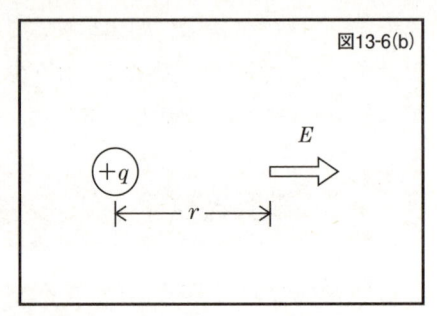

図13-6(b)

　ここに小川があります。この小川はあまりに澄み切っているので、水が流れているように見えないとしましょう。あたかも水のない枯れた川のようです。しかし、この小川の上に枯れ葉が落ちると、どんなことが起こるでしょうか？見えないけれど、実際は水の流れがあるのだから、枯れ葉はさらさら流れて動いていきますよね。このときみなさんは、どんなふうに思いますか？「枯れた川だと思っていたけれど、実は水が流れているんだなぁ」と気づきますね。

　電界も同じことなんです。図13-6(b)に戻ってください。+$q$クーロンから$r$だけ離れたところに、枯れ葉のかわりに+1クーロンの点電荷を持ってきてみましょう。+1クーロンは、電界の方向にすーっと動いていきますね。つまり、透明な川の流れと同じで、たとえ+1クーロンがなくても、ここには目には見えないけれど、電界の流れがあると考えていいのではないでしょうか。ちょっとひねくれている、と思われるかもしれませんが、透明な川の流れと同じだと思えば、電界も実在するんだと考えてはいけない理由があるでしょうか。実際、現代の物理学者たちは電界は存在するものだという考え

かたに立っているのです。

　そしてもう一度強調しておきますが，慣れてくれば，クーロンの法則から出発するよりも，いつも電界というものを考えて問題を解く方が便利なのです。

## Step 3 電位とは？

　次に，電位というものについて考えてみます。図13-7(a)を見てください。

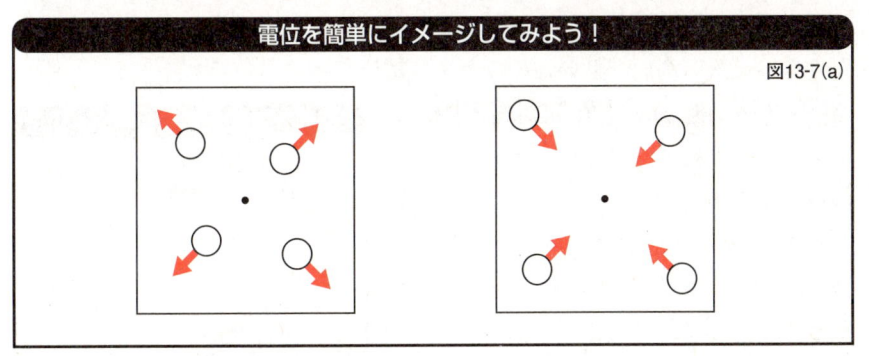

**電位を簡単にイメージしてみよう！**

図13-7(a)

　これは，キミが体育館の2階に上がって，下を見下ろしているときの様子だとイメージしてください。キミが見下ろしているものはトランポリンのマットです。このトランポリンは伸縮自在なんですよ。

　このトランポリンの上にボールを置いてみます。するとボールは左図のように外側へ動きました。右図のトランポリンでは，内側へボールは転がっていきます。いったいどうなっているんでしょう？

　一つの考えかたとして，トランポリンの中心に磁石（黒い点）がしこんであると推測することができます。ボール自体がN極でできているとすると，左図では中心にもN極があって，ボールは反発して遠ざかります。一方，右図では中心の磁石はS極で，そのためボールは中心に引き寄せられます。

　しかし，もっと単純な考えかたもあるでしょう。イメージしてください。もし，左図ではトランポリンの中心が盛り上がっていれば（2階から見ているので，盛り上がりが見えないだけで），ボールは当然，外側へ動くはずです。右図では，中心がへこんでいるということですね（図13-7(b)）。

図13-7(b)

盛り上がっている　　　　　へこんでいる

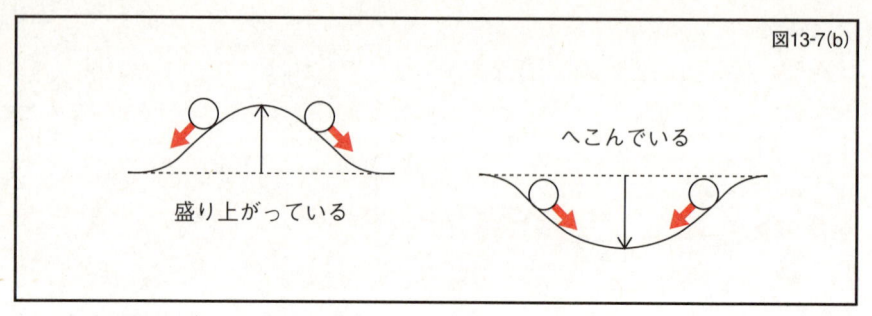

　これと同じように，電荷が電界によって動くのは（目には見えないけれど），その場所に盛り上がりやへこみがあると考えるのです。そして，この盛り上がりやへこみ（高い，低い）のことを「**電位**」とよぶのです。

### 電位は高い低い，電界は斜面の傾き

　図13-8(a)を見てください。$+q$クーロンの電気があると，（もちろん目には見えませんが，）ここが，トランポリンのように盛り上がり，富士山のような山ができると想像してください。$+1$クーロンの電荷を，この富士山の斜面に置くと，すそ野の方に向かって転がり落ちるでしょう。トランポリンの上のボールと同じで，こ

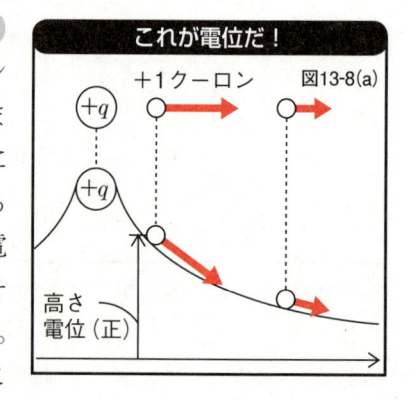

これが電位だ！　　図13-8(a)
$+1$クーロン
$+q$
$+q$
高さ
電位（正）

の現象は，$+q$クーロンと$+1$クーロンが反発しあっていると考えてもいいし，$+q$クーロンのところにできた富士山によって，$+1$クーロンが斜面を転がっていると考えてもいいわけです。

　さらに，この斜面をよく見ると，富士山の山頂に近い部分では傾斜が急で，山頂から離れたすそ野の付近では傾斜が緩やかですね。ですから，山頂付近に$+1$クーロンを置くと勢いよく転がり落ちますが，すそ野ではゆっくりと転がるでしょう。これが，電界が$+q$クーロンの近くだと強く，遠いと弱いということに対応しているのです。つまり，**電位という山を考えると，その斜面の傾きが電界の大きさを表す**ということになり，電位さえわかっていれば，電界はそこからひとりでに求まるということにもなるのです。

　$+q$クーロンではなく，$-q$クーロンがあると，どうなるでしょう？　言うまでもなく，その場合は山ではなくすり鉢状の谷ができることになります

（図13-8(b)）。この場合，電位はマイナスということになります。+1クーロンをこのすり鉢の傾斜に置けば，$-q$クーロンの方へ向かって転がり落ちていくことになります。つまり，+1クーロンは$-q$クーロンに引っぱられるということです。

　山や谷と言いましたが，正確には，**電位とは位置エネルギー**の高い，低いなのです。

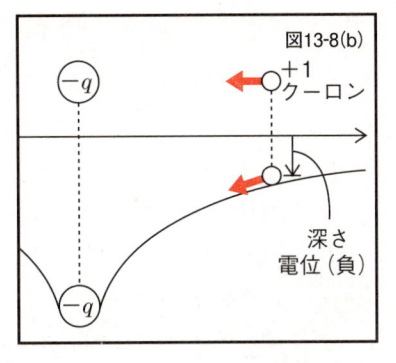

　電位の定義は，

$$\text{+1クーロンの電荷の持つ位置エネルギー}$$

　力学と考えかたは同じですね。思い出してください。高いところにある物体は，高い位置エネルギーを持ちますね。電位とは，+1クーロンの電荷が持つ電気の位置エネルギーということです。ここでは証明は省きますが，$q$クーロンの点電荷が作る電位（$V$とする）の公式は，

$$V = k\frac{q}{r}$$

となります。$q$がプラスなら山ができて電位$V$は正，$q$がマイナスなら谷ができて電位$V$は負です。

　数学の言葉で言えば，富士山の傾斜は双曲線ですね。これは「$q$クーロンの点電荷が$r$メートル離れているところに持つ電位$V$」という意味の公式です（図13-8(c)）。Step2, 3でやったことをまとめておきましょう。

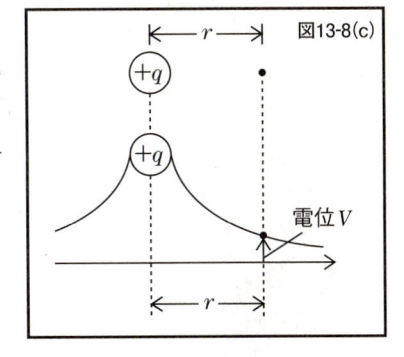

### まとめ—26
## 電界，電位の考えかた

◎電界
1．電界とは＋1クーロンの点電荷に働く力
2．電界の大きさとは電位の斜面の傾き
3．$q$ クーロンの電荷が距離 $r$ 離れた点につくっている電界の大きさ $E$ は，

$$E = k\frac{q}{r^2} \quad (k：比例定数)$$

◎電位
1．＋の点電荷があると，富士山状の山の電位ができる。
2．－の点電荷があるとすり鉢状の谷の電位ができる。
3．$q$ クーロンの点電荷が距離 $r$ 離れた場所につくる電位 $V$ は，

$$V = k\frac{q}{r}$$

# 第 14 講

## 直流回路

電磁気

**Theme1**
電流とは何か

**Theme2**
オームの法則

**Theme3**
抵抗率と合成抵抗

**Theme4**
ジュール熱と消費電力

問題演習
公式に当てはめて考えよう！

### 講義のねらい

直流回路の問題もワンパターンで解ける！
「オームの法則」と「抵抗率」の公式を押さえよう。

## Theme 1

# 電流とは何か

　電流は，水の流れや車の流れと違って実際に見ることができませんから，何か難しいもののように思われますが，目に見えないだけで，電気を持った粒子が動いているのです。ですから，水の流れや車の流れと同じような感覚で電気の流れを意識するとわかりやすくなるでしょう。

### Step 1　電流は高低差のあるサーキット（閉回路）を流れる

　たとえば図14-1のように電池と電球をつないだ回路を考えてみます。電球が光るのは，電池から出た電気が電球の中を通るからですね。ただし，電池は電気をためた「池」ではありません。電池の＋側から出た電気は電球を通って電池の－側に戻ってきますが，電池の中を通って再び＋側にやってくるのです。Theme2で詳しく説明しますが，このとき電気は低い電位から高い電位へと汲み上げられます。電池は電気を溜める池ではなく，電気を低い位置から高い位置へ運ぶ，いわばポンプのような役割をしているのです。

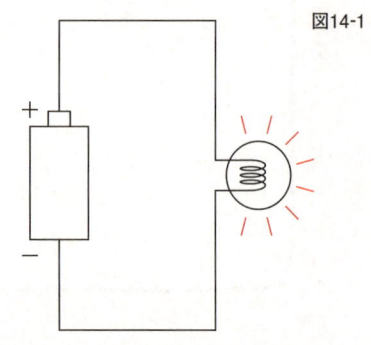

　回路に電流が流れるためには，2つの条件があります。

**電流の流れる回路は必ず閉回路**

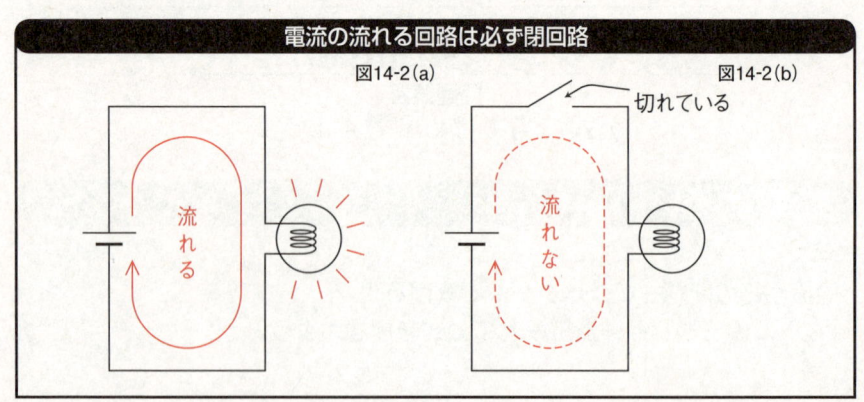

図14-2(a)　流れる
図14-2(b)　切れている　流れない

1つは，**電流の流れる回路は必ず閉回路になっていなければなりません。**この図14-2(a)の回路は閉じたサーキット状になっているので電流が流れますが，図14-2(b)の回路は1カ所で切れているので電流は流れません。どこかで遮断された道路は車が通れません。1カ所でもそのような所があると，道路全体に交通渋滞が起こりますね。それと同じで，電流が途切れなく流れるためには，回路がサーキット状になっている必要があるわけです。このような回路を**閉回路**とよびます。

　しかし，閉回路があるだけでは電流は流れません。道路を走る車の場合は，サーキットがあるだけで走れますが，それは車自身が動力を持っているからです。そこで，今度は水の流れを想像してみましょう。水自身は動力を持たないので，平らなサーキット状の水路を作っても水の流れはできませんね。どこかにポンプを設置して，水を汲み上げてやると，その高低差を利用して水の流れが生まれます。

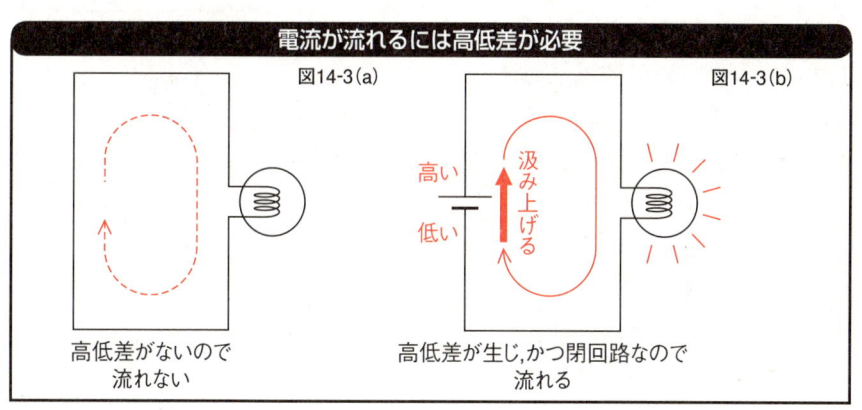

**電流が流れるには高低差が必要**

図14-3(a) 高低差がないので流れない

図14-3(b) 高い／低い／汲み上げる　高低差が生じ，かつ閉回路なので流れる

　つまり電流の流れが生じるためのもう1つの条件は，**電気の高低差（電位差）をどこかでつけないといけない**ということです。その役目をするのが，まさに電池なわけです。電位差のことを電圧ともよび，単位は〔V〕（ボルト）を使います。

## Step 2 電流の定義

電気が動けばそれが電流です。しかし，物理で電流を扱うためには，数値で測れる量を定義してやらなければいけません。

第13講でクーロンという電気量の単位を学びました。そこで，このクーロンという電気量を使って電流を定義しましょう。

> 定義：電流とは，導体の断面を単位時間あたりに通過する電気量である。

これは道路の交通量調査によく似ています。交通量が多いか少ないかは，たとえば，道路の1カ所に立って1時間で車が何台通過したかを数えればいいですね。それと同じように回路のどこかで，1秒間に何クーロンの電気が通過したかを測るのです。

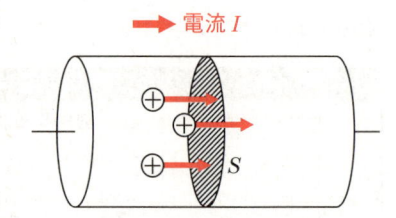

図14-4

毎秒何クーロンの電気が
断面Sを通過するか数える

1秒間に10クーロンの電荷（電気を持った粒子）が通過したとすれば，そこを流れている電流は，10〔C/s〕ということになります。

〔C/s〕が電流の単位ですが，これを〔A〕（アンペア）とよぶことにします。

それでは，電流の定義を式で書いておきましょう。

電流の大きさを $I$ で表して，

$$I = \frac{Q}{t}$$

$t$ は測定している時間（単位：秒）で，$Q$ はその時間の間に回路の断面を通過した電気量（単位：クーロン）です。

電流の定義が明確にイメージできていれば，丸暗記する必要はありませんね。

## Step 3 電流の正体

　回路の問題を解くためには，電流の定義を知っていればそれで十分です。しかし，実際に流れている電流の正体は何かということも知りたいですね。19世紀の物理学者たちは，電流の正体を追究しました。その結果，実際に回路の中を動いている電気は，マイナスの電荷を持っていることがわかったのです。それまで，電流の正体を知らないまま，電流は電池のプラス側から出てマイナス側へ入るとしていたのですが，実際には電子とよばれる粒子が逆向きに動いていたのです。そういうわけで，電流の正体はマイナスの電荷を持った電子の流れです。このことをよりよく理解するためには，全ての物質は原子からできているということを知らねばなりません。

図14-5

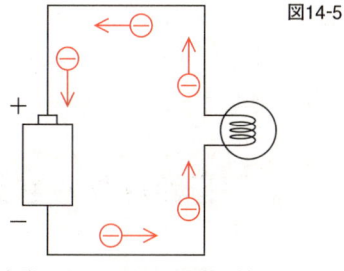

実際にはマイナスの電荷を持った電子が逆向きに動いている

　全ての原子はその中心にプラスの電荷を持った重い原子核があり，その周囲をマイナスの電荷を持った電子が回っています。そして，原子核と電子の電荷がぴったり打ち消しあって，ふつうの物質は電気を帯びているように見えないのです。

図14-6

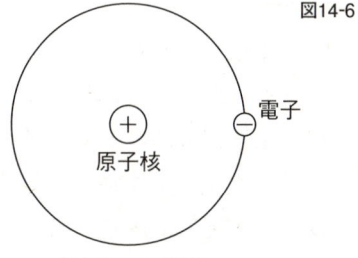

水素原子の構造

　電気を通す導体である金属も，やはり原子からできているので，導体そのものは全体として電気を帯びているようには見えません。しかし，金属の特徴として，原子核の周囲の電子の一部が，自由に動ける構造をしているのです。これを**自由電子**とよびます。そこで，導体に外部から電界をかける（言いかえると電位差を生じさせる）と，この自由電子が電界から力を受けて動きます。これが電流の正体です。

図14-7

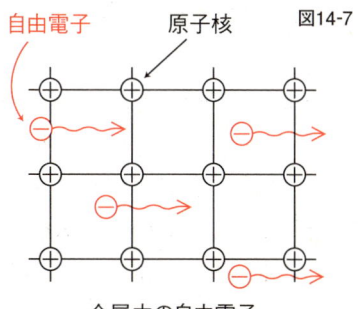

金属中の自由電子

# Theme 2
# オームの法則

　今回は，直流回路についてやっていきます。電気の分野の中で花形とも言える，回路の本格的な問題です。

　でも実は解きかたが決まっていて，ワンパターンなんです。それさえマスターしてしまえば，何も難しいことはありません。

## Step 1　回路はサーキット

　さっそく直流回路というものを考えていきたいんですが，まずは図14-8(a)を見てください。電圧（起電力）$V$ の電池と，抵抗値 $R$ の抵抗が入った回路があります。抵抗値とは，電気の流れにくさを表す物理量です。

　で，こういう回路を考えるとき，電気というものが実際目に見えないため，電流や電圧を抽象的なものと考えて，とまどってしまうんですね。でも，この回路には本当に電気が流れて動いているんです。電池とか抵抗とかってありますが，これは電気にとってみれば道路の一種なんですね（図14-8(b)）。

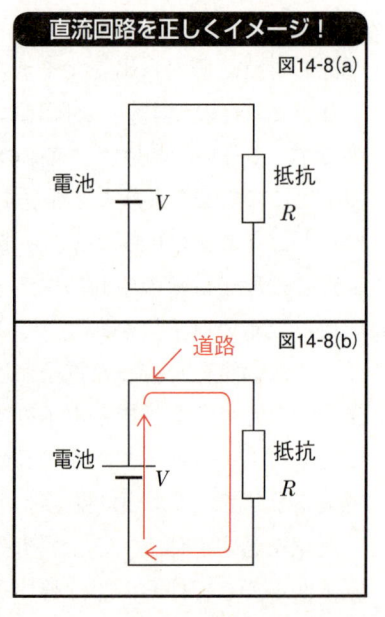

　つまり，**回路は道路，一種のサーキット**なんです。電池が高低差をつけることによって，電気の流れを起こし，図の矢印のように電気が流れます。いつもこのように考えてください。

　そして，この回路の一部を，図14-8(c)のように切ると，サーキットが寸断されて車の流れが止まるのと同様，回路全体の電気の流れが止まります。

　また，回路はつながっていますが，図14-8(d)のように電池を入れないと，電気は流れません。

では，なぜ電池を入れると電気が流れるんでしょうか？　別に電池から電気が送り出されるということではありません。それから，直流回路の唯一の原理，オームの法則とはいったいどういうものなんでしょう？

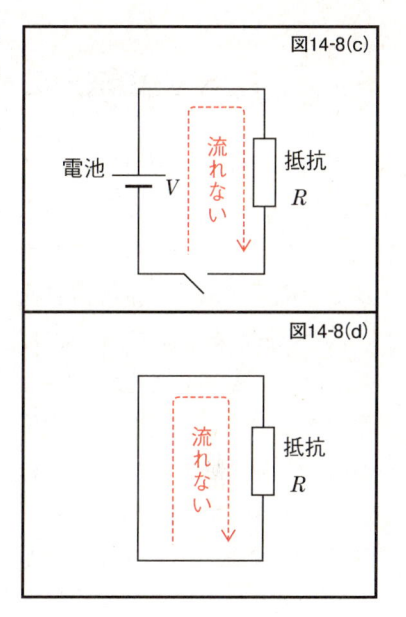

図14-8(c)

電池 $V$　　抵抗 $R$　　流れない

図14-8(d)

抵抗 $R$　　流れない

## Step 2 オームの法則の意味

図14-9を見てください。はじめに描いた図14-8(a)が図14-9の上の部分になります。電圧$V$ボルトの電池があり、抵抗値$R$オームの抵抗がありますね。では、このとき、どうして電気が流れるのかというと、それは図の下の部分を見てください。回路は道路のように考えればいいんですが、別の見かたをすると、水の流れるサーキットのようになっていると見ることもできます。

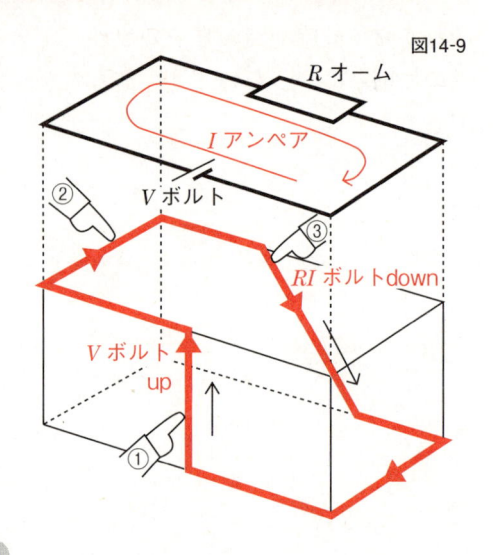

図14-9
$R$オーム
$I$アンペア
$V$ボルト
②
③ $RI$ボルトdown
$V$ボルト up
①

### まるで水の流れるサーキット

電池のところで、電気が汲み上げられています（①）。ジェットコースターに乗ると、動力でグーッと上がっていく、そういうようなイメージです。そして、$V$ボルトというのは高さ（電位差）を表します。電位というのは正確に言うと、＋1クーロンという電気が持っている高さ、位置エネルギーということでした。ま、それはともかく、$V$ボルトの電池があると、$V$ボルトだけ電気が持ち上げられるということです。すなわち、電池は電気をためている池ではなく、電気を$V$ボルトだけ高い場所に持ち上げる役割をしているんです。

そして、汲み上げられた電気は、抵抗のまえまでずーっと導線を流れていきます（②）。ここは高速道路のようなものだと考えてください。

そして、抵抗を通ります（③）。**抵抗はデコボコ道のようなもので**、ここを通ると、エネルギーを失っていきます。力学でも、物体が摩擦のあるところを通るとエネルギーを失っていきました。同じように、電気が抵抗のところを通ると、エネルギーを失っていきます。止まってしまうということではなく、速さは変わらずに、高さ、すなわち位置エネルギーがだんだん下がっ

ていきます（電池が常に電気を汲み上げているので、それに押されて電気は一定の速さで回路を流れていくのです）。

　$V$ボルトだけ汲み上げられた電気は、抵抗を通るとダラダラダラーッと位置エネルギーを失って下まで落ちていきます。そして一番下まできて、また電池のところで持ち上げられる。これを繰りかえし繰りかえし、サーキットのように流れていくのです。これが、電気の回路の基本であり、全てです。

### オームの法則とは？

　さてここで、$V$ボルトだけ持ち上げられて、どれだけ下がるか、というところに1つの基本的な法則があります。それを**オームの法則**とよびます。なぜこんな法則が成り立つかは、今回はちょっと置いておきましょう。

　$R$オームの抵抗を$I$アンペアの電気が流れたとします。すると、抵抗×電流、すなわち$R \times I$ボルト分だけ電圧が下がっていきます。図14-9でいくと、ちょうど$V$ボルトアップして、$R \times I$ボルトだけダウンする。そこで、

$$\text{オームの法則}: V = RI$$

となります。この公式を覚えておいてください。

---

**まとめ—27**

**オームの法則** ……………………………………………

　　$V = RI$

---

# Theme 3
# 抵抗率と合成抵抗

オームの法則のところで見たように，抵抗を電流が通過すると電荷はエネルギーを失い電位が下がります。つまり，力学の言葉で言えば，抵抗とは一種の摩擦なのです。道路のたとえで言うと，スイスイ進める高速道路とちがって，摩擦の働くデコボコ道と言ってよいでしょう。

図14-10

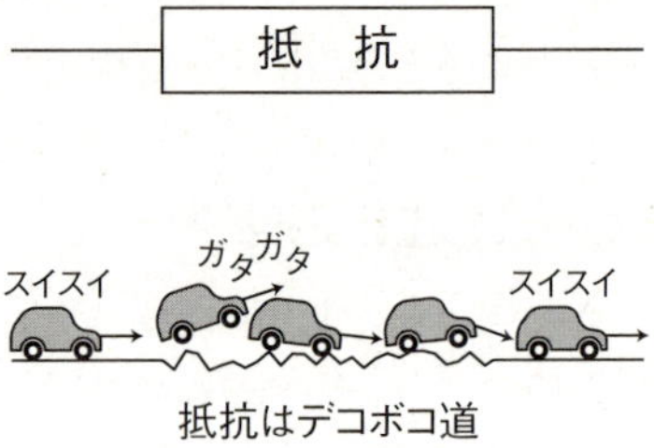

抵抗

抵抗はデコボコ道

「抵抗はデコボコ道」というイメージを描いておくと，抵抗の性質や抵抗を接続したときの公式が簡単に理解できます。

## Step 1 抵抗率とは

同じ材質でできた物質でも，その長さが違えば抵抗値も違ってきます。直感的に言えば，物質の長さが2倍になれば抵抗値も2倍になるはずです。なぜなら，同じデコボコ道でも長さが2倍になれば，エネルギーのロスも2倍になるはずだからです。

また，同じデコボコ道でも道路幅を2倍にすれば，通りやすさは2倍になるはずです。実際の道路でも，交通渋滞を緩和するためにバイパスという別の道路を作ることがありますね。これと同じです。そこで，同じ材質でできた物質でも，断面積を2倍にすると2倍通りやすくなる，つまり抵抗値が $\frac{1}{2}$ 倍になります。

図14-11

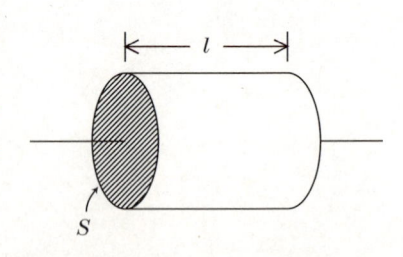

以上から，ある物質の長さを $l$，その断面積を $S$ とすると，その物質の抵抗値 $R$ は，$l$ に比例し $S$ に反比例するということになります。式で書けば，

$$R = \rho \frac{\ell}{S}$$

ここで$\rho$は比例定数で，その物質の単位長さ（1 m）あたり，単位面積（1 m²）あたりの抵抗値ということになります。この$\rho$は同じ材質の物質であればもちろん同じだし，違えば違います。つまり物質の材質によって決まる比例定数です。これをこの物質の**抵抗率**とよびます。

## Step 2　合成抵抗——直列接続

次に，何種類かの抵抗を連結させたときに，全体の抵抗がどうなるかを考えてみます。

図14-12(a)

まず，抵抗値が$R_1$と$R_2$の2つの抵抗を図14-12(a)のようにつなぎます。このようなつなぎ方を**直列接続**とよびます。

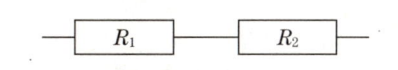

抵抗はデコボコ道のイメージを使えば，デコボコ道が長くなっているわけですから，全体の抵抗値$R$は，

　　$R = R_1 + R_2$

となるでしょう。Step1で抵抗値が長さ$l$に比例するとしたのと同じですね。このように抵抗の直列接続の合成抵抗は，それぞれの抵抗値を足しあわせたものということになります。

図14-12(b)

一般に$n$個の抵抗を直列接続すると，合成抵抗は，

$$R = R_1 + R_2 + R_3 + \cdots + R_n$$

となります。

## Step 3 合成抵抗──並列接続

次に抵抗値 $R$ の抵抗2つを図14-13(a)のように接続した場合を考えましょう。このような接続を**並列接続**といいます。Step1で物質の抵抗はその断面積に反比例することを見ましたが，並列接続はまさにこれと同じです。デコボコ道でいえば，もう1本バイパスをつけたかっこうですね。

図14-13(a)

そこでこのときの合成抵抗を $R'$ とすると，

$$R' = \frac{1}{2} R$$

です。

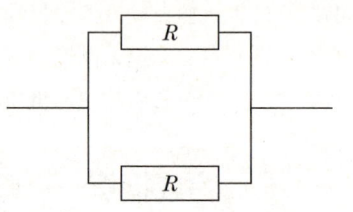

図14-13(b)

それでは，2つの抵抗値が違って $R_1$ と $R_2$ の場合の合成抵抗はどうなるかを考えてみましょう（図14-13(b)）。

今，この並列接続した抵抗に起電力 $V$ の電池をつなぎます。そして，抵抗 $R_1$ を流れる電流を $I_1$，抵抗 $R_2$ を流れる電流を $I_2$ とすると，オームの法則より，

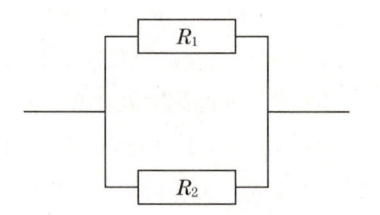

図14-13(c)

$V = R_1 I_1$ ……①
$V = R_2 I_2$ ……②

となります（図14-13(c)）。

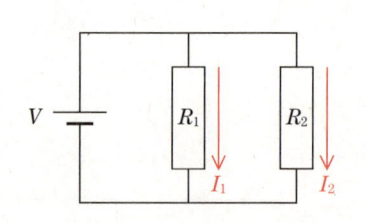

図14-13(d)

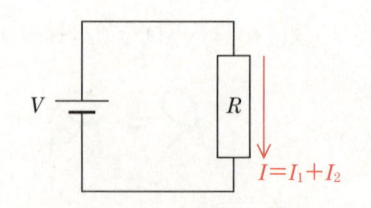

この並列接続された2つの抵抗を抵抗値 $R$ の1つの抵抗とみなすと，回路は図14-13(d)のようになりますが，このとき回路全体に流れる電流 $I$ は，$I_1 + I_2$ にほかなりません。よって，

$$V = RI = R(I_1 + I_2) \quad \cdots\cdots ③$$

図14-13(e)

式①，②より

$$I_1 = \frac{V}{R_1}, I_2 = \frac{V}{R_2}$$

ですから，これらを式③に代入すれば，

$$\frac{1}{R} = \frac{1}{R_1} + \frac{1}{R_2}$$

となります。これが2つの抵抗を並列接続したときの合成抵抗の公式です。

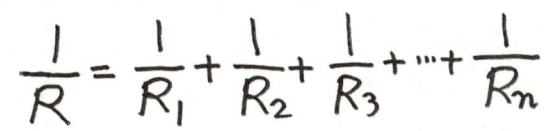

抵抗が3つ以上あるときも同様ですから，一般に抵抗値がそれぞれ $R_1$, $R_2$, ……, $R_n$ の抵抗の並列接続の合成抵抗 $R$ は，

$$\frac{1}{R} = \frac{1}{R_1} + \frac{1}{R_2} + \frac{1}{R_3} + \cdots + \frac{1}{R_n}$$

となります（図14-13(e)）。

# Theme 4

# ジュール熱と消費電力

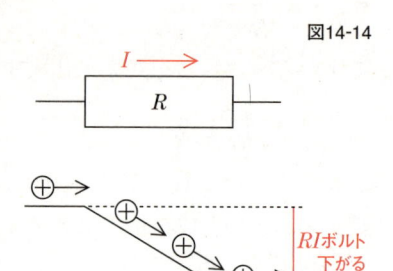

オームの法則は，抵抗を電流が流れると電位が $RI$ だけ下がるということを言っています。電位が下がるとはエネルギーが失われるということですが，これは摩擦のある面を物体がすべるとエネルギーを失うのと同じことです。ただ力学の問題では，物体の速さが遅くなり運動エネルギーが減少するわけですが，電流の場合，常に外部から電界の力がかかるので，摩擦力による減速がありません（電子に働く力はつりあって，全体的には導体中の自由電子は等速度運動をしていると見なせるのです）。

そこで，抵抗の中を動く電気は，位置エネルギーだけを失うことになります。電位とは＋1クーロンの電荷が持つ位置エネルギーでしたから，まさしく電位が下がるわけです。

このとき失われた位置エネルギーは，力学の摩擦と同じでジュール熱となります。熱くなるわけですね。電球が光ったり，電熱器が熱くなったりするのは，このような仕組みによるわけです。

## Step 1 抵抗で発生するジュール熱

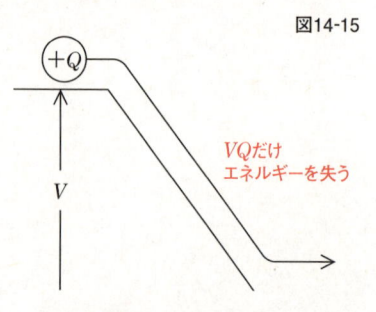

抵抗を電流が流れることによって発生するジュール熱が，電気の言葉でどのように表せるのかを考えてみましょう。

抵抗での電位の低下を $V$ ボルトだとしましょう（もちろん，これは $RI$ です）。もし＋1〔C〕の電荷がこの抵抗を通過すると，電位の定義によって，$V$〔J〕だけ位置エネルギーを失うことになります（そして，これが発生するジュール熱です）。そこで，ある時間 $t$〔s〕の間に $Q$〔C〕の電荷が抵抗を通過したとする

と，このとき発生するジュール熱を $W$ 〔J〕とすれば，

$$W = VQ$$

です。

　ところで，電流の定義（単位時間に導体の断面を通過する電気量）より，

$$I = \frac{Q}{t}$$

ですから，$Q = It$ となり，これをジュール熱の式に代入すれば，

$$W = VIt$$

となります。つまり，電位差が $V$ ボルトとなっている抵抗を $I$ 〔A〕の電流が流れているとき，$t$ 〔s〕間にこの抵抗で発生するジュール熱は $VIt$ 〔J〕となるわけです。これを**電力量**とよびます。つまり，電力量はジュール熱と同じものですが，電気回路の用語である電位（電圧）や電流を使ってこれを $VIt$ と書いたときに，電力量とよぶのです。

## Step 2

　電力量は電気における重要な物理量ですが，より頻繁に使われるのは，抵抗で毎秒毎秒発生するジュール熱です。すなわち，抵抗で発生する単位時間あたりのジュール熱，これを**消費電力**とよびます。定義から，これは電力量を時間 $t$ で割ったものですから，

消費電力 　$P = \dfrac{W}{t} = \dfrac{VIt}{t} = VI$

覚えやすいですね。消費電力はいくらかと聞かれれば，

$$P = VI$$

すなわち，電圧と電流のかけ算と覚えておけばよいのです。ただし，丸暗記でなく，消費電力とは何か，なぜそうなるのかをしっかり理解しておいてください。なお，オームの法則 $V = RI$ を使うと，電力の公式は $R$ を用いても書くことができます。

$$P = RI^2 = \frac{V^2}{R}$$

　これも丸暗記するのではなく，$P = VI$ と $V = RI$ からすぐに導けるようにしておけばよいのです。

　消費電力の単位は，〔J/s〕ですが，これを〔W〕（ワット）といいます。60ワットの電球とか1000ワットの赤外線こたつとか，日頃，日常用語として使いますが，上のような意味なのです。

## 問題演習

### 公式に当てはめて考えよう！

**❶**

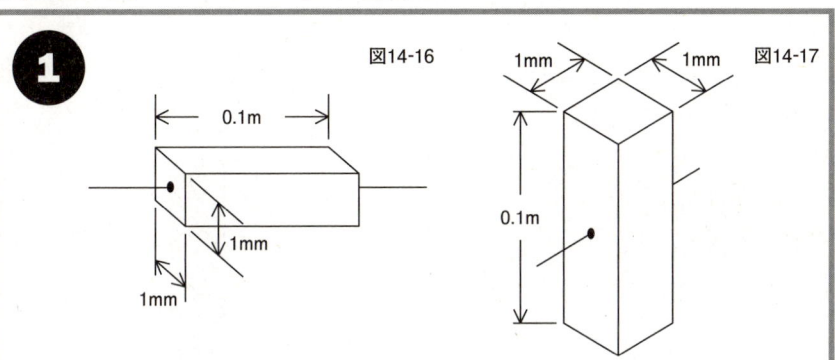

図14-16のように，長さが0.1m，断面が1辺1mmの正方形の金属の抵抗値が100Ωであった。

(1) この抵抗の抵抗率はいくらか。
(2) 図14-16と同じ抵抗を，図14-17のような接続方法にした。このときの抵抗値はいくらになるか。

---

抵抗率の公式を使えば，簡単に解けますね。

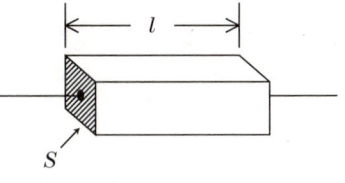

(1) この金属の抵抗率を $\rho$ として，抵抗率の公式を書けば，

$$R = \rho \frac{l}{S}$$

ですから，

$$\rho = \frac{RS}{l}$$

$R$ は抵抗値，$l$ は長さ〔m〕，$S$ は断面積〔$m^2$〕で，

$R = 100$ 〔Ω〕

$l = 0.1$ 〔m〕

$S = 1$ 〔mm〕 × 1 〔mm〕

　　$= 10^{-3}$ 〔m〕 × $10^{-3}$ 〔m〕

　　$= 10^{-6}$ 〔$m^2$〕

ですから，

$$\rho = \frac{100 \times 10^{-6}}{0.1}$$
$$= 1.0 \times 10^{-3} \ [\Omega \cdot m] \ \cdots\cdots(1)の \boxed{答え}$$

(2) 今度は接続方法が変わったので，金属の長さと断面積は変わってきます。

図14-17より，

$l = 1.0 \ [\text{mm}]$
　$= 1.0 \times 10^{-3} \ [\text{m}]$
$S = 1.0 \times 10^{-3} \ [\text{m}] \times 0.1 \ [\text{m}]$
　$= 1.0 \times 10^{-4} \ [\text{m}^2]$

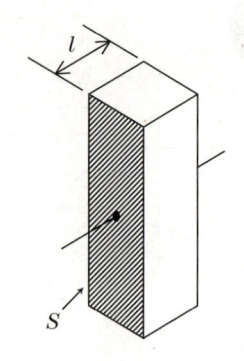

ですから，このときの金属の抵抗を$R'$として，(1)で求めた抵抗率を使えば，

$R' = \rho \dfrac{l}{S}$

$= \dfrac{1.0 \times 10^{-3} \times 1.0 \times 10^{-3}}{1.0 \times 10^{-4}}$

$= 1.0 \times 10^{-2} \ [\Omega] \ \cdots\cdots(2)の \boxed{答え}$

図14-19

**❷** 図14-20

(ア)　(イ)　(ウ)　(エ)　(オ)

いずれも抵抗値が $R$ の4つの抵抗を (ア)～(オ) のように接続した。合成抵抗の小さいものから順に記号を列挙せよ。

---

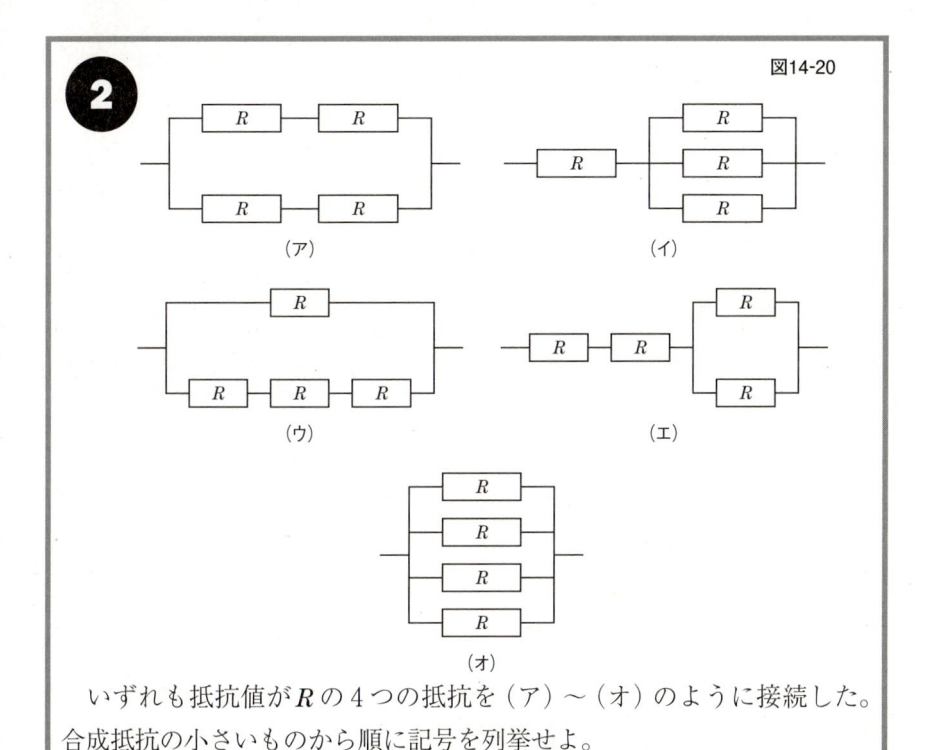

抵抗の直列接続と並列接続の公式をそれぞれに適用して、抵抗値を求めてみます。

(ア) の抵抗値 $R_1$

図14-21

直列部分の抵抗値は $2R$ ですから、

$$\frac{1}{R_1} = \frac{1}{2R} + \frac{1}{2R} = \frac{1}{R}$$

よって、

$$R_1 = R$$

(イ) の抵抗値 $R_2$

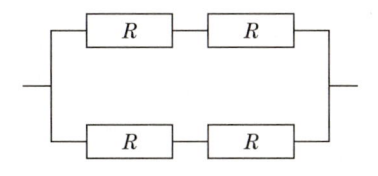

図14-22

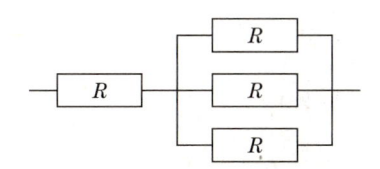

並列部分の抵抗値を $R_2{}'$ とすれば、

$$\frac{1}{R_2{}'} = \frac{1}{R} + \frac{1}{R} + \frac{1}{R} = \frac{3}{R}$$

よって、

$$R_2' = \frac{1}{3}R$$

よって，

$$R_2 = R + R_2' = \frac{4}{3}R$$

(ウ) の抵抗値 $R_3$

　直列部分の抵抗は $3R$ ですから，

$$\frac{1}{R_3} = \frac{1}{R} + \frac{1}{3R} = \frac{4}{3R}$$

よって，

$$R_3 = \frac{3}{4}R$$

(エ) の抵抗値 $R_4$

　並列部分の抵抗値は $\frac{1}{2}R$ ですから，

$$R_4 = 2R + \frac{1}{2}R = \frac{5}{2}R$$

(オ) の抵抗値 $R_5$

　並列接続の公式より，

$$\frac{1}{R_5} = \frac{1}{R} + \frac{1}{R} + \frac{1}{R} + \frac{1}{R} = \frac{4}{R}$$

よって，

$$R_5 = \frac{1}{4}R$$

以上より，抵抗の小さいものから並べれば，
(オ)，(ウ)，(ア)，(イ)，(エ) …… 答え
となります。

図14-23

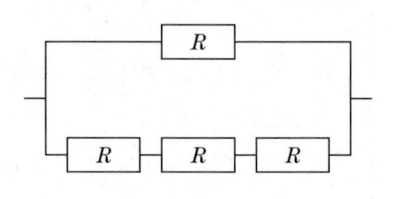

図14-24

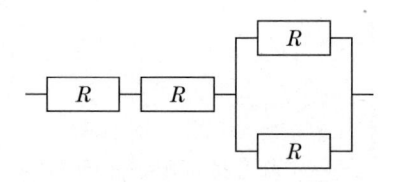

図14-25

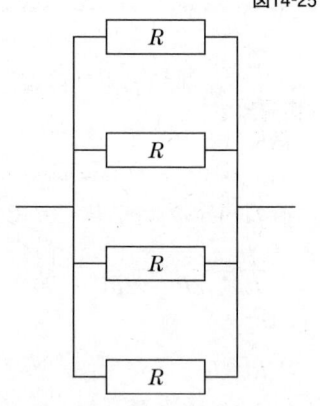

**3** 図の回路において，$V = 3.0$ 〔V〕，$R_1 = 9.0$ 〔Ω〕，$R_2 = 10$ 〔Ω〕，$R_3 = 15$ 〔Ω〕である。

(1) 回路全体に流れる電流の大きさはいくらか。
(2) 抵抗 $R_1$ の両端の電位差はいくらか。
(3) 抵抗 $R_2$ を流れる電流の大きさはいくらか。
(4) 抵抗 $R_3$ で消費される電力はいくらか。
(5) 電池が1分間に供給する電力量はいくらか。

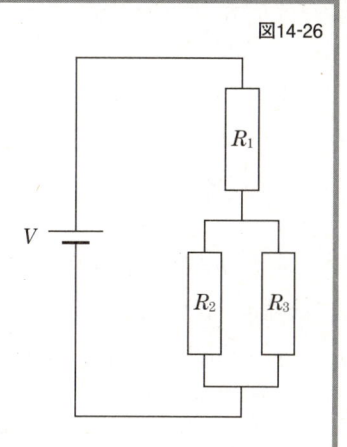

図14-26

**橋元流で解く！**

(1) 3つの抵抗の合成抵抗 $R$ を求めます。
$R_2$ と $R_3$ は並列ですから，その合成抵抗を $R'$ とすれば，

$$\frac{1}{R'} = \frac{1}{10} + \frac{1}{15}$$

$$= \frac{5}{30}$$

$$= \frac{1}{6}$$

ゆえに，

$R' = 6.0$ 〔Ω〕

よって，

$R = 9.0 + 6.0 = 15$ 〔Ω〕

そこで，全体に流れる電流の大きさを $I$ として，オームの法則より，

$V = RI$

なので，

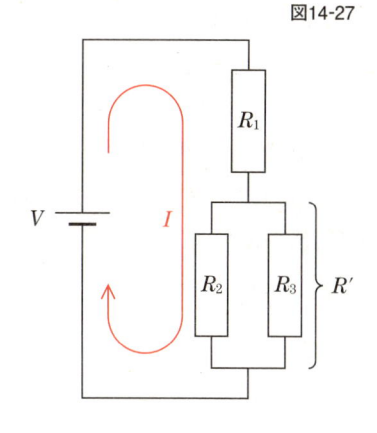

図14-27

$$I = \frac{V}{R}$$
$$= \frac{3.0}{15}$$
$$= 0.2$$
$$= 2.0 \times 10^{-1} \,[\mathrm{A}] \quad \cdots\cdots (1)の \boxed{答え}$$

(2) 抵抗 $R_1$ での電圧の低下を $V_1$ とすれば，オームの法則より，

$$V_1 = R_1 I$$
$$= 9.0 \times 0.2$$
$$= 1.8 \,[\mathrm{V}] \quad \cdots\cdots (2)の \boxed{答え}$$

図14-28

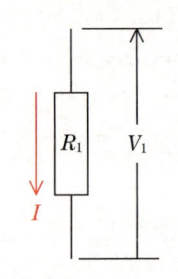

(3) 抵抗 $R_2$ の両端の電位差を $V_2$ とすれば，図14-29のように，

$$V_1 + V_2 = V$$

となりますから，

$$V_2 = V - V_1$$
$$= 3.0 - 1.8$$
$$= 1.2 \,[\mathrm{V}]$$

抵抗 $R_2$ を流れる電流の大きさを $I_2$ として，オームの法則を適用すれば，

$$V_2 = R_2 I_2$$

よって，

$$I_2 = \frac{V_2}{R_2}$$
$$= \frac{1.2}{10}$$
$$= 1.2 \times 10^{-1} \,[\mathrm{A}] \quad \cdots\cdots (3)の \boxed{答え}$$

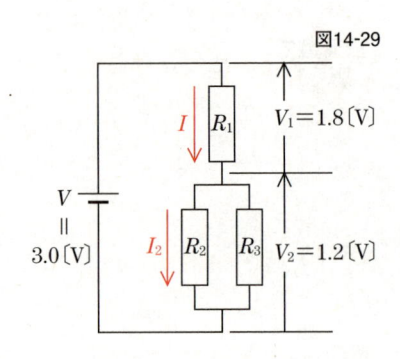

図14-29

(4) 電圧と抵抗値を用いた消費電力の公式，

$$P = \frac{V^2}{R}$$

を使って，抵抗 $R_3$ で消費される電力を $P_3$ とすれば，抵抗 $R_3$ の両端の電位差

は $V_2$ ですから,

$$P_3 = \frac{V_2^2}{R_3}$$
$$= \frac{1.2 \times 1.2}{15}$$
$$= 0.096$$

図14-30

有効数字2桁として,

$P_3 = 9.6 \times 10^{-2}$ 〔W〕 …… (4)の 答え

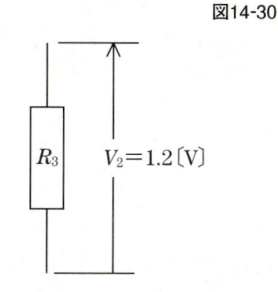

図14-31

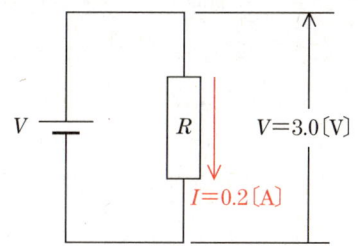

(5) 回路全体で消費される電力を $P$ とすると,

$P = VI = 3.0 \times 0.2 = 0.6$ 〔W〕

そこで回路全体で1分間に消費される電力量 $W$ は,

$W = Pt$
$\quad = 0.6$ 〔W〕 $\times 60$ 〔s〕
$\quad = 36$ 〔J〕 …… (5)の 答え

回路全体で消費される電力を供給しているのは電池ですから, これが1分間で電池が供給する電力量になるわけです。

# Coffee Time

## 電気の単位の基本はクーロンか，アンペアか？

　物理には，位置や速度などいろいろな物理量が登場しますが，それらは全て数量的に測れる量です。そして，数学で用いるたんなる数と違って，5 mとか10 m/sとか，必ず単位がつきます（こうした単位のことを次元とよんでいます）。たとえば，速度の次元は，〔距離／時間〕，加速度の次元は〔距離／時間$^2$〕といった具合です。

　ここで重要なことは，力学，熱，波動までの分野で登場するさまざまな物理量の基本的な次元は，距離，時間，質量の3つしかないということです。力やエネルギーといったさまざまな物理量は，この3つの次元の組みあわせに過ぎないのです（絶対温度〔K〕などは，あくまで補助的な物理量で，エネルギーの次元とほぼ同じです）。

　しかし，電気の分野になると，電気量（クーロン）という4つ目の新しい物理量が登場します。それ以外に，電界とか電位などいろいろ新しい物理量が登場しますが，距離，時間，質量に電気量（クーロン）をつけ加えるだけで，電気の全ての物理量は書き表されます。

　ということで，電気の基本的な次元は，理屈の上では，電気量（クーロン）ということでいいのですが，実験をするときには電気量（クーロン）より電流（アンペア）の方が測定しやすいので，約束事として，現在では電流（アンペア）を電気の基本単位とすることになっているのです。

# 第15講

# 磁界と電磁誘導

電磁気

**Theme 1**
磁界

**Theme 2**
ローレンツ力

**Theme 3**
電磁誘導

問題演習
頭の中でネジをひねろう！
ローレンツ力も右ネジの規則で求める！
誘導電流は変化を元に戻す方向に流れる

### 講義のねらい

磁界の法則は，非常に単純で，丸暗記すべきことはほとんどありません。ポイントは，磁界は全て動く電気に関わる現象であること。そして法則は全て「右ネジの規則」で説明できるということです。

# Theme 1

# 磁界

　この講では磁気の勉強をします。中学校で学んだことの復習です。磁気というのは，もちろん磁石の力のことなのですが，これまで勉強してきた電気とどう関係しているのでしょう？　電気まではなんとか理解できたが，磁気となるとちょっと難しいのではないか，と感じている人もいるでしょうね。

　心配無用です。磁気は非常に単純な法則の上に成り立っているので，覚えることが少ないのです。しかし，そのためには，物理の一番根本のところにある考え方を知っておかなくてはなりません。これも難しいことではないのですが，教科書やふつうの参考書では，なぜかそういう根本を説明せずに，法則や公式を暗記させることばかりに力を入れるので，ヤヤコシイ，ムズカシイ，ということになってしまうわけです。

## Step 1　世の中には電気しか存在しない

　では，磁気の根本を説明しますが，その前に第13講のはじめに勉強したことを思い出してください。われわれの周りには，電気がいっぱいあるのでしたね。「**全ての物質は電気からできている**」ということでした。そして，この電気を持った物質が，その周りに電界というものをつくるのでした。

　そこで磁気もまた，磁気を持った物質（磁石）が，その周りに磁界というものをつくるということになるのですが，電気のプラスに対応するのは，磁石の**N極**，マイナスは**S極**，ということになります。

　磁石の場合には，かならずその両端にN極とS極があることは知っていますね。ここで，ちょっとふしぎなことは，磁石のN極だけを取り出そうとして磁石を切ると，その反対側の切断面にかならずS極が姿を現すことです。

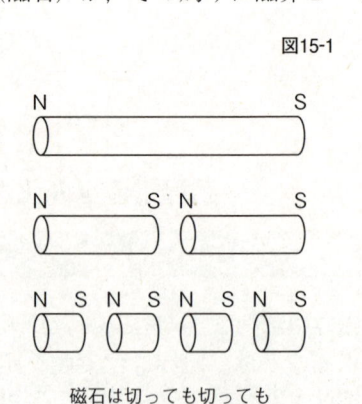

図15-1

磁石は切っても切っても
かならずN極とS極が現れる

こうして、どんどん磁石を輪切りにしていくと、最終的に磁石をつくっている原子に行きつくわけですが、原子はプラスとマイナスの電気からできているのであって、N極やS極はどこにも存在しないのです。

つまり、結論を言いますと、**この世には電気しかなく、N極やS極という磁極は存在しない**のです。

なんだかキツネにつままれたような気分になっておられるかもしれませんが、安心してください。これで話が単純になるのです。

磁気は電気とは違ったもので、違った法則があると考えると、話がややこしくなります。この世には電気しかないのですから、磁界をつくっているのも、やはり電気なのです。

どんな電気が、磁界をつくりだすのか。そこのところを、ちゃんとおさえておけばよいのです。

## Step 2　動く電気が磁界をつくる

いよいよ、磁気の根本をお話ししましょう。

まず、これまで見てきたように、電気の根本は次のとおりです。

　　すべての電気が ⇒ 電界Eをつくる ⇒ すべての電気は電界Eから力を受ける

これに対して、磁気の場合は、動く電気だけが関係してくるのです。すなわち、

　　動く電気（電流）だけが ⇒ 磁界Hをつくる ⇒ 動く電気だけが磁界Hから力を受ける

いかがでしょうか。磁気に関する根本法則は、これだけなのです。単純明快でしょう。

磁石の秘密は、動く電気にあります。1個の原子を見ると、中心にプラスの原子核がどっしりすわっていて、その周りをマイナスの軽い電子が回転しています。この電子の回転こそが、磁界をつくる原因となっているのです。

さてそこで、覚えることは、大きく分けて2つです。

1つ目は,

動く電気(電流)が ⇒ 磁界Hをつくる

ということですが,具体的には,
「①どんな電流がどんな磁界をつくるのか」ということです。

2つ目は,

動く電気は ⇒ 磁界Hから力を受ける

ということですが,具体的には,
「②動く電気は,磁界からどんな力を受けるのか」ということです。

これで,磁界の法則は全てと言ってもいいのです。どうです。簡単でしょう。それでは,具体的な法則を順番に説明していきましょう。

## Step 3　直線電流がつくる磁界

磁界をつくるのは電流ですから,回路に電流が流れているとき,その周りには,かならず磁界ができています。これは,電荷があるとその周囲にかならず電界ができるのと同じです。

電界と磁界の違いを,まず図でイメージしておきましょう。

電界は,電荷から放射状に生じていますが,磁界は電流に対して渦を巻くようにできるのです。図15-2を見てください。明快にイメージできますね。

この渦あるいは回転,これこそが磁界の全てと言っていいのですよ。

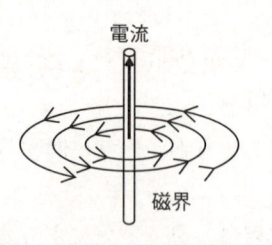

図15-2

電界は放射状だが磁界は渦を巻く

## 右ネジの規則

　さて，渦あるいは回転には，右巻きと左巻きがありますが，どちら向きの回転になるのかを覚えましょう。覚えかたは，これも簡単で，ネジを使います。図で描きましょう。

　ふつうのネジ（これを**右ネジ**といいます）を，電流の方向に並べてみます。そうして，ネジをひねってみましょう。

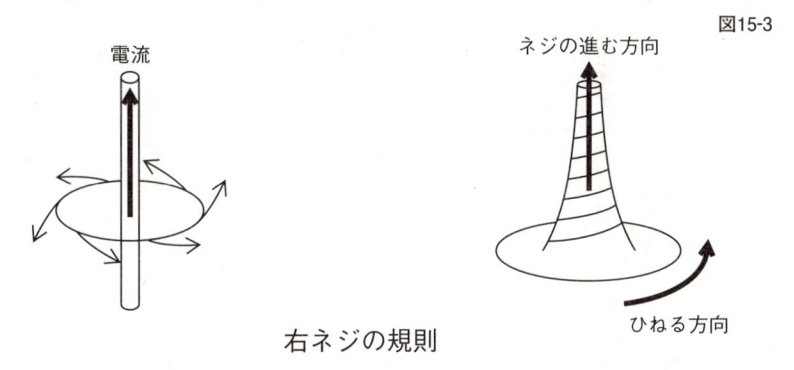

図15-3

電流

ネジの進む方向

ひねる方向

右ネジの規則

　ネジを右に回したり，左に回したり，想像してみてください。このとき，ネジが進む方向が感覚的にすぐわかりますね。これがネジを使う便利な点なのです。

　結論を言いますと，**ネジが進む方向が電流の方向に一致し，このときネジを回す向きが磁界の向き**なのです。言葉で覚える必要はありません。ともかく，ネジをひねればいいのです。

　このようにして，右ネジを使って，電流と磁界の向きを決める方法を，「**右ネジの規則**」といいます。右ネジの規則は，磁界の最も重要な法則と言っていいでしょう。ほかの磁界の法則も，全てこの規則を使うことになります。

## 問題演習

### 頭の中でネジをひねろう！

**1** 導線をそれぞれ，図(1), (2), (3)のように配置し，aからbの方向へ定常電流を流す。このとき，導線の周りに生じる磁界（磁力線）の概略の様子として正しいものを選べ。

図15-4

図(1) ① ② ③

図(2) ① ② ③

図(3) ① ② ③

**橋元流で解く！**

電流と磁界の関係は，どんな場合でも右ネジの規則に従っています。ですから，いつも図のようなネジを想定して，頭の中でネジをひねってみてください。

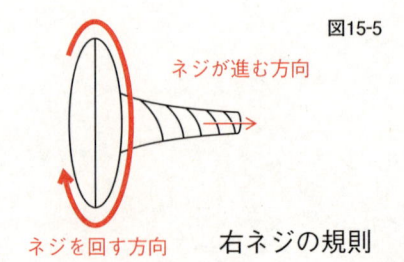

図15-5

ネジが進む方向
ネジを回す方向

右ネジの規則

(1)

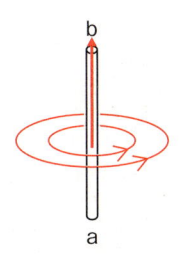

図15-6

図より,
　③　……(1)の 答え

(2)

図15-7

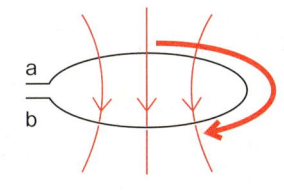

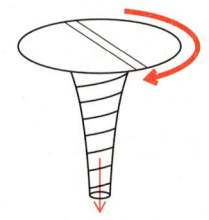

図より,
　②　……(2)の 答え

(3)

図15-8

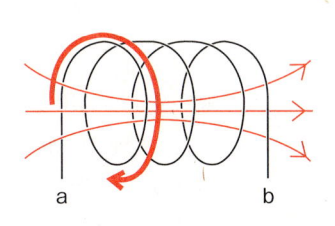

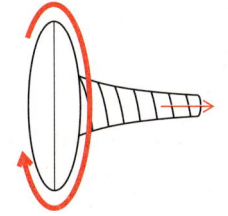

図より,
　①　……(3)の 答え

# Theme 2
# ローレンツ力

　次に，動く電気が磁界から受ける力を調べましょう。この力は，「**ローレンツ力**」とよばれています。「物理基礎」範囲を超えるお話になるので，不要な人は「ローレンツ力」という言葉だけ覚えて次のThemeに進んでくださいね。

　ローレンツ力の向きも，やはり右ネジの規則から求めます。この力の向きを求めるのに「フレミングの左手の法則」というものを紹介している教科書や参考書がありますが，「橋元流」ではあまりオススメしません。というのも，フレミングの法則には，右手の法則というものもあり，また，3つの指が力や磁界のどれを指すのか覚えなくてはならず，暗記することが多すぎるのです。

　**フレミングの法則は，覚える必要はありません。**必要なのは，右ネジの規則だけなのです。再度強調しますが，右ネジの規則さえ知っていれば，磁界の法則は全て理解できるのです。

## Step 1 荷電粒子に働くローレンツ力の向き

　動く電気として，まず電気を持った粒子（荷電粒子）を考えます（もう1つの動く電気である電流については，Step 2で扱います）。

　荷電粒子には，プラスとマイナスがありますが，とりあえずプラスとしておきます（電界の場合と同じで，マイナスの場合には，力の向きを逆にすればよいだけです）。

　電界による力は，そのまま電界の向きに働きましたが，磁界によるローレンツ力は，ちょっとひねくれています。それは，磁界の向きではなく，磁界に直角の方向に働くのです。また，当然，動く電気にだけ働くわけですから，電気が動く方向にも関係しますが，その電気が動く方向にも直角なのです。このように説明するとずいぶんややこしいと思われるでしょうが，図に描けば一目瞭然です。

図15-9

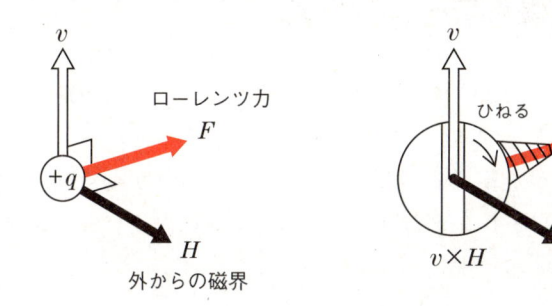

外からの磁界

$v$から$H$へネジをひねる

　図15-9を見てください。プラスの荷電粒子が動く方向を速度ベクトル$v$で表しておきます。
　これらの荷電粒子や電流に，外から磁界$H$がかかっているとします。この磁界は，ほかの電流がつくる磁界です。
　ローレンツ力$F$は，$v$に直角で，かつ$H$にも直角なわけですが，覚えることはただ１つ。ネジをひねる方向だけです。結論を言います。

　**$v$から$H$の方向にネジをひねる。**
　**このときネジの進む方向が力の向きとなる。**

これだけなのです。これを，覚えやすく記号でこう書いておきましょう。

$$v \times H$$

　ここで，記号×の意味はネジをひねる順序で，オマジナイのようなものです。

# Step 2 電流に働くローレンツ力

　荷電粒子の話ばかりしましたが，電流 $I$ に働くローレンツ力については，次のように考えます。

　電流の向きは，その定義（第14講）よりプラスの電気が動く向きです。ですから，電流に働くローレンツ力は，プラスの電荷に働くローレンツ力と同じように考えればよいのです。

図15-10

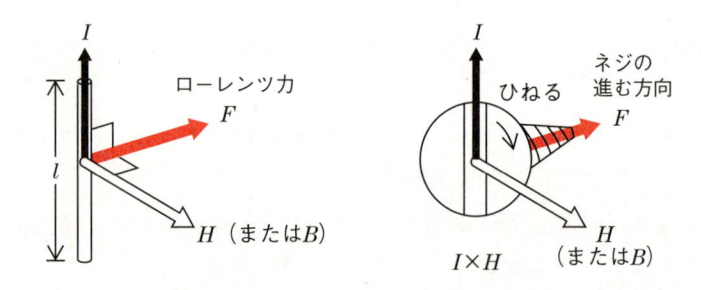

電流のときは $I$ から $H$ にネジをひねる

　図15-10のように電流の流れる方向を $I$，外からかかっている磁界の方向を $H$ として，電流 $I$ から磁界 $H$ の方向にネジをひねります。つまり，

$$I \times H$$

と書いて，$I$ から $H$ へねじをひねると覚えればよいのです。

　このとき，ネジの進む方向がローレンツ力，すなわち電流 $I$ が磁界 $H$ から受ける力の向きになります。

　簡単ですね。覚えることは，

　　**$I$ から $H$ へネジをひねる**

だけです。フレミングの左手の法則が示していることも，結論的には同じことです。

なお，実際の電流はマイナスの電荷を持つ電子の流れでした。そこで，電流を電子の流れと考えると，荷電粒子である電子に働くローレンツ力はこの結果と逆になるような気がするかもしれません。しかし，電子は電流の向きとは逆向きに動いているので，結果的に，電流$I$に働くローレンツ力も，その電流を実際につくっている電子（電荷マイナス）に働くローレンツ力も，同じ向きに働くことになるのです。

## 問題演習

## ローレンツ力も右ネジの規則で求める！

**2** 図15-11のように，電池と平行導線，自由に動けるようにした導体棒を，回路全体が水平になるように置く。この回路全体に下から上に向かって垂直に一様な磁界をかけた。このとき，導体棒はa，bどちらの方向に動くか。

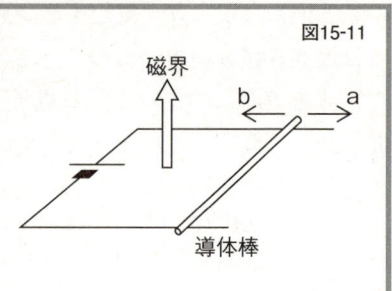

図15-11

**橋元流で解く！**

磁界の力（ローレンツ力）で覚えるべきことは，右ネジをどちらへひねるかだけです。「電流 $I$ から磁界 $H$ の方向へネジをひねる」と覚えておきましょう。

フレミングの左手の法則を使ってもかまいませんが，フレミングの左手の法則は，右ネジの規則より覚えることが多いのに，使えるのはローレンツ力のときだけです。

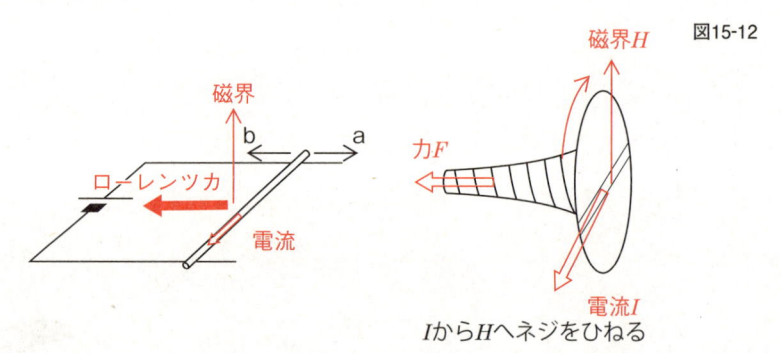

図15-12

$I$ から $H$ へネジをひねる

電池の向きから，回路には電流が図の方向に流れることがわかります。そこで，電流から磁界の向きに右ネジをひねると，導体棒には左向きにローレンツ力が働くことがわかります。

よって，

b ……　答え

# 電磁誘導

　これまで電界と磁界について勉強してきましたが，電磁気学には電界と磁界をあわせた，とても重要な法則が存在します。中学校で学習した**電磁誘導の法則**です。本講の最後に，この電磁誘導について勉強しましょう。

## Step 1　電磁気学の全体をイメージする

　電磁気学を得意分野にする最も良い方法は，電磁気学とは何なのか，その全体像をしっかりイメージすることです。全体像さえイメージできれば単純で，覚える法則は少なく，難しい計算もほとんどないのです。

　まず，この世界は全て電気からできています。世界の構成要素である原子は，電気を帯びていないように見えますが，中心にプラスの電荷を持つ原子核があり，その周囲はマイナスの電荷を持つ電子が飛びまわっています。原子核のプラスと電子のマイナスがちょうど打ち消しあって，あたかも電荷を帯びていないように見えるだけなのです。

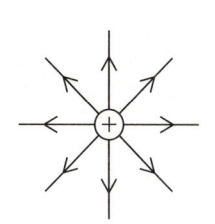

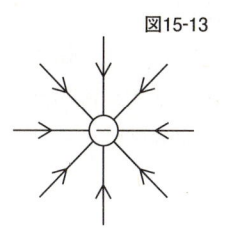

図15-13

電荷は電界を作る

　電荷を帯びた粒子は，その周囲に電界を作り，その電界によって他の電荷を帯びた粒子が力を受ける。これが**静電気力**の全てです。

　静電気力とは，電気が静止しているときに働く力ですね。電気が静止しているときには，磁気の力は現れません。

　次に，電荷を帯びた粒子が動く場合を考えましょう。動く電気が**電流**です。電流の向きは，約束としてプラスの電気が動く方向として定義されますが，実際にはマイナスの電荷を帯びた電子が逆方向に動いても同じことです（わ

れわれの身近にある電流は，全て電子の流れです）。

　電気が動く，すなわち電流が流れると，その周囲に磁界が生まれます。それ以外に磁界を作るものはありません。磁石は，N極とS極という磁極を持ちますが，実は磁石の正体は，1個1個の原子の中を動いている電子が作る磁界を寄せ集めたものなのです。

　そして，磁界があるところを電気が動く，すなわち磁界の中で電流を流すと，その電流（電流の原因である電子など）は力を受けるのです。これがTheme2で学んだローレンツ力です。いくら磁界があっても，静止している電気にはローレンツ力は働きません。磁界とローレンツ力は，全て動く電気がつくりだすものなのですね。

図15-14

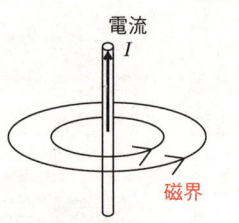

電流は磁界をつくる

　さて，電気があれば電界が生じ，その電気が動けば磁界が生じました。電気が動くとその周囲の電界は変化します。そこで，なぜ磁界が生じるかを，次のような法則で示すことができます。

「電界の変化が磁界を生じる」

　これでは電界から磁界への一方通行なので，法則の対称性を求めるなら，次のような法則があってもよいでしょう。

「磁界の変化が電界を生じる」

　これこそが，まさに電磁誘導の法則なのです。この電磁誘導の法則をもって，ようやく電磁気学の全体像が完成するのです。

## Step 2 電磁誘導の法則

電磁誘導の法則が現れる典型的な例を見てみましょう。

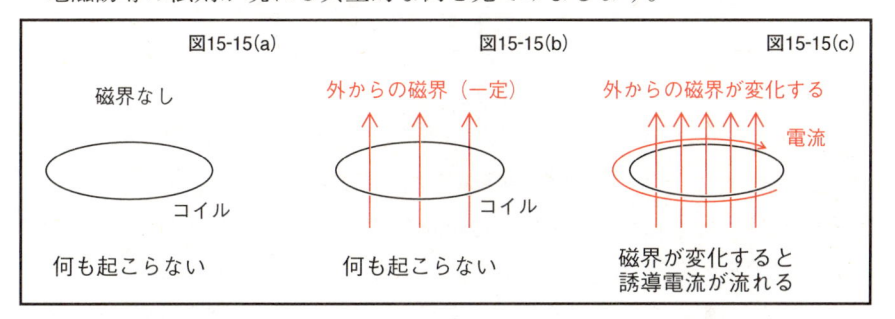

| 図15-15(a) | 図15-15(b) | 図15-15(c) |
|---|---|---|
| 磁界なし | 外からの磁界（一定） | 外からの磁界が変化する／電流 |
| コイル | コイル | |
| 何も起こらない | 何も起こらない | 磁界が変化すると誘導電流が流れる |

　輪ゴムのように閉じたコイル状の導線（以下，コイルと呼びます）が空中に固定されている状態を想像してください（図15-15(a)）。コイルには電池は組み込まれていませんので，当然，このコイルには電流は流れません。

　次に，このコイルを貫くように磁界をかけます。図15-15(b)のように，コイルの下側から上側に磁力線が走っている状態を想定してください。

　どんなに強い磁界でも，コイルを貫く磁界が変化せず一定であれば，コイルには何事も起こりません。コイルの中には無数の自由電子があって，電界さえあれば（電池とつながれば）いつでも電流が生じるのですが，磁界が一定で，自由電子も静止していれば，何事も起こらないわけです。

　次に，コイルを貫く磁界を変化させてみます（図15-15(c)）。そうすると，不思議なことにこのコイルの中の電子は動き始めるのです。つまりコイルには電池がついていないにもかかわらず，電流が流れるのです。磁界の変化で誘導された電流なので，これを**誘導電流**と呼びます。この現象を**電磁誘導**と呼びます。

　第14講で，電流が流れるためには，電位の高低差（電位差）が必要であることを学びました。つまり電池のような高低差をつける装置が必要なわけです。それでは，電磁誘導によって流れる電流に高低差がついているのでしょうか。見た目には，コイルはただの導線であり，どこにも電池は見えません。しかし，電流が流れるからには高低差（電位差）が生じていなければなりません。つまり，コイルには目に見えない電池が生じているとみなすのです。これを**誘導起電力**と呼びます。コイルのどの部分が電池なのかといえば，磁

界を取り囲んでいるコイル全体が電池になっているのですね。

図15-16

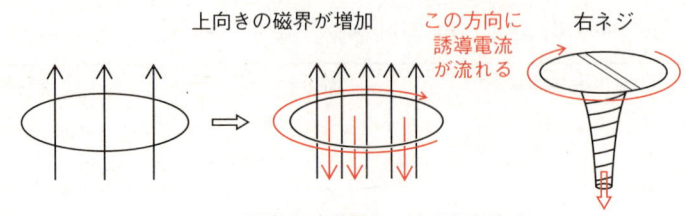

上向きの磁界が増加　　この方向に誘導電流が流れる　　右ネジ

下向きの磁界をつくろうとする

　それでは，誘導電流と誘導起電力の向きについて説明しておきましょう。
　今，コイルを貫く上向きの磁界が強まったとします。つまり，コイルを貫いている磁力線の本数が増えたとします。そうすると，自然はこのような変化に対して「No!」と叫ぶのです。そして，この変化を元に戻す方向に磁界をつくろうとします。すなわち，上向きの磁力線が増えたのに対して，下向きの磁力線をつくろうとするのです。下向きの磁界をつくるためには，右ネジの規則によって，図の時計回りの矢印のように電流を流せばいいですね。すると，下向きに誘導電流が流れます。
　電磁誘導によって生じる誘導電流の方向は，

**「自然は変化を嫌う！」**

と覚えておけばいいですね。常に変化を元に戻す方向に誘導電流が流れ，そのような電流をつくる方向に起電力（電池の電圧と同じ）が生じるのです。
　もちろん，回路のどこかが切断されて閉回路になっていなければ，誘導電流は流れません。また誘導電流が流れても，外からの磁界の変化を完全に打ち消してしまうわけではありません。それらのことは，コイルの抵抗や，いろいろな条件で変わってきます。ただ，磁界が変化すれば，それを元に戻す方向に誘導起電力（すなわち目に見えない電池）が発生する，そして誘導起電力の大きさは，磁界の変化の大きさに比例する——これが電磁誘導の法則なのです。

## 誘導電流は変化を元に戻す方向に流れる

**3** ソレノイドコイルに検流計Gをつなぎ，図のように，コイルに磁石を近づけたり遠ざけたりする。図のaから検流計を通ってbの方向へ電流が流れるとき，検流計の針は目盛りの正方向に振れるものとする。図(1)～(4)に対応する記述を下記の(イ)～(ニ)より選べ。
（イ）針は正方向に大きく振れる。
（ロ）針は正方向に小さく振れる。
（ハ）針は負方向に大きく振れる。
（ニ）針は負方向に小さく振れる。

図15-17

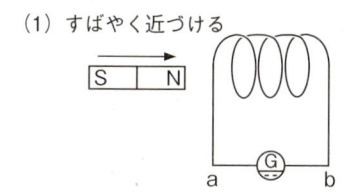

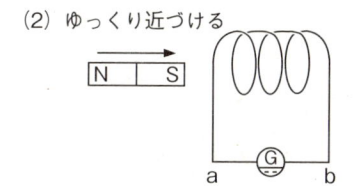

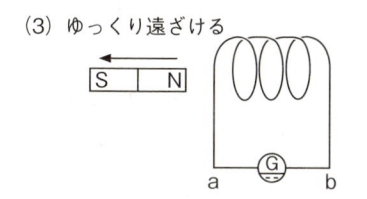

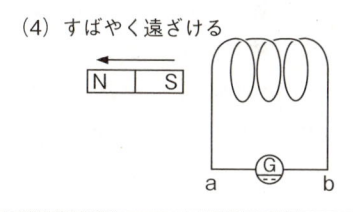

(1) すばやく近づける
(2) ゆっくり近づける
(3) ゆっくり遠ざける
(4) すばやく遠ざける

**橋元流で解く！**

**準備** 磁力線はN極から出てS極に入ります。磁石のN極やS極の付近では磁力線の密度は大きく，遠ざかるほど小さくなりますね。また，磁力線の向きと電流の向きは右ネジの規則を使います。このことと，電磁誘導の法則を直感的に理解していれば，簡単に解けるはずです。

(1) N極をコイルに近づけると，コイルを貫く右向きの磁力線が増えますから，コイルには左向きの磁力線をつくる方向に誘導電流が流れます。左向き

に磁力線をつくるためには、右ネジをひねって、検流計を通ってaからbの方向に電流が流れればよいはずです。すなわち、正方向です。また、すばやく近づければ、電流は大きくなりますから、

　（イ）針は正方向に大きく振れる。
　　　　　　　　　　……(1)の 答え

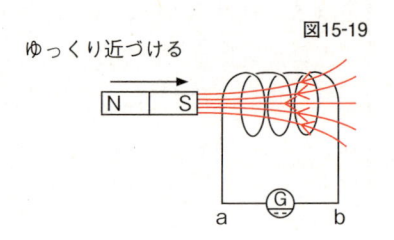

(2) S極をコイルに近づけると、コイルを貫く左向きの磁力線が増えます。つまり、(1)と逆になります。また、ゆっくり近づけますから、針の振れは小さいですね。

　（ニ）針は負方向に小さく振れる。
　　　　　　　　　　……(2)の 答え

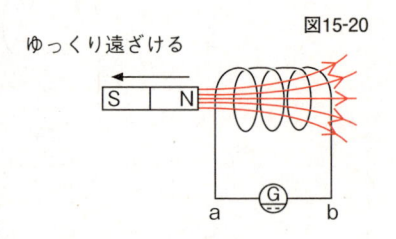

(3) N極をコイルから遠ざけると、コイルを貫く右向きの磁力線が減りますから、コイルには右向きの磁力線をつくる方向に誘導電流が流れます。右向きに磁力線をつくるためには、右ネジをひねって、bから検流計を通ってaの方向に電流が流れればよいはずです。すなわち、負方向です。ゆっくりですから、針の振れは小さいですね。

　（ニ）針は負方向に小さく振れる。……(3)の 答え

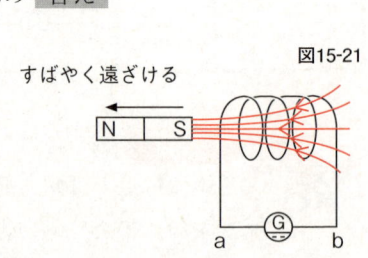

(4) S極をコイルから遠ざけると、コイルを貫く左向きの磁力線が減りますから、コイルには左向きの磁力線をつくる方向に誘導電流が流れます。左向きに磁力線をつくるためには、右ネジをひねって、aから検流計を通ってbの方向に電流が流れればよいはずです。すなわち、正方向です。すばやくですから、針の振れは大きいですね。

　（イ）針は正方向に大きく振れる。……(4)の 答え

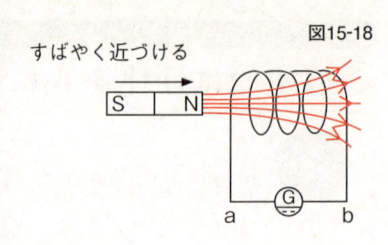

# 第16講

# 交流と電磁波

**電磁気**

---

**Theme 1**
発電の原理

---

**Theme 2**
変圧器

---

**Theme 3**
電磁波

---

問題演習
コイルの巻き数と電圧，電流の関係式を使おう！
波の基本公式を使って解く！

## 講義のねらい

電磁誘導の法則を理解していれば，発電の原理もカンタン！

# Theme 1

# 発電の原理

　発電所などでつくられる電気は，第15講で学んだ電磁誘導の応用です。電磁誘導の法則さえしっかり理解していれば，発電の原理も簡単に理解できます。

## Step 1　電磁誘導と発電

　図16-1のように，磁石のN極とS極の間にコイルを置き，このコイルを回転させます。そうすると，磁石がつくる磁界自身は変化しませんが，コイルが回転することによって，コイルを貫く磁力線の本数（磁束）が変化しますね。その結果，電磁誘導によってコイルに誘導電流が流れることになります。これが発電所で行われている発電の原理です。コイルを回転させ続けるためにはエネルギーが必要で，そのエネルギー源として水力や火力が用いられるのです。発電所での発電は大規模ですが，自転車の車輪の回転を利用してライトを点灯させるなど，われわれの身近にも電磁誘導を利用した発電がいろいろなところで使われています。

図16-1

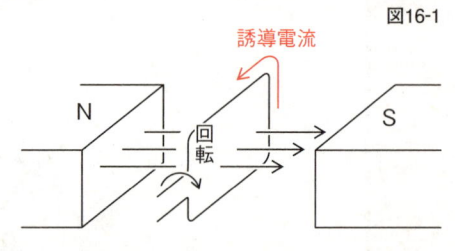

## Step 2　交流回路

　電磁誘導を連続して起こさせるためには，コイル（あるいは磁石）の回転を利用するのが便利です。その結果として，コイルに生じる誘導電流の大きさと向きは，連続的に変化することになります。それをグラフにしてみると右図のようになります。

図16-2

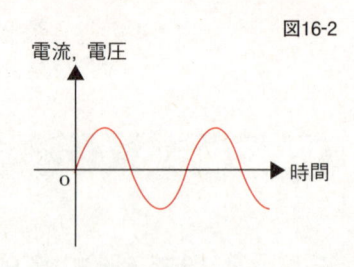

発電所からわれわれの家庭に送られてくる電気は，電圧と電流が図16-2のように変化します。このような電気を**交流**とよびます。これに対して，電池をつないだ回路では，常に一定の方向に一定の電流が流れますが，これを**直流**とよびます。

　交流は，電気を揺さぶっているだけで，回路の中の電子は発電所から家庭まで流れてくるのではなく，それぞれの場所で振動しているだけです。しかし，直線運動でも往復運動でも，エネルギーを持っていることに変わりはありませんから，電気エネルギーとして利用できるのです。

# Theme 2

# 変圧器

　各家庭のコンセントには100Vの交流電圧が供給されていますが，発電所から送電線を伝わってくる電気はもっと高電圧の交流です。これは，送電中のエネルギーのロスをできるだけ小さくするための工夫なのですが，途中の変電所で電圧を下げなければなりません。交流の電圧を下げる装置を**変圧器**とよびます。

　変圧器の原理は，やはり電磁誘導なのです。

　図16-3のように，ドーナッツ状の鉄心の2カ所にコイルを巻きます。それぞれを1次コイル，2次コイルとよびます。

　1次コイルに電流を流すと，コイルを貫く磁界が生じます。この磁界は鉄心の中を通って，2次コイルも貫きます。電流が一定ならそれ以上のことは起こりませんが，1次コイルを流れる電流が交流の場合，電流の向きと大きさが変化しますから，コイルを貫く磁界も変化し，その結果，電磁誘導が起こります。1次コイル側で生じる電磁誘導を，自分自身の電流の変化で起こす電磁誘導なので，**自己誘導**とよびます。それに対して，2次コイル側にはもともと電流は流れていないのですが，1次コイルがつくる磁界の変化によって，電磁誘導が起こります。こうして，回路的には接続されていないのに，2次コイルに誘導電流が流れることになります。このような現象を**相互誘導**とよびます。

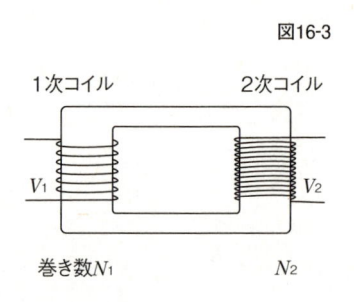

　コイルに生じる誘導起電力は1巻きのコイルごとに生じるので，全体の誘導起電力はコイルの巻き数に比例することになります。

　そこで，1次コイル側のコイルの巻き数を $N_1$，2次コイル側のコイルの巻き数を $N_2$ とし，1次コイル側のコイル全体に生じる誘導起電力を $V_1$，2次コイル側のコイル全体に生じる誘導起電力を $V_2$ とすると，

$$\frac{V_1}{V_2} = \frac{N_1}{N_2}$$

という関係が成立することになります。

　このように，変圧器の1次コイルと2次コイルの巻き数を適当に変えるだ

けで，交流の電圧は自由に変えることができるのです。

　ただし，変圧器を使ってエネルギーをどんどん増やすなどということはできません。エネルギー保存則は，決して破ることのできない自然法則なのです。

　ですから，変圧器でどのように電圧を変えようとも，1次コイル側と2次コイル側で生じる電力は同じです。電力 $P$ は電圧 $V$ ×電流 $I$ でしたから，1次コイル側を流れる電流を $I_1$，2次コイル側を流れる電流を $I_2$ とすると，

$$V_1 I_1 = V_2 I_2$$

という，電力一定という関係が常に成立します。

　電力一定なので，もし $V_1$ が $V_2$ に比べて非常に大きければ，1次コイルを流れる電流 $I_1$ は非常に小さくなります。送電線の全抵抗を $R$ とすると，送電線で失われる毎秒のエネルギーは $RI_1^2$ ですから，$I_1$ が小さいほど，エネルギーのロスが小さいということになります。これが，送電線を高電圧にしている理由です。

# Theme 3
# 電磁波

　静電気の法則，磁界の法則，そして電磁誘導の法則，この3つが電磁気学の土台です。19世紀後半，マクスウェルは電磁気学の全ての法則をたった4つの方程式にまとめてしまいました。電磁気学という物理学の完成です。そして，この4つの方程式から，電磁波の存在が予言されたのです。

## Step 1　電磁波発生のしくみ

　電荷を帯びた物質は電界によって力を受けますが，マクスウェルの方程式は，たとえ物質がなくても，その場所に電界が存在するということを示しています。また電磁誘導によって誘導起電力や誘導電流が生じますが，これも実際にコイルがなくてもそのような現象が真空の中で生じているというのです。

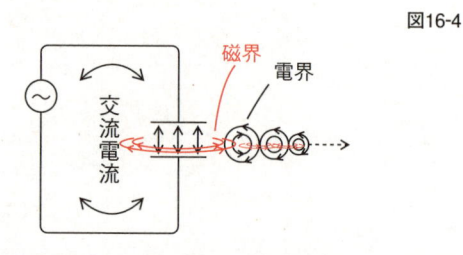

図16-4

電界と磁界が互いにつくられながら空間を伝播していく

　電流が変化すると，その周囲に生じている磁界が変化します。そして磁界の変化は電磁誘導によって誘導起電力を生じますが，真空中ではそれは電界の発生を意味するのです。そして電界が変化すれば，それが磁界を生み，こうして電界と磁界が次々に空間を伝播していくことになります。すなわち，電界と磁界は波動となって真空中を伝播するのです。これが**電磁波**にほかなりません。

　マクスウェルの方程式から，この電磁波の速さは光の速さと同じであることがわかります。つまり，われわれが目にするいろいろな色の光もまた，電磁波の一種だということです。

**図16-5**

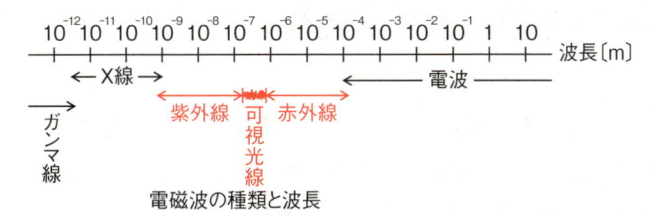

```
10⁻¹² 10⁻¹¹ 10⁻¹⁰ 10⁻⁹ 10⁻⁸ 10⁻⁷ 10⁻⁶ 10⁻⁵ 10⁻⁴ 10⁻³ 10⁻² 10⁻¹ 1 10
```
← X線 → ←紫外線→ 可視光線 ←赤外線→ ← 電波 →　波長〔m〕

ガンマ線

**電磁波の種類と波長**

電波，赤外線，可視光線，紫外線，X線，ガンマ線というふうに名づけられたものは，全て波長が異なる電磁波（電界と磁界による波動）なのです。

真空中の光の速さを $c$（$=3.0×10^8$〔m/s〕，定数），ある電磁波の振動数（周波数）を $\nu$（ニュー），波長を $\lambda$ とすれば，波の基本公式である，

$c = \nu\lambda$

が成立します。

電磁波は媒質がないという点で，ふつうの波動と異なり，また相対性理論の効果を受けますが，それ以外の点においては，第11講で学んだ正弦波の原理がそのまま適用されます。

## 問題演習

### コイルの巻き数と電圧，電流の関係式を使おう！

**①** 巻き数が1次コイル500巻き，2次コイル100巻きの変圧器がある。この変圧器の1次コイルに100Vの交流電圧を加えるとき，2次コイルで得られる電圧はいくらか。また，2次コイルに5.0kΩの抵抗をつないだとき，1次コイルに流れる電流はいくらか。

**橋元流で解く！**

1次コイルの巻き数を $N_1$（$=500$），
2次コイルの巻き数を $N_2$（$=100$），
1次コイルの電圧を $V_1$（$=100$〔V〕），
2次コイルの電圧を $V_2$ とします。

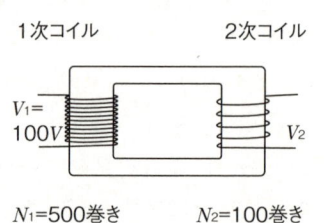

図16-6

$$\frac{V_1}{V_2} = \frac{N_1}{N_2}$$

ですから，

$$V_2 = \frac{N_2}{N_1} V_1$$
$$= \frac{100}{500} \times 100$$
$$= 20 〔V〕 \cdots\cdots \boxed{答え}$$

図16-7

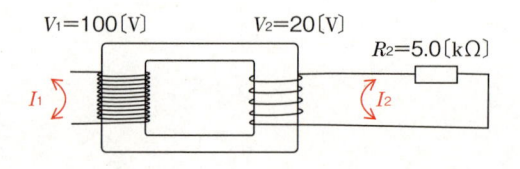

次に1次コイルに流れる電流を $I_1$，2次コイルに流れる電流を $I_2$，2次コイルにつながれた抵抗の抵抗値を $R_2$（$=5.0\times10^3$〔Ω〕）とします。

オームの法則より，

$$V_2 = R_2 I_2$$

ですから，

$$I_2 = \frac{V_2}{R_2}$$
$$= \frac{20}{5.0 \times 10^3}$$
$$= 4.0 \times 10^{-3} \,[\mathrm{A}]$$

また，1次コイルと2次コイルで発生する電力は同じですから，

$$V_1 I_1 = V_2 I_2$$

よって，

$$I_1 = \frac{V_2}{V_1} I_2$$
$$= \frac{20}{100} \times 4.0 \times 10^{-3}$$
$$= 8.0 \times 10^{-4} \,[\mathrm{A}] \cdots\cdots \boxed{答え}$$

## 問題演習

### 波の基本公式を使って解く！

**2** 真空中の光の速さを$3.0 \times 10^8$ m/sとして，以下の設問に答えよ。
(1) 周波数600kHzの電波の波長はいくらか。
(2) 可視光線の緑色の光の波長はおおよそ500nm（ナノ；$n = 10^{-9}$）である。周波数6.0MHz（メガ；$M = 10^6$）の電波の波長は，緑色の光の波長のおよそ何倍か。

**橋元流で解く！**

電磁波の真空中での速さは，$c = 3.0 \times 10^8$〔m/s〕で，どんな観測者から見ても不変の定数です。またある電磁波の振動数（周波数）を$\nu$，波長を$\lambda$とすれば，波の基本公式$c = \nu\lambda$が成立します。

(1) $600$〔kHz〕$= 600 \times 10^3$〔Hz〕

ですから，$c = \nu\lambda$より，

$$\lambda = \frac{c}{\nu}$$
$$= \frac{3.0 \times 10^8}{600 \times 10^3}$$
$$= 5.0 \times 10^2 \text{〔m〕} \cdots\cdots(1)\text{の}\boxed{答え}$$

(2) $6.0$〔MHz〕$= 6.0 \times 10^6$〔Hz〕

ですから，$c = \nu\lambda$より，

$$\lambda = \frac{c}{\nu}$$
$$= \frac{3.0 \times 10^8}{6.0 \times 10^6}$$
$$= 50 \text{〔m〕}$$

緑色の光の波長を$\lambda_G$とすると，

$$\lambda_G = 500 \text{〔nm〕} = 500 \times 10^{-9} \text{〔m〕}$$

ですから，

$$\frac{\lambda}{\lambda_G} = \frac{50}{500 \times 10^{-9}} = 1.0 \times 10^8 \text{（倍）} \cdots\cdots(2)\text{の}\boxed{答え}$$

## 付録

### 「橋元流」,「まとめ」

# CHECK & INDEX

### 付録のねらい

橋元流で勉強してきたキミ，
問題文を読んで
イメージできればもう大丈夫。
あいまいな人は本文に戻って，
納得いくまで
チェックしよう!!

### 橋元流

**第2講　物体に働く力の求めかた**
- □ タッチの定理………28
- □ 作用・反作用の法則の覚えかた………31

**第3講　等加速度運動**
- □ 力学解法ワンパターン………58

**第4講　摩擦力**
- □ 摩擦力の向きの決めかた………75
- □ 動摩擦力，静止摩擦力の決めかた………77

**第5講　放物運動**
- □ 放物運動のとらえかた………93

**第7講　仕事とエネルギー**
- □ 仕事の見わけかた………125

**第8講　力学的エネルギー保存則**
- □ 力学的エネルギー保存則の考えかた………158

**第10講　理想気体の状態変化**
- □ ボイルもシャルルもいいけれど（気体の状態方程式）………191

**第12講　弦と気柱の振動**
- □ 波なら，何はともあれ $v=f\lambda$………239

### まとめ

**第1講　位置，速度，加速度**
- □□ 1．$v\text{-}t$ グラフから読みとれること………15
- □□ 2．等加速度運動3つの公式………19

**第2講　物体に働く力の求めかた**
- □□ 3．運動方程式 $ma=F$ の3つの意味………34

**第3講　等加速度運動**
- □□ 4．等速度運動のときは，力のつりあいの式………51

**第4講　摩擦力**
- □□ 5．静止摩擦力はここがポイント！………72
- □□ 6．動摩擦力はここがポイント！………74

**第5講　放物運動**
- □□ 7．等速度運動の公式………90
- □□ 8．放物運動の公式………96

**第6講　圧力と浮力**
- □□ 9．圧力の公式………113

### 第7講　仕事とエネルギー

- [ ][ ] 10. 仕事と運動エネルギーの関係………132
- [ ][ ] 11. 保存力………136
- [ ][ ] 12. 仕事とエネルギーの関係式………138

### 第8講　力学的エネルギー保存則

- [ ][ ] 13. 力学的エネルギー保存側を使える場合………152

### 第9講　熱と温度

- [ ][ ] 14. 温度と熱量の違い………169
- [ ][ ] 15. 熱量のポイント………170
- [ ][ ] 16. 熱量と温度の定義………173

### 第10講　理想気体の状態変化

- [ ][ ] 17. 熱力学の4つの物理量………187
- [ ][ ] 18. ボイルの法則　シャルルの法則………189
- [ ][ ] 19. 気体の変化………196

### 第11講　正弦波

- [ ][ ] 20. 波の3つの物理量………220
- [ ][ ] 21. これが波の基本公式！………222

### 第12講　弦と気柱の振動

- [ ][ ] 22. 弦の振動における倍振動………237
- [ ][ ] 23. 弦を伝わる波の速さの公式………239
- [ ][ ] 24. 片側固定端の気柱の振動………247

### 第13講　電界と電位

- [ ][ ] 25. クーロンの法則………262
- [ ][ ] 26. 電界，電位の考えかた………268

### 第14講　直流回路

- [ ][ ] 27. オームの法則………277

特別インタビュー
# Interview

## イメージできれば解けたも同然
## 物理はイメージだ！

# 橋元淳一郎先生からの役立つアドバイス

　ボクは物理のおもしろさをみなさんに知ってもらいたい。

　『橋元流』では絵や図を使ってイメージで教えます。問題を読んでイメージが浮かべば，内容を理解していることにつながるし，そうすれば解きかたはおのずとわかるはずですから。物理は丸暗記してもムダ，自分で納得しないとダメです。

　予習はテキストの問題を読み，解けなくてもいいから問題の内容がわかるようにしてください。

　授業は，中学レベルの数学と簡単な三角関数がわかれば十分。物理には微積が必要だと思っている人も多いと思いますが，センター試験やセンターレベルの大学ならば必要ありません。"超"がつく難関大学になると，微積を使うと有利な問題も出ますけど。

　復習は，イメージしてから式を使うことを何度もくりかえしましょう。はじめは難しくても，慣れれば予習のときにイメージできるようになります。また，わからなかったところを復習するときは，そこだけを見ないで，その分野を全部見るようにしたほうが絶対に理解できますよ。

特別インタビュー
# Interview

## 『橋元流』を実践してみよう！

　今までに物理をひととおり勉強してきた人は，本番までは問題演習を中心に，入試標準レベルの問題をたくさん解きましょう。入試までに200問解けばほぼ完璧です！

　これから物理の勉強をはじめる人は，まず教科書にのっている練習問題にチャレンジしましょう。教科書の模範解答は参考にしないで，『橋元流』で解くようにしてください。

教科書は，初心者には理解できないくらい!? 簡潔にポイントがまとまっているので（笑），力がついて

# 橋元淳一郎先生からの役立つアドバイス

からじっくり読むといいですね。

　物理は同じ時間の勉強で伸びる率がほかの科目よりも高いので，効率よく高得点がのぞめます。だから文系の人にもオススメです。

　ただし勉強をはじめてもすぐには成果が出ないかもしれません。ある時期から一気に伸びるので，あせらずにボクと一緒にがんばりましょう。

ボクは大学教授やSF作家の顔も持っているから感じるんですが，違うことをやると気分が切りかわってリラックスできます。勉強も1つの科目や分野に集中しすぎないで，60～120分ぐらいやったら休憩して，ほかの勉強をするといいですよ。

名人の授業
# 橋元の物理基礎をはじめからていねいに

2014年3月28日初版発行
2016年5月6日第6版発行

著　者　　橋元淳一郎
発行者　　永瀬昭幸

編集担当　　和久田希
発行所　　株式会社ナガセ
　　　　　東京都武蔵野市吉祥寺南町1-29-2　〒180-0003
　　　　　出版事業部
　　　　　TEL. 0422-70-7456　FAX. 0422-70-7457

カバーデザイン　　山口勉
本文デザイン　　　林久美子
編集協力　　　　　日比野圭佑・文沢百合香
本文イラスト　　　佐藤朋恵
DTP・印刷・製本　日経印刷株式会社

ISBN978-4-89085-597-1 C7342
© Junichiro Hashimoto　2014　Printed in Japan

落丁本・乱丁本は着払いにて小社出版事業部宛にお送りください。
新本におとりかえいたします。

# 東進ブックス

# この本を読み終えた君に オススメの3冊！

**物理 レベル別問題集 1 基礎編**
力学分野を中心に、中学理科の復習〜高校物理の基礎を固める超基礎問題集。図やイラストを使ってわかりやすく解説！

**物理 レベル別問題集 2 標準編**
「物理基礎」範囲を中心に、入試の基礎力を完成させ得点力を伸ばす問題集。図やイラストを使ってわかりやすく解説！

**橋元の物理をはじめからていねいに [改訂版] 力学編**
『橋元流』で物理の考え方、問題の解き方を伝授。現象・解法がイメージでわかる物理（力学）入門書の決定版！

## 体験授業

### この本を書いた講師の授業を受けてみませんか？

東進では有名実力講師陣の授業を無料で体験できる『体験授業』を行っています。「わかる」授業、「完璧に」理解できるシステム、そして最後まで「頑張れる」雰囲気を実際に体験してください。

※1講座(90分×1回)を受講できます。
※お電話でご予約ください。
　連絡先は付録9ページをご覧ください。
※お友達同士でも受講できます。

橋元先生の主な担当講座　※2016年度
**「入試対策：センター試験対策物理基礎」** など

**東進の合格の秘訣が次ページに**

## 合格の秘訣1 全国屈指の実力講師陣

## ベストセラー著者の
## なんと7割が東進の講師陣!!

東進ハイスクール・
東進衛星予備校では、
そうそうたる講師陣が君を熱く指導する！

　本気で実力をつけたいと思うなら、やはり根本から理解させてくれる一流講師の授業を受けることが大切です。東進の講師は、日本全国から選りすぐられた大学受験のプロフェッショナル。何万人もの受験生を志望校合格へ導いてきたエキスパート達です。

## 英語

**安河内 哲也 先生** [英語]
数えきれないほどの受験生の偏差値を改造、難関大へ送り込む！

**今井 宏 先生** [英語] 
予備校界のカリスマ講師。君に驚きと満足、そして合格を与えてくれる

**渡辺 勝彦 先生** [英語] 
「スーパー速読法」で、難解な英文も一発で理解させる超実力講師！

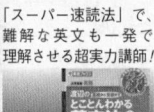

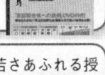

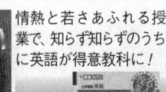

**宮崎 尊 先生** [英語] 
雑誌『TIME』の翻訳など、英語界でその名を馳せる有名実力講師！

**西 きょうじ 先生** [英語] 
29年間で20万人以上の受験生に支持されてきた知的刺激溢れる講義をご期待ください。

**大岩 秀樹 先生** [英語] 
情熱と若さあふれる授業で、知らず知らずのうちに英語が得意教科に！

## 数学

**志田 晶 先生** [数学] 
数学科実力講師は、わかりやすさを徹底的に追求する

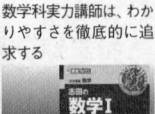

**長岡 恭史 先生** [数学] 
受講者からは理Ⅲを含む東大や国立医学部など超難関大合格者が続出

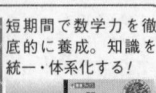

**沖田 一希 先生** [数学] 
短期間で数学力を徹底的に養成。知識を統一・体系化する！

付録 1

# WEBで体験

東進ドットコムで授業を体験できます!
実力講師陣の詳しい紹介や、各教科の学習アドバイスも読めます。
www.toshin.com/teacher/

## 国語

**板野 博行 先生** [現代文・古文]
「わかる」国語は君のやる気を生み出す特効薬

**出口 汪 先生** [現代文]
ミスター驚異の現代文。数々のベストセラー著者としても超有名! 

**吉野 敬介 先生** [古文]
予備校界の超大物が東進に登場。ドラマチックで熱い講義を体験せよ 

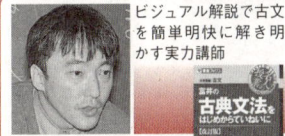

**富井 健二 先生** [古文]
ビジュアル解説で古文を簡単明快に解き明かす実力講師

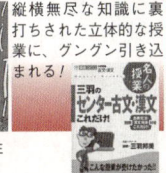

**三羽 邦美 先生** [古文・漢文]
縦横無尽な知識に裏打ちされた立体的な授業に、グングン引き込まれる! 

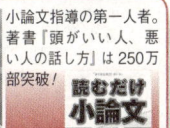

**樋口 裕一 先生** [小論文]
小論文指導の第一人者。著書『頭がいい人、悪い人の話し方』は250万部突破! 

## 理科

**橋元 淳一郎 先生** [物理]
橋元流の解法は君の脳に衝撃を与える!

**田部 眞哉 先生** [生物]
全国の受験生が絶賛するその授業は、わかりやすさそのもの!

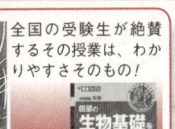

## 地歴公民

**荒巻 豊志 先生** [世界史]
"受験世界史に荒巻あり"と言われる超実力人気講師

**金谷 俊一郎 先生** [日本史]
入試頻出事項に的を絞った「表解板書」は圧倒的な信頼を得る!

**清水 雅博 先生** [公民]
全国の政経受験者が絶賛のベストセラー講師!

**合格の秘訣 2**

# 革新的な学習システム

東進には、第一志望合格に必要なすべての要素を満たし、抜群の合格実績を生み出す学習システムがあります。

---

## 映像による授業を駆使した最先端の勉強法
# 高速学習

### 一人ひとりのレベル・目標にぴったりの授業

東進はすべての授業を映像化しています。その数およそ1万種類。これらの授業を個別に受講できるので、一人ひとりのレベル・目標に合った学習が可能です。1.5倍速受講ができるほか自宅のパソコンからも受講できるので、今までにない効率的な学習が実現します。
（一部1.4倍速の授業もあります。）

### 1年分の授業を最短2週間から1カ月で受講

従来の予備校は、毎週1回の授業。一方、東進の高速学習なら毎日受講することができます。だから、1年分の授業も最短2週間から1カ月程度で修了可能。先取り学習や苦手科目の克服、勉強と部活との両立も実現できます。

#### 現役合格者の声
**東京大学 理科Ⅰ類**
**吉田 樹くん**

東進の高速学習なら部活がない時や学校が休みの時にたくさん講座を受講できるので、とても役に立ちました。受験勉強を通じて、早期に勉強を始めることが重要だと強く感じました。

#### 先取りカリキュラム（数学の例）

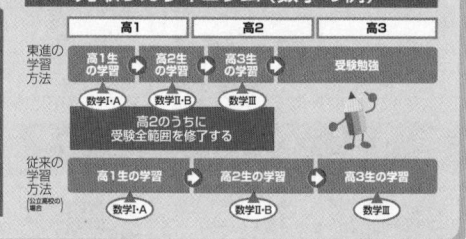

| | 高1 | 高2 | 高3 |
|---|---|---|---|
| 東進の学習方法 | 高1生の学習（数学Ⅰ・A） | 高2生の学習（数学Ⅱ・B） | 高3生の学習（数学Ⅲ）→受験勉強 |
| | | 高2のうちに受験全範囲を修了する | |
| 従来の学習方法（公立高校の場合） | 高1生の学習（数学Ⅰ・A） | 高2生の学習（数学Ⅱ・B） | 高3生の学習（数学Ⅲ） |

---

## 目標まで一歩ずつ確実に
# スモールステップ・パーフェクトマスター

### 自分にぴったりのレベルから学べる習ったことを確実に身につける

高校入門から超東大までの12段階から自分に合ったレベルを選ぶことが可能です。「簡単すぎる」「難しすぎる」といった無駄がなく、志望校へ最短距離で進みます。
授業後すぐにテストを行い内容が身についたかを確認し、合格したら次の授業に進むので、わからない部分を残すことはありません。短期集中で徹底理解をくり返し、学力を高めます。

#### 現役合格者の声
**早稲田大学 国際教養学部**
**竹中 蘭香さん**

毎回の授業後にある確認テストと講座の総まとめの講座修了判定テストのおかげで、受講が終わってもほったらかしになりませんでした。授業内容を定着させやすかったです。

#### パーフェクトマスターのしくみ

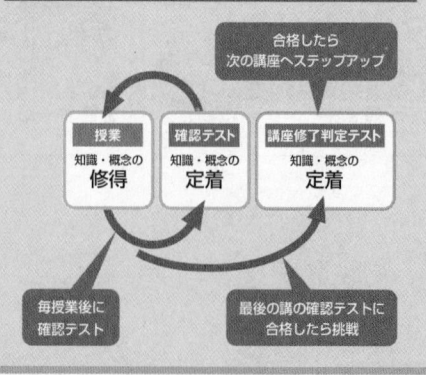

授業（知識・概念の修得）→ 確認テスト（知識・概念の定着）→ 講座修了判定テスト（知識・概念の定着）→ 合格したら次の講座へステップアップ

- 毎授業後に確認テスト
- 最後の講の確認テストに合格したら挑戦

付録 3

## 個別説明会

全国の東進ハイスクール・東進衛星予備校の各校舎にて実施しています。
※お問い合わせ先は、付録9ページをご覧ください。

## 徹底的に学力の土台を固める
# 高速基礎マスター講座

高速基礎マスター講座は「知識」と「トレーニング」の両面から、科学的かつ効率的に短期間で基礎学力を徹底的に身につけるための講座です。文法事項や重要事項を単元別・分野別にひとつずつ完成させていくことができます。インターネットを介してオンラインで利用できるため、校舎だけでなく、自宅のパソコンやスマートフォンアプリで学習することも可能です。

### 東進公式スマートフォンアプリ
### ■東進式マスター登場！
（英単語／英熟語／英文法／基本例文）

スマートフォンアプリですき間時間も徹底活用！

**1) スモールステップ・パーフェクトマスター！**
頻出度（重要度）の高い英単語から始め、1つのSTEP（計100語）を完全修得すると次のSTAGEに進めるようになります。

**2) 自分の英単語力が一目でわかる！**
トップ画面に「修得語数・修得率」をメーター表示。自分が今何語修得しているのか、どこを優先的に学習すべきなのか一目でわかります。

**3)「覚えていない単語」だけを集中攻略できる！**
未修得の単語、または「My単語（自分でチェック登録した単語）」だけをテストする出題設定が可能です。
すでに覚えている単語を何度も学習するような無駄を省き、効率良く単語力を高めることができます。

「新・英単語センター1800」

### 現役合格者の声

**上智大学 理工学部**
**杉原 里実さん**

「高速基礎マスター講座」がおススメです。短い期間で一気に覚えることができるだけでなく、さらにスマートフォンでも学習できるので、とても便利でした。

## 君を熱誠指導でリードする
# 担任指導

### 志望校合格のために
### 君の力を最大限に引き出す

定期的な面談を通じた「熱誠指導」で、生徒一人ひとりのモチベーションを高め、維持するとともに志望校合格までリードする存在、それが東進の「担任」です。

### 現役合格者の声

**慶應義塾大学 法学部**
**成田 真惟子さん**

担任の先生は受験についてのアドバイスだけでなく、将来の夢を見据えて受験することの意味も教えてくださいました。受験期に辛くなった時には励ましていただき、とても心強かったです。

# 合格の秘訣 3 東進ドットコム

ここでしか見られない受験と教育の情報が満載！
**大学受験のポータルサイト**

## www.toshin.com

東進公式Twitter @Toshincom
東進公式Facebook www.facebook.com/ToshinHighSchool

**スマートフォン版も充実！**

---

## 東進ブックスのインターネット書店
# 東進WEB書店

### ベストセラー参考書から
### 夢ふくらむ人生の参考書まで

学習参考書から語学・一般書までベストセラー＆ロングセラーの書籍情報がもりだくさん！あなたの「学び」をバックアップするインターネット書店です。検索機能もグンと充実。さらに、一部書籍では立ち読みも可能。探し求める1冊に、きっと出会えます。

付録 5

スマートフォンからも
ご覧いただけます

東進ドットコムは
スマートフォンから簡単アクセス！

## 最新の入試に対応!!
# 大学案内

**偏差値でも検索できる。
検索機能充実！**

　東進ドットコムの「大学案内」では最新の入試に対応した情報を様々な角度から検索できます。学生の声、入試問題分析、大学校歌など、他では見られない情報が満載！登録は無料です。
　また、東進ブックスの『新大学受験案内』では、厳選した185大学を詳しく解説。大学案内とあわせて活用してください。

難易度ランキング　　50音検索

## 185大学・最大22年分の過去問を無料で閲覧
# 大学入試過去問データベース

**君が目指す大学の過去問を
すばやく検索、じっくり研究！**

　東進ドットコムの「大学入試問題 過去問データベース」は、志望校の過去問をすばやく検索し、じっくり研究することが可能。185大学の過去問をダウンロードすることができます。センター試験の過去問も最大22年分掲載しています。登録・利用は無料です。志望校対策の「最強の教材」である過去問をフル活用することができます。

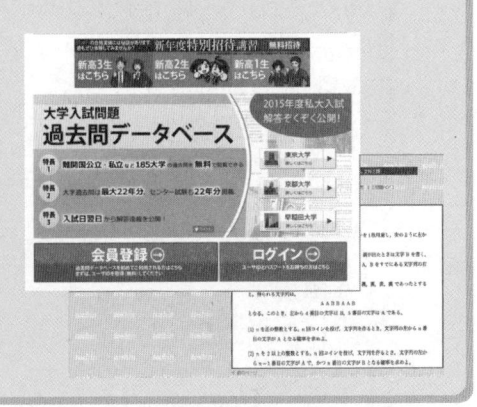

## 学生特派員からの
# 先輩レポート

**東進OB・OGが生の大学情報を
リアルタイムに提供！**

　東進から難関大学に合格した先輩が、ブログ形式で大学の情報を提供します。大勢の学生特派員によって、学生の目線で伝えられる大学情報が次々とアップデートされていきます。受験を終えたからこそわかるアドバイスも！受験勉強のモチベーションUPに役立つこと間違いなしです。

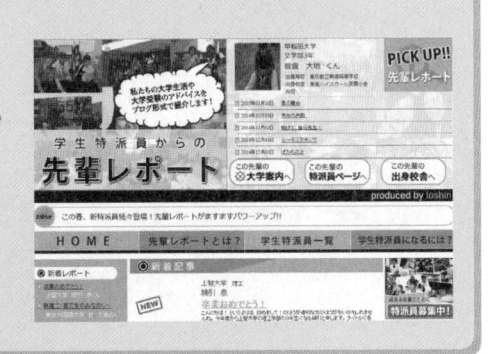

付録 6

# 合格の秘訣 4 東進模試

**申込受付中**
※お問い合わせ先は付録9ページをご覧ください。

## 学力を伸ばす模試

「自分の学力を知ること」が受験勉強の第一歩

### 「絶対評価」×「相対評価」のハイブリッド分析
志望校合格までの距離に加え、「受験者集団における順位」および「志望校合否判定」を知ることができます。

### 入試の『本番レベル』
「合格までにあと何点必要か」がわかる。早期に本番レベルを知ることができます。

### 最短7日のスピード返却
成績表を、最短で実施7日後に返却。次の目標に向けた復習はバッチリです。

### 合格指導解説授業
模試受験後に合格指導解説授業を実施。重要ポイントが手に取るようにわかります。

- 模試受験中に学力を伸ばす!
- 合格までの距離を知り、計画を立てる!
- 学習効果を検証、勉強法を改善する!

**全国統一高校生テスト** 高3生 高2生 高1生 年1回

**全国統一中学生テスト** 中3生 中2生 中1生 年1回

## 東進模試 ラインアップ 2016年度

| 模試名 | 対象 | 回数 |
|---|---|---|
| センター試験本番レベル模試 | 受験生 高2生 高1生 ※高1は難関大志望者 | 年5回 |
| 高校生レベル(マーク・記述)模試 | 高2生 高1生 ※第1〜3回…マーク、第4回…記述 | 年4回 |
| 東大本番レベル模試 | 受験生 | 年3回 |
| 京大本番レベル模試 | 受験生 | 年3回 |
| 北大本番レベル模試 | 受験生 | 年2回 |
| 東北大本番レベル模試 | 受験生 | 年2回 |
| 名大本番レベル模試 | 受験生 | 年2回 |
| 阪大本番レベル模試 | 受験生 | 年2回 |
| 九大本番レベル模試 | 受験生 | 年2回 |
| 難関大本番レベル記述模試 | 受験生 | 年5回 |
| 有名大本番レベル記述模試 | 受験生 | 年5回 |
| 大学合格基礎力判定テスト | 受験生 高2生 高1生 | 年4回 |
| センター試験同日体験受験 | 高2生 高1生 | 年1回 |
| 東大入試同日体験受験 | 高2生 高1生 ※高1は意欲ある東大志望者 | 年1回 |

※センター試験本番レベル模試とのドッキング判定
※最終回がセンター試験後の受験となる模試は、センター試験自己採点とのドッキング判定となります。

---

東進で勉強したいが、近くに校舎がない君は…

## 東進ハイスクール 在宅受講コースへ

「遠くて東進の校舎に通えない……」。そんな君も大丈夫! 在宅受講コースなら自宅のパソコンを使って勉強できます。ご希望の方には、在宅受講コースのパンフレットをお送りいたします。お電話にてご連絡ください。学習・進路相談も随時可能です。

# 2016年も難関大・有名大 ゾクゾク現役合格
## 日本一※の東大現役合格実績

**現役のみ！講習生含まず！**

※2015年、東大現役合格実績をホームページ・パンフレット・チラシ等で公表している予備校の中で最大。当社調べ。

2016年3月31日締切

## 東大現役合格者の2.8人に1人が東進生

**東進生現役占有率 36.3%**

**東大現役合格者 742名** （合格者増 +14名）

- 文Ⅰ……125名
- 文Ⅱ……100名
- 文Ⅲ……88名
- 推薦……21名
- 理Ⅰ……247名
- 理Ⅱ……110名
- 理Ⅲ……51名

今年の東大合格者は現浪合わせて3,108名。そのうち、現役合格者は2,043名。東進の現役合格者は742名ですので、東大現役合格者における東進生の占有率は36.3%となります。現役合格者の2.8人に1人が東進生です。合格者の皆さん、おめでとうございます。

### 現役合格 旧七帝大＋東工大・一橋大 2,980名（合格者増 +194名）

- 東京大……742名
- 京都大……309名
- 北海道大……251名
- 東北大……253名
- 名古屋大……293名
- 大阪大……496名
- 九州大……341名
- 東京工業大……130名
- 一橋大……165名

### 現役合格 国公立医・医 596名（合格者増 +15名）

| 大学 | 人数 | 大学 | 人数 | 大学 | 人数 |
|---|---|---|---|---|---|
| 東京大 | 52名 | 群馬大 | 11名 | 大阪市立大 | 10名 |
| 京都大 | 19名 | 千葉大 | 20名 | 神戸大 | 11名 |
| 北海道大 | 9名 | 東京医歯科大 | 20名 | 岡山大 | 13名 |
| 東北大 | 17名 | 横浜市立大 | 10名 | 広島大 | 21名 |
| 名古屋大 | 12名 | 新潟大 | 10名 | 徳島大 | 17名 |
| 大阪大 | 16名 | 金沢大 | 16名 | 香川大 | 14名 |
| 九州大 | 11名 | 山梨大 | 14名 | 愛媛大 | 15名 |
| 札幌医科大 | 12名 | 信州大 | 8名 | 佐賀大 | 17名 |
| 弘前大 | 13名 | 岐阜大 | 11名 | 熊本大 | 12名 |
| 秋田大 | 17名 | 浜松医科大 | 17名 | 琉球大 | 11名 |
| 福島県立医科大 | 9名 | 三重大 | 11名 | その他国公立医・医 | 110名 |
| 筑波大 | 16名 | | | | |

### 現役合格 早慶 5,071名（合格者増 +173名）

- 早稲田大……3,222名
- 慶應義塾大……1,849名

### 現役合格 上理明青立法中 16,773名（合格者増 +930名）

- 上智大……1,180名
- 東京理科大……1,937名
- 明治大……3,945名
- 青山学院大……1,680名
- 立教大……2,146名
- 法政大……3,631名
- 中央大……2,254名

### 現役合格 関関同立 11,432名（合格者増 +898名）

- 関西学院大……2,273名
- 関西大……2,564名
- 同志社大……2,502名
- 立命館大……4,093名

### 現役合格 私立医・医 412名 ※防衛医科大学校を含む

- 慶應義塾大……48名
- 順天堂大……43名
- 東京慈恵会医科大……29名
- 昭和大……24名
- 防衛医科大学校……49名
- その他私立医・医……219名

### 現役合格 国公立大 13,762名（合格者増 +714名）

| 大学 | 人数 | 大学 | 人数 | 大学 | 人数 |
|---|---|---|---|---|---|
| 東京工業 | 130名 | 東京農工 | 87名 | 神戸 | 374名 |
| 一橋 | 165名 | 東京海洋 | 62名 | 神戸市外国語 | 57名 |
| 北海道教育 | 69名 | 横浜国立 | 281名 | 兵庫県立 | 30名 |
| 旭川医科 | 16名 | 横浜市立 | 155名 | 奈良女子 | 51名 |
| 北見工業 | 34名 | 新潟 | 212名 | 奈良県立 | 36名 |
| 小樽商科 | 49名 | 富山 | 133名 | 和歌山 | 77名 |
| 弘前 | 90名 | 金沢 | 198名 | 鳥取 | 98名 |
| 岩手 | 57名 | 福井 | 69名 | 島根 | 78名 |
| 宮城 | 27名 | 山梨 | 73名 | 岡山 | 265名 |
| 秋田 | 55名 | 都留文科 | 65名 | 広島 | 293名 |
| 国際教養 | 34名 | 信州 | 191名 | 山口 | 229名 |
| 山形 | 101名 | 岐阜 | 143名 | 徳島 | 168名 |
| 福島 | 67名 | 静岡 | 225名 | 香川 | 105名 |
| 筑波 | 237名 | 静岡県立 | 50名 | 愛媛 | 204名 |
| 茨城 | 156名 | 浜松医科 | 24名 | 高知 | 84名 |
| 宇都宮 | 54名 | 愛知教育 | 120名 | 北九州市立 | 122名 |
| 群馬 | 70名 | 名古屋工業 | 150名 | 九州工業 | 121名 |
| 高崎経済 | 83名 | 名古屋市立 | 128名 | 福岡教育 | 67名 |
| 埼玉 | 147名 | 三重 | 199名 | 佐賀 | 131名 |
| 埼玉県立 | 34名 | 滋賀 | 83名 | 長崎 | 122名 |
| 千葉 | 335名 | 滋賀医科 | 13名 | 熊本 | 207名 |
| 東京医科歯科 | 38名 | 京都教育 | 29名 | 大分 | 78名 |
| 東京外国語 | 112名 | 京都府立 | 43名 | 宮崎 | 91名 |
| 首都大学東京 | 258名 | 京都工芸繊維 | 55名 | 鹿児島 | 113名 |
| お茶の水女子 | 59名 | 大阪市立 | 241名 | 琉球 | 113名 |
| 電気通信 | 66名 | 大阪府立 | 200名 | | |
| 東京学芸 | 118名 | 大阪教育 | 140名 | | |

※東進調べ

ウェブサイトでもっと詳しく → 東進 検索

付録 8

各大学の合格実績は、東進ネットワーク（東進ハイスクール・東進衛星予備校・早稲田塾）の合同実績です。

## 東進へのお問い合わせ・資料請求は
### 東進ドットコム　www.toshin.com
### もしくは下記のフリーダイヤルへ！

**ハッキリ言って合格実績が自慢です！大学受験なら、**

## 東進ハイスクール　0120-104-555（トーシン ゴーゴーゴー）

### ●東京都

**[中央地区]**
- 市ヶ谷校　0120-104-205
- 新宿エルタワー校　0120-104-121
- ＊新宿校大学受験本科　0120-104-020
- 高田馬場校　0120-104-770
- 人形町校　0120-104-075

**[城北地区]**
- 赤羽校　0120-104-293
- 本郷三丁目校　0120-104-068
- 茗荷谷校　0120-738-104

**[城東地区]**
- 綾瀬校　0120-104-762
- 金町校　0120-452-104
- ★北千住校　0120-693-104
- 錦糸町校　0120-104-249
- 豊洲校　0120-104-282
- 西新井校　0120-266-104
- 西葛西校　0120-104-289
- 門前仲町校　0120-104-016

**[城西地区]**
- 池袋校　0120-104-062
- 大泉学園校　0120-104-862
- 荻窪校　0120-687-104
- 高円寺校　0120-104-627
- 石神井校　0120-104-159
- 巣鴨校　0120-104-780
- 成増校　0120-028-104
- 練馬校　0120-104-643

**[城南地区]**
- 大井町校　0120-575-104
- 蒲田校　0120-265-104
- 五反田校　0120-672-104
- 三軒茶屋校　0120-104-739
- 渋谷駅西口校　0120-389-104
- 下北沢校　0120-104-672
- 自由が丘校　0120-964-104
- 成城学園前駅北口校　0120-104-616
- 千歳烏山校　0120-104-331
- 都立大学駅前校　0120-275-104

**[東京都下]**
- 吉祥寺校　0120-104-775
- 国立校　0120-104-599
- 国分寺校　0120-622-104
- 立川駅北口校　0120-104-662
- 田無校　0120-104-272
- 調布校　0120-104-305
- 八王子校　0120-896-104
- 東久留米校　0120-565-104
- 府中校　0120-104-676
- ★町田校　0120-104-507
- 武蔵小金井校　0120-480-104
- 武蔵境校　0120-104-769

### ●神奈川県
- 青葉台校　0120-104-947
- 厚木校　0120-104-716
- 川崎校　0120-226-104
- 湘南台東口校　0120-104-706
- 新百合ヶ丘校　0120-104-182
- センター南駅前校　0120-104-722
- たまプラーザ校　0120-104-445
- 鶴見校　0120-876-104
- 平塚校　0120-104-742
- 藤沢校　0120-104-549
- 向ヶ丘遊園校　0120-104-757
- 武蔵小杉校　0120-165-104
- ★横浜校　0120-104-473

### ●埼玉県
- 浦和校　0120-104-561
- 大宮校　0120-104-858
- 春日部校　0120-104-508
- 川口校　0120-917-104
- 川越校　0120-104-538
- 小手指校　0120-104-759
- 志木校　0120-104-202
- せんげん台校　0120-104-388
- 草加校　0120-104-690
- 所沢校　0120-104-594
- ★南浦和校　0120-104-573
- 与野校　0120-104-755

### ●千葉県
- 我孫子校　0120-104-253
- 市川駅前校　0120-104-381
- 稲毛海岸校　0120-104-575
- 海浜幕張校　0120-104-926
- ★柏校　0120-104-353
- 北習志野校　0120-344-104
- 新浦安校　0120-556-104
- 新松戸校　0120-104-354
- ★津田沼校　0120-104-724
- 土気校　0120-104-584
- 成田駅前校　0120-104-346
- 船橋校　0120-104-514
- 松戸校　0120-104-257
- 南柏校　0120-104-439
- 八千代台校　0120-104-863

### ●茨城県
- つくば校　0120-403-104
- 土浦校　0120-059-104
- 取手校　0120-104-328

### ●静岡県
- ★静岡校　0120-104-585

### ●長野県
- ★長野校　0120-104-586

### ●奈良県
- JR奈良駅前校　0120-104-746
- ★奈良校　0120-104-597

★は高卒本科（高卒生）設置校
＊は高卒生専用校舎

※変更の可能性があります。最新情報はウェブサイトで確認できます。

---

**全国954校、10万人の高校生が通う、**

## 東進衛星予備校　0120-104-531（トーシン ゴーサイン）

**東進ドットコムでお近くの校舎を検索！**

「東進衛星予備校」の「校舎案内」をクリック  → エリア・都道府県を選択 → 校舎一覧が確認できます

資料請求もできます

---

**近くに東進の校舎がない高校生のための**

## 東進ハイスクール在宅受講コース　0120-531-104（ゴーサイン トーシン）

※2016年3月末現在

# 橋元流イメージ絵図

## 第7講　仕事とエネルギー

◎仕事＝力×移動距離ではあるが…。【⇒P.122】

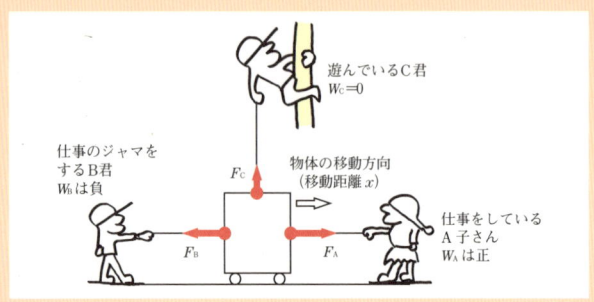

◎ピザ店の金庫残高チェック―仕事とエネルギーの関係【⇒P.128】

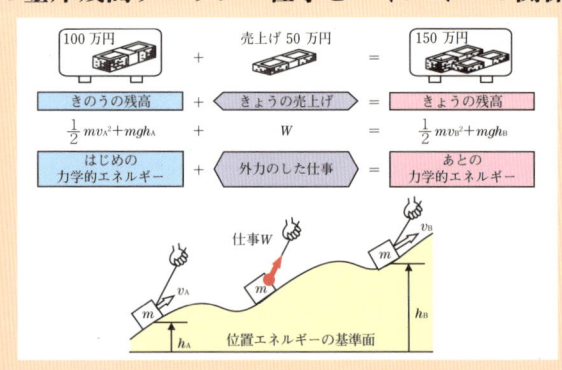

## 第8講　力学的エネルギーの保存則

◎力学的エネルギー保存則【⇒P.146】

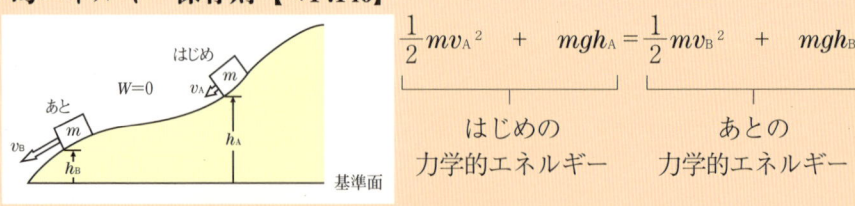

$$\frac{1}{2}mv_A^2 + mgh_A = \frac{1}{2}mv_B^2 + mgh_B$$

はじめの力学的エネルギー　＝　あとの力学的エネルギー

## 第9講　熱と温度

◎熱量と温度【⇒P.168】

・熱量〔J〕：物質の分子が持っている乱雑な動きの運動エネルギーの合計

　　$Q=mcT$　（$c$：比熱）

・温度〔K〕：物質の分子が持っている乱雑な動きの平均の運動エネルギー

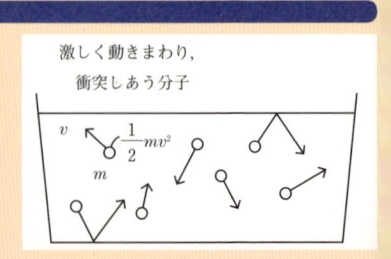